De Wilde Voetbalbende

Joachim Masannek

Goal!

met tekeningen van Jan Birck

Uitgeverij Ploegsma Amsterdam

Kijk ook op
www.ploegsma.nl
www.dewildevoetbalbende.nl

ISBN 978 90 216 6642 6 / NUR 282/283
Dit boek is een bundeling van 'Leon de slalomkampioen', 'Felix de wer-
velwind' en 'Vanessa de onverschrokkene'
Titel oorspronkelijke uitgaven: 'Die Wilden Fußballkerle – Leon de
Slalomdribbler', 'Die Wilden Fußballkerle – Felix der Wirbelwind' en
'Die Wilden Fußballkerle – 'Vanessa die Unerschrockene'
Verschenen bij: Baumhaus Buchverlag, Frankfurt am Main 2002
© Baumhaus Verlag GmbH, Frankfurt am Main, Duitsland 2002
Die Wilden Fußballkerle ™ Joachim Masannek & Jan Birck
Vertaling: Suzanne Braam
Omslagontwerp: Studio Rietvelt
© Nederlandse uitgaven: Uitgeverij Ploegsma bv, Amsterdam 2006
© Deze omnibusuitgave: Uitgeverij Ploegsma bv, Amsterdam 2009
Alle rechten voorbehouden.

© **Mixed Sources**
Productgroep uit goed beheerde
bossen, gecontroleerde bronnen
en gerecycled materiaal
www.fsc.org Cert no. SCS-COC-001256
FSC © 1996 Forest Stewardship Council

Uitgeverij Ploegsma drukt haar boeken op
papier met FSC-keurmerk. Zo helpen we
waardevolle oerbossen te behouden.

Inhoud

1 Leon de slalomkampioen

2 Felix de wervelwind

3 Vanessa de onverschrokkene

De Wilde Voetbalbende

Hé, jij daar! Ja, jij! Ben je daar eindelijk? Ik was al bang dat we elkaar nooit zouden leren kennen. Ik heet Leon en dit boek gaat over ons: de Wilde Voetbalbende.

Een aardige kinderboekenschrijver zou nu vertellen dat we een gezellig clubje zijn met een leuke knuffelhond, en dat we dol zijn op voetbal. Maar ik ben geen aardige kinderboekenschrijver. Ik hoor bij de Wilde Bende en wat je hier leest, is ook geen kinderboek. Het is echt: zo echt als het leven zelf. Precies! En daarom is mijn hond Sokke niet alléén maar een hond om te knuffelen (al is hij daar dol op), en zijn wij geen gezellig clubje vrienden. Wij zijn wild en gevaarlijk.

Mijn beste vriend Fabian, bijvoorbeeld, is de snelste rechtsbuiten ter wereld en de wildste van de bende. Op hem kan ik voor duizend procent rekenen en ik hoop dat hij nooit stopt met voetballen. Maar Fabi vindt ook een heleboel andere dingen leuk. Hij vindt zelfs – dat geloof je gewoon niet! – hij vindt zelfs meisjes spannend. Nou, dat heeft Marlon nog niet eens, en die is al elf!

Marlon is mijn grote broer. Zoals elke grote broer is hij vaak een verschrikkelijke

9

pestkop. Dan word ik helemaal gek van hem. Niets aan te doen. Je hebt je broer gewoon nodig; je hebt hem even hard nodig als zuurstof. En ook op het veld kunnen we niet zonder hem. Hij geeft namelijk nooit op. Mijn broer Marlon is gewoon de nummer 10 en daar ben ik gewoon heel erg trots op.

Marc komt stiekem. Hij mag eigenlijk niet voetballen. Hij moet beroepsgolfer worden of tenniskampioen. Dat wil zijn vader tenminste, maar Marc piekert daar niet over. Als hij thuis maar even weg kan, staat hij bij ons in het doel. En als je het mij vraagt, gaat hij de komende 25 jaar ook niets anders doen. Marc is een natuurtalent. Hij is als keeper geboren. Wie tegen Marc een doelpunt maakt, komt in het *Guinness Book of Records* en zal er nooit meer uit verdwijnen. Vraag maar aan Punter. Die staat er namelijk al in. Maar veel meer zullen jullie van hem niet te weten komen. Max 'Punter' van Maurik zegt niet veel. Hij is een man van daden en hij heeft het hardste schot ter wereld. Hij heeft Marc een keer met bal en al in het net geschoten.

Dat was de enige keer dat hij Joeri van het veld gespeeld heeft. Joeri 'Huckleberry' Fort Knox is het viermanschap op het middenveld in één persoon. Het lukt je echt nooit om langs hem te komen. Huckleberry Finn was trouwens een avonturier die 's nachts over de Mississippi voer op een houten vlot. Die Huckleberry was pas echt wild.

Zo wild zou Raban ook graag willen zijn. Raban, of liever gezegd: Raban, de held! Waarom moet hij zo nodig voetballen? Een blinde bedenkt toch ook niet dat hij fotograaf wil worden? Maar Raban staat onder bescherming van Fabian in hoogsteigen persoon en misschien heeft Fabi wel gelijk: vaak is zelfs Raban op het veld onvervangbaar.

Nu denk je vast dat ik gemeen ben of hard. Daar kan ik niets aan doen. Het leven is nu eenmaal zo, zeker als dat leven uit voetballen bestaat.

Moet je Felix zien. Hij is onze wervelwind. Maar Felix heeft astma en als hij daar last van heeft, kan hij helaas niets méér dan elke andere linksbuiten.

Of Jojo. Jojo is het tegenovergestelde van Marc, de keeper die golf moet spelen. Jojo's moeder is arm en ze heeft geen werk. Daarom moet Jojo door de week naar een kinderopvanghuis. Hij heeft geen voetbalschoenen en soms heeft hij niet eens een jas aan. Zijn moeder drinkt te veel en daarom komt Jojo soms helemaal niet. Hij praat er nooit over. Je ziet het aan zijn strakke mond, als het weer eens mis is. Maar als alles goed is, voetbalt Jojo echt fantastisch! Het lijkt of hij met de zon danst. Dan speelt hij zelfs beter dan ik: ik, Leon, de slalomkampioen, de topscorer en de-jongen-van-de-flitsende-voorzetten. Zo noemt Willie mij, als ik tenminste niet net te egoistisch ben, of balverliefd of eigenwijs en dat ben ik wel eens. Dat hoeft Willie me niet te vertellen.

Willie is onze trainer. Hij verkoopt frisdrank in het stalletje bij de Duivelspot, ons speelveld. Willie heeft het niet zo ver geschopt in het leven. Hoewel, over schoppen gesproken... Hij schijnt ooit profvoetballer te zijn geweest, en hij is en blijft de beste trainer van de wereld.

Net zoals de Wilde Bende de enige voetbalploeg is waarin ik ooit zou willen spelen. Maar voor de Wilde Bende echt bestond, moest er nog heel veel gebeuren.

Alle begin is moeilijk, dat weet je wel, maar voor ons gold dat dubbel erg. Toen bij ons alles begon, lag er zelfs nog sneeuw. Het was een lange, lange winter waaraan maar geen einde leek te komen. En toen kregen we ook nog last van Dikke Michiel en zijn
Onoverwinnelijke Winnaars...

De Wilde Bende houdt geen winterslaap

Zoals ik al zei leek er geen einde te komen aan de winter. De voorjaarsvakantie begon al bijna. Het was nog maar vijf dagen tot de (misschien wel) mooiste twee weken van het jaar. Twee weken zonder school of huiswerk. Twee weken waarin je vrienden niet door hun ouders naar een Waddeneiland of een of ander buitenland ontvoerd werden. Twee weken waarin je meteen na het ontbijt naar de Duivelspot kon, om pas terug te komen als de zon onderging. Twee weken alleen maar voetballen, van 's morgens tot 's avonds. En in de rust een sinas bij Willie aan zijn stalletje.

Ken je dat koele, prikkelende gevoel in je uitgedroogde keel? Ken je dat gevoel als de eerste warme lentewind door je haar blaast, dat nat is van het zweet? Dat gevoel als je blote tenen, van voetbalschoenen bevrijd, zich voor het eerst in de nog veel te koude aarde boren? Ken je dat? En dan de verhalen van Willie over vroeger. Het was een tijd die wij niet kenden, maar die we levendig voor ons zagen als Willie erover vertelde. Verhalen over Johan Cruijff, die rugnummer 14 had, net als ik. Verhalen over Marco van Basten, of over Pelé, de allerbeste voetballer van de wereld.

De winter duurde belachelijk lang. Er lag nog steeds sneeuw in de stad en op ons speelveld. Al onze dromen werden erdoor bedekt. Mijn broer Marlon en ik zaten op onze kamer op de grond en staarden tussen de ijsbloemen op het raam door naar de grauwe lucht. Over vier dagen begon de voorjaarsvakantie. De voetbalschoenen die we met Sinterklaas hadden gekregen, jeukten aan onze voeten. Steeds gooiden we mijn voetbal, die vol schrammen en krassen zat, naar elkaar over. We stelden ons voor dat we een winterslaap hielden, net als de grizzlyberen in Canada. Maar we voelden ons eerder gekooide tijgers in Artis. Heen en weer vloog de bal, steeds sneller...

Op school kregen we met geschiedenis de ijstijd. Ik vond dat niet leuk. Ik dacht alleen maar: als ze in die tijd al voetbalden, hadden ze de ijstijd nooit overleefd.

Marlon en ik zaten nu niet meer op de grond. We stonden

en gooiden de bal wild over en weer. Keepertraining noemden we dat. Maar Marlon was de nummer 10, spelverdeler, en ik de spits. Wat moesten wij nou met keepertraining? Daarom schoten we de bal maar tegen de muur. BENG! Om beurten: BENG! BENG!

Bij mijn beste vriend Fabi, Fazantenhof 4, gebeurde hetzelfde. Ook hij schoot de bal tegen de muur van zijn kamer. BENG!

En Joeri samen met Josje, zijn jongere broer, in het huis daar schuin tegenover. BENG! BENG!

Maar twee straten verder in een deftig ingericht huis, Eikenlaan 1, kon Max niet in zijn kamer. Daar stond het barbiehuis van zijn jongere zusje. Dus schopte hij in de huiskamer de bal tegen de muur: BENG! Altijd precies tussen de spiegel en de glazen vitrine. BENG! Daar was het doel.

Als trommelslagen klonk het nu van huis tot huis door de hele stad: BENG! Uit de Hubertusstraat, over de Fazantenhof tot in de Eikenlaan: BENG! Alleen Raban, de Held, deed niet mee. Hij zat thuis in het kleine rijtjeshuis, Rozenbottelsteeg 6, en staarde chagrijnig naar de muur terwijl de dochters van zijn moeders vriendinnen kletsend en giechelend krulspelden in zijn rode haar draaiden. Maar ook hij hoorde het getrommel en dat gaf hem kracht.

Nog maar drie dagen tot de vakantie. De lucht was nog steeds grijs. Voor zover je die kon zien dan, want het sneeuwde hard. De sneeuwvlokken waren zo dik als pingpongballen. Ze ploften dof tegen de ruiten alsof ze alles onder een kleverige suikerspin wilden verstikken. Maar het trommelen klonk harder. BENG! BENG! De natte sneeuw beloofde dooi en dat gaf ons kracht.

Nog maar twee dagen, en de eerste zonnestralen braken al door! Het was niet meer dan een klein stuk blauw aan de asgrauwe hemel, maar we hadden de winter overwonnen. De laatste sneeuwvlokken dansten in het zonlicht en de voetbal tussen onze voeten danste mee.

Marlon en ik waren nu helemaal ín het spel. Onze kamer in de Hubertusstraat was al lang de Arena en we merkten niet, echt niet, dat we het ene modelvliegtuig na het andere van het plafond schoten.

Eindelijk was Max 'Punter' van Maurik weer de man met het hardste schot van de wereld. Zorgvuldig legde hij de bal op het tapijt in de kamer, voor een vrije trap. Toen bekeek hij de afstand tot het muurtje van de tegenstander, dat voor hem nu inderdaad vóór de glazen vitrine stond.

In Fazantenhof 4 stormde Fabian, de snelste rechtsbuiten ter wereld, door zijn kamer, steeds langs de zijlijn. En in het huis ertegenover wachtte Joeri 'Huckleberry' Fort Knox, het eenmans-middenveld, op zijn kleine broer die hem aanviel. Josje zag er opeens uit als Marco van Basten.

Het was fantastisch. De winter leek eindelijk overwonnen. De voorjaarsvakantie was gered!

Daar ging Fabi té snel. Hij kon niet meer remmen en botste tegen de boekenplanken op. Een berg boeken en een paar dozen stortten op hem neer. De Fazantenhof trilde op zijn grondvesten.

Mijn broer Marlon tilde de bal op. Het was de perfecte pass in de kamer. Ik liep hem tegemoet en deed een omhaal. Dat is een van mijn specialiteiten. Het was de alles beslissende goal. Maar de bal sprong van de buitenkant van mijn schoen omhoog en knalde tegen de lamp. De schijnwerper in onze Arena ging uit en we waren terug in de Hubertusstraat.

In het huis tegenover Fabian zat Joeri de jonge Marco van Basten hardnekkig op de hielen. Hij maakte op het allerlaatste moment een sprong om het doelpunt te verhinderen en gleed recht tussen de benen van zijn moeder door, die plotseling met het broodmandje in de deuropening stond. De Fazantenhof trilde voor de tweede keer op zijn grondvesten. De boterhammen met chocoladepasta vlogen door de lucht in het gezicht van Josje, Joeri's jongere broertje in wie Marco van Basten zich plotseling teruggetoverd had.

Alleen in de Eikenlaan was het nog rustig. Max hield zelfs zijn adem in, waardoor het nog stiller werd. Toen nam hij een aanloop en schopte de bal over het muurtje. Een fractie van een seconde later scoorde hij. De bal vloog regelrecht in de hoek van de goal, rakelings langs de glazen vitrine, tegen de muur. Op het gezicht van Max verscheen zijn beroemde geluidloze grijns: dat was pas een schot!

En met deze beroemde geluidloze grijns om zijn mond zag Max hoe de bal tegen de muur knalde, terug stuiterde en door de ruit aan de overkant van de kamer vloog. Buiten rolde de bal verder tot hij elegant gestopt werd door de voet van Max' vader, die net thuiskwam van zijn werk op de bank. De beroemde geluidloze grijns om Max' mond verdween.

Het was nu helemaal donker geworden en het duurde nog één dag tot de voorjaarsvakantie.

Het einde van de wereld

's Nachts was het stil. Zo stil als in het oog van een orkaan. Onze bedden waren nu keiharde britsen en onze kamers zo donker en grijs als gevangeniscellen. In deze gevangeniscellen lagen Fabian, Joeri, Josje, Max, mijn broer Marlon en ik slapeloos op het vonnis van onze rechters te wachten. Zelfs Raban, die helemaal niets gedaan had, hield in de Rozenbottelsteeg 6 zijn teddybeer in zijn armen en durfde nauwelijks adem te halen.

De volgende morgen was het nog steeds stil. Zonder een woord stonden we op en we waren niet verbaasd toen onze ouders na ons 'Goeiemorgen' hun gesprek afbraken en zwegen. In het oog van een orkaan moet je voorzichtig zijn. Daar beweeg je je niet, want de storm woedt om je heen. Dat wisten we allemaal. Daarom stonden we stofstijf stil terwijl onze ouders de straffen afkondigden.

Fabian, mijn beste vriend, tien jaar oud, wonend in de Fazantenhof 4: veroordeeld tot drie dagen huisarrest. Zijn bal verdween naar de hoogste kast in de kamer, waar hij bewaakt werd door de dure porseleinen borden van zijn moeder.

Josje en Joeri, zes en tien jaar oud, uit het huis schuin tegenover Fabian: veroordeeld tot twee dagen voetbalverbod. De lucht werd uit hun voetbal gelaten en de pomp verstopt.

Marlon en ik, elf en tien jaar oud, uit de Hubertusstraat,

moesten onze spaarvarkens stukslaan en van ons eigen geld een nieuwe lamp betalen. Maar toen mijn vader opstond van de ontbijttafel om naar onze kamer te gaan en mijn bal weg te halen, sprong ik op. Ik vergat de orkaan.

'Dat is *mijn* bal!' riep ik en stoof achter hem aan. Ik duwde hem opzij, glipte tussen hem en de deurpost door en was eerder dan hij in onze kamer. Daar pakte ik mijn bal. Mijn vader stond in de deuropening, maar zei niets. Ik was nog steeds woedend en staarde hem aan. Toen schoof ik het traliehek van onze hamsterkooi omhoog en legde de voetbal naast het hamsterhuis. Ik duwde het traliehek weer naar beneden, maakte het hangslot van mijn fiets vast aan één tralie van de kooi en één van het hekje, en deed het op slot. De sleutel hield ik mijn vader voor.

'Alsjeblieft! Pak hem dan,' gromde ik zo boos als ik maar kon. 'Waar wacht je nog op?'

Mijn vader keek me onderzoekend aan. Toen pakte hij de sleutel, draaide zich hoofdschuddend om en liep de gang weer op. Een seconde later stormde Marlon binnen.

'Ben je gek geworden?' schreeuwde hij tegen me. Hij zuchtte diep en voegde er fluisterend aan toe: 'Pap had die bal anders natuurlijk in zijn werkkamer verstopt en morgen komt de werkster, dan hadden we hem gewoon kunnen pakken!'

'Vergeet het maar, slimbo!' antwoordde ik. 'Want de werkster komt morgen namelijk niet.'

'O nee? Oké, maar hoe wil je de bal nu uit de kooi krijgen?'

Marlon was woedend op me en ik was heel erg beledigd.

'Het is mijn bal,' siste ik, 'niet de jouwe. Ik kan ermee doen wat ik wil!'

'Dat zie ik, slimbo!' counterde Marlon.

Ik stak een hand in mijn broekzak. 'Meen je dat echt?' Ik

kon mijn grijns nauwelijks onderdrukken. 'En hoe noem je mij nu?' Langzaam trok ik mijn hand met de reservesleutel erin uit mijn broekzak.

'Slimmer dan de slimste slimbo,' zei Marlon. Een brede grijns verspreidde zich over zijn gezicht.

Van Max 'Punter' van Mauriks gezicht was die grijns echter voor altijd verdwenen. 'Tien dagen huisarrest en volledig voetbalverbod,' luidde zijn vonnis. Als versteend stond Max in de grote, deftige huiskamer van Eikenlaan 1 en keek door de gebroken ruit naar de straat. Daar droeg zijn vader de complete verzameling voetballen die Max de afgelopen vijf jaar bij elkaar had gespaard, in drie vuilniszakken naar de straat, waar de vuilniswagen al op hem wachtte.

Dat is niet eerlijk! Niet eerlijk! bonkte het in het hoofd van Max terwijl hij afwezig met de wereldbol speelde die naast het raam op een tafeltje stond. 'Gadver, dit is niet eerlijk! Zonder voetbal kun je niet leven. Zelfs de aarde is rond. Zo rond als... een bal...'

Op het gezicht van Max 'Punter' van Maurik verscheen zijn beroemde geluidloze grijns. Hij duwde nog een keer tegen de wereldbol en zag hoe mooi hij ronddraaide. Daarna ging alles heel vlug. De schroeven aan de standaard van de wereldbol waren in een oogwenk losgedraaid. Niets verhinderde de bol nog een voetbal te worden.

Een ogenblik later stuiterde de evenaar op het parket en kreeg de Noordpool een krachtige trap. Steeds opnieuw schoot Max de wereldbol tegen de muur van de kamer. Volledig voetbalverbod, dacht hij. Laat me niet lachen! Met zijn knie schoot hij de bal de lucht in tot vlak onder het plafond. Hij maakte een hoge sprong, haalde met zijn linkerbeen uit en liet het rechterbeen genadeloos volgen. Hard en zwaar trof zijn voet de kust van Madagaskar. De wereldbol schoot als een kanonskogel tegen de muur. En terwijl Max tot stilstand kwam, zag hij hoe de kanonskogel van de muur terug knalde en regelrecht op de tweede ruit af vloog, die nog heel was.

Buiten, voor het tuinhek, stond Max' vader de vuilniswagen na te kijken, die met alle voetballen van zijn zoon wegreed. Een klap, een heleboel gerinkel en de wereldbol sloeg door het glas. Geschrokken draaide Max' vader zich om. Hij zag de wereldbol een fractie van een seconde vóór hij die tegen zijn hoofd kreeg.

Sprakeloos keek Max' vader naar zijn sprakeloze zoon, die nu voor de tweede gebroken ruit verscheen.

'Nog tien dagen erbij!' zei hij met trillende stem.

Max knikte alleen maar kort. Toen zag hij dat zijn vader de wereldbol opraapte, hem opgooide en met een schot dat hij van zijn zoon geërfd zou kunnen hebben, een gigantisch eind de lucht in schopte.

'Tien en tien is twintig. Twintig dagen huisarrest, duidelijk?' Scherp als scheermesjes schoten deze woorden uit zijn mond.

Maar Max hoorde het niet. Hij keek de wereldbol na, die hoog door de lucht vloog en toen weer zakte, langs de opgaande zon, lager en lager en met een klap op de oprit van de buren terechtkwam. Daar sprong hij nog een keer hoog op waarna hij in twee delen tussen de bloemen in de voortuin bleef liggen. Shit! Dit was echt het einde van de wereld.

Leons droom

De dag die op deze ochtend volgde, was treurig en vochtig. Onderweg naar school verdween de zon achter de wolken die aan de daken van de huizen krabbelden. Zo laag hingen ze boven de stad, en ze waren zo grijs dat het leek of alle kleuren verdwenen waren. De wereld was alleen nog maar zwartwit.

Op school waren de andere kinderen in een uitstekend humeur. Ze lachten en vertelden enthousiast aan de leraren wat ze in de vakantie zouden gaan doen. Maar ook dat bracht de kleuren niet terug. Toen de leraar het aan ons vroeg, zeiden we niets. We zwegen. We zwegen voor Max die twintig dagen huisarrest had en we zwegen voor onzelf.

We hadden geprobeerd de winter te verdrijven en de winter had gewonnen. Nee, de winter had niet alleen gewonnen, hij had ons vernietigend verslagen. Waar we maar keken, zagen we alleen maar ijs en sneeuw. Aan voetballen hoefden we nu niet te denken. Zelfs zonder huisarrest lag de voorjaarsvakantie al helemaal in het water, of liever gezegd: in de sneeuw. Daarom waren we niet blij toen de bel die dag voor het laatst ging.

De anderen om ons heen renden naar buiten, de vrijheid tegemoet waar ze zo naar verlangd hadden. Maar wij slenterden, ieder voor zich, naar buiten en het enige geluid dat we hoorden, waren onze voetstappen in de modderige sneeuw en het water dat van de ijspegels aan de dakgoten naar beneden druppelde.

Hoewel we het niet afgesproken hadden, vonden we elkaar allemaal terug op de Duivelspot. We zaten op de oude tribune van steen en keken naar het witte speelveld. Toen keken we naar de bomen die rond het veld stonden. De natte sneeuw hing zwaar op de takken. Ook het stalletje van Willie langs het veld was nog helemaal gebarricadeerd en de ijspegels aan het dak druppelden in de plassen op de grond.

De laatste paar jaar was dat anders geweest. Toen had Willie op de laatste schooldag voor de voorjaarsvakantie steeds zijn stalletje en daarmee het voetbalseizoen geopend. De laatste paar jaar was het zo dat we vanaf dat moment de hele dag voetbalden, de hele vakantie door. Maar het enige wat we nu zouden kunnen doen, was een sneeuwpop maken. En Raban deed dat nog ook. Begin maart een sneeuwpop maken. Ik vond het waardeloos. Hoe kon iemand zo weinig begrijpen van het leven?

Ik keek naar Marlon, die naast me zat.

'Dit kan niet,' zei hij zachtjes. 'Dit kan gewoon niet!'

Hij keek naar Max. Die stond alleen maar op, pakte zijn rugzak en vertrok. Fabi liep met hem mee. Ook hij had huisarrest en moest naar huis.

'Hé, Max!' riep Raban, terwijl hij pogingen deed de tweede bal sneeuw voor de sneeuwpop op de eerste te zetten. 'Ik vind dit weer helemaal te gek!' Op dat moment gleed Raban uit (de tweede bal sneeuw was veel te zwaar voor hem) en viel op zijn gat, en de bal sneeuw spatte in zijn schoot uit elkaar. Alleen Rabans hoofd stak nog boven de berg sneeuw uit. 'Stel je voor dat je twintig dagen huisarrest had en de zon zou schijnen.' Raban probeerde te lachen, maar Max en Fabian draaiden zich niet eens om.

'Kom,' zei Felix, terwijl hij opsprong. 'We gaan!'

Maar we bleven zitten en staarden hem aan. Felix ontplofte bijna van woede: 'Shit! Het leven is onrechtvaardig. Blijven jullie hier nog lang naar hem zitten kijken?'

Raban krabbelde overeind. De anderen stonden ook op. Iedereen liep met Felix mee, alleen ik bleef zitten en hield de reservesleutel voor de hamsterkooi stijf in mijn hand geklemd, diep in mijn broekzak. Dit kan niet waar zijn, dacht ik. En later thuis, toen mijn vader na het eten naar het journaal keek, had ik de sleutel nog steeds in mijn hand.

Lieve-Heer, alstublieft, dacht ik, toen eindelijk het weerbericht kwam. Laat het nou voorjaar worden. Naast me zat Marlon driftig te duimen. Maar de Lieve-Heer hoorde me niet. Er kwam geen verandering in het weer.

Later lag ik boven in ons stapelbed, met mijn nieuwe voetbalschoenen in mijn armen en de sleutel nog steeds in mijn hand. Het was al over tienen. Buiten vielen de druppels van de ijspegels steeds harder op de grond en ik kon niet slapen.

'Weet je wat, Marlon?' vroeg ik.

'Mmmm.' Marlon was ook nog wakker.

'Dat had ik nou zo graag gezien.'

'Wat?' vroeg Marlon.

'Dat met die wereldbol bij Max. Je moet er maar op komen. Fantastisch! Je schopt hem tegen de muur in de kamer, en hij vliegt dan door de ruit – BAMMM!! – tegen het hoofd van je vader. Kun je je voorstellen hoe hij keek?'

'Wie, Max?' vroeg Marlon.

'Nee, zijn vader natuurlijk!' Ik schoot in de lach, ik kon het niet helpen.

'Wat is daar nou zo leuk aan?' vroeg Marlon.

'Vraag toch niet van die stomme dingen. Probeer het je gewoon even voor te stellen,' zei ik en keek over de rand van het bed naar Marlon, onder me.

Even was mijn broer heel stil. Toen grijnsde hij breed: 'Ja, hé, nou zie ik het ook. BAMM!! tegen de muur in de kamer, RINKELDEKINK! door het raam en BENG!! recht tegen het hoofd van zijn vader!' Marlon lachte, maar ik was weer ernstig en bleef even stil.

'Wat is er?' vroeg mijn broer.

'Dat kan niet voor niets zijn geweest,' antwoordde ik.

'Het was ook niet voor niets,' antwoordde Marlon. Ook hij was weer ernstig. 'Dat heeft Max met twintig dagen huisarrest moeten betalen.'

'Dat bedoel ik niet,' zei ik. 'Dat was een offer. Begrijp je? Max heeft zich voor ons opgeofferd. Hij was echt wild. Een echte martelaar. Zo heet dat toch? En zoiets gebeurt niet voor niets.'

Marlon zweeg. Misschien gaf hij me gelijk. In elk geval viel ik op een gegeven moment in slaap. Ik sliep en droomde van Max. Ik zag zijn omhaal. BAMM! sloeg de wereldbol tegen de muur, RINKELDEKINK! door de ruit en BENG! tegen het hoofd van zijn vader. Ik lachte en vloog met de wereldbol omhoog, door de wolken, langs de zon, en hoger, nog hoger, naar de sterren. Ik zweefde drie keer om de maan en viel toen terug op de aarde, waar de wereldbol te pletter sloeg.

Wat een treurige droom, dacht ik. Maar toen smolt de sneeuw rond de resten van de wereldbol en uit de grond kropen de eerste sneeuwklokjes van het jaar tevoorschijn.

Marlon, de pestkop!

De volgende morgen kriebelde er iets in mijn neus. Ik deed mijn ogen open en kneep ze meteen weer dicht. Wat deed dat pijn! Voorzichtig knipperde ik tegen het felle zonlicht: de ijsbloemen op de ramen waren verdwenen. Het volgende moment zat ik rechtop.

'Marlon!' riep ik. Ik gleed langs het laddertje van ons stapelbed naar beneden en trok het dekbed van hem af. 'Marlon, wakker worden!'

Maar het bed was leeg.

'Shit! Waar zit je?' Ik draaide me om en schreeuwde: 'Het wordt lente! Lente!' Met gestrekte arm wees ik naar het raam, maar Marlon stond al voor me in zijn voetbalkleren en grijnsde naar me.

'Je méént het, slaapkop!' zei hij, terwijl hij mijn voetbalkleren naar me toe gooide. 'Schiet op, anders is het herfst voor we bij de Duivelspot zijn!'

Op die dag heb ik een wereldrecord gevestigd. Binnen zes seconden had ik mijn pyjama uit en mijn voetbalkleren aan. Met één klap was de wereld weer helemaal in orde. Ik had gelijk gekregen: Max' offer was de moeite waard geweest. Als je echt wild bent, wist ik nu, kan je helemaal niets gebeuren! Maar... dan moet je niet zo'n pestkop van een broer hebben als ik. Terwijl ik mijn wereldrecord vestigde, had Marlon vlug de reservesleutel uit mijn bed gehaald, het fietsslot opengemaakt en mijn voetbal uit de hamsterkooi gehaald.

'Ik zie je bij de Duivelspot, slaapkop!' riep hij, stak zijn hand op en liep met de bal de kamer uit.

'Hé, dat is *mijn* bal!' schreeuwde ik boos, en ik hinkte achter hem aan omdat ik nog bezig was mijn andere voetbalschoen aan te trekken. 'Blijf staan, idioot!'

Maar de idioot piekerde er niet over.

'Kom maar halen!' was zijn antwoord. Hij rende de trap af en wilde de kamer binnenstormen, maar botste in de gang bijna in volle vaart tegen mijn vader op die net met een kop koffie uit de keuken kwam.

'Pas toch op!' schreeuwde mijn vader. Geschrokken sprong hij opzij en staarde toen naar de bal. 'Hé, wat is dat? Wacht eens even. Waar komt die bal vandaan?'

'Weet ik niet. Sorry, pap, maar deze bal is van Leon,' antwoordde Marlon. Hij rende door de keuken naar buiten, de tuin in. Mijn vader draaide zich om naar de trap, maar dat was geen goed idee. Want ik sprong op dat moment met drie treden tegelijk van de trap en botste met een klap tegen zijn kop koffie. Ja, je raadt het al. Een halve seconde later stroomde de koffie natuurlijk over zijn overhemd.

'Hé, kun je niet uitkijken, Leon?'

'Ja, dat probeerde ik,' antwoordde ik ongeduldig. 'Maar Marlon heeft gelijk!'

'O ja, en waarin dan wel?' Mijn vader was woedend. 'Ik ken die bal. Die is niet uit de hemel komen vallen.'

'Dat kan ook niet. Het is namelijk mijn bal. Ik heb hem van jou en mama gekregen voor mijn verjaardag. Marlon, ik waarschuw je! Blijf staan!' schreeuwde ik richting tuin. Ik glipte langs mijn vader en stormde door de keuken achter mijn broer aan, de tuin in.

Maar Marlon was al op straat. Het tuinhek zwaaide achter

hem dicht. Ik rukte het open en stoof de straat op. Het was *mijn* bal. Het eerste schot op de Duivelspot was daarom absoluut voor mij en niet voor mijn broer.

Opeens riep een stem: 'Hé, uitslover!'

Het was Marlon, die doodkalm op mijn bal zat met zijn rug tegen de tuinmuur. Ik remde met piepende zolen en stapte boos op hem af.

'Dat is mijn bal!' zei ik met opeengeklemde kiezen.

'Weet ik,' zei Marlon glimlachend.

'Geef hem dan hier!' Ik stond nu vlak voor hem.

'Mooi niet!' riep Marlon. Zijn grijns werd gemener. 'Eerst netjes dank je wel zeggen.'

'Wát?' Ik werd razend. 'Je bent niet goed bij je hoofd!'

'O néé? Nou, ik dácht het wel!' Marlon grijnsde nog steeds. 'En wat denk je dat papa had gedaan als je gewoon met de bal

het huis uit was gelopen? Zou je misschien tegen hem hebben gezegd: "Hoi, goeiemorgen, pap, vergeet de lamp in onze kamer en het voetbalverbod maar. Het is vandaag helaas zulk lekker weer dat ik nu echt naar de Duivelspot moet." Denk je dat hij je had laten gaan?'

'Shit!' mompelde ik. Marlon had bij wijze van uitzondering een keer gelijk. De truc met de bal was fantastisch geweest. Hij had van mij kunnen zijn. Maar dat kon ik jammer genoeg niet tegen hem zeggen. In plaats daarvan ging ik door met schelden: 'Je bent zo'n vette pestkop, weet je dat?'

'Ja! En jij niet, zeker?' zei Marlon. Hij stond op en gooide me mijn bal toe. 'Vang, daar zijn we nou broers voor.'

'Precies! Helaas zijn we dat, ja,' gaf ik met een scheef lachje toe en gooide de bal naar zijn borst. Marlon ving hem op als een keeper.

'Inderdaad,' zei hij. Toen rende hij weg.

'Hé, dat is *mijn* bal!' riep ik terwijl ik achter hem aan rende.

'Nou, vangen dan!' lachte Marlon en hij gooide de bal terug. Tevreden liepen we samen de straat uit.

Niet meer te stuiten

Maar natuurlijk was het niet alleen in de Hubertusstraat lente geworden. Overal in de stad jeukten de voeten van mijn vrienden en iedereen probeerde hoe dan ook zo vroeg mogelijk op het veld te komen.

Felix, de wervelwind, had niet meegedaan aan onze wanhopige strijd tegen de winter. Hij had geen lamp kapotgemaakt en ook geen ruit gebroken, omdat hij met griep in bed moest blijven. Daarom had hij, net als Raban in de Rozenbottelsteeg 6, geen huisarrest en geen voetbalverbod gekregen. Toch stond Felix nu in de keuken van Valentijnstraat 11 en keek met gefronst voorhoofd en schele ogen naar het schermpje op de thermometer die half uit zijn mond stak. Aan de andere kant van de thermometer stond zijn moeder en die deed hetzelfde.

'Onder de 37 graden,' had ze tegen Felix gezegd. 'Het moet onder de 37 zijn, anders kun je de Duivelspot vergeten!' Dat was een schandalig onrecht. Voor schóól gisteren was zelfs 37.5 niet te hoog geweest. Maar dat, vond zijn moeder, was heel iets anders.

Natuurlijk was dat iets totáál anders, dacht Felix, kokend van woede. Hij kookte zo hevig dat het lcd-schermpje van de koortsthermometer in zijn mond wel bijna moest ontploffen als een door Arnold Schwarzenegger geslagen kop van Jut. Gelukkig had zijn moeder geen idee van het ijsblokje onder zijn tong. Toen de reddende pieptoon van de thermometer eindelijk klonk, drukte Felix de thermometer met een boevengrijns bliksemsnel in haar hand.

'Zo, dat was het dan!' riep Felix en rende naar buiten, de straat op. 'En hou nou eindelijk eens op met je zorgen te maken. Ik weet precies wat ik doe!' hoorde zijn moeder hem nog roepen, terwijl ze ongelovig naar de 33.1 graden op het lcd-schermpje staarde. Haar zoon had geen koorts meer, hij stond zelfs op het punt te bevriezen! Maar Felix was er al vandoor.

Door deze list was hij als eerste van ons allemaal bij het veld. En daardoor werd hij ook als eerste van ons allemaal met het nieuwe, monsterlijke en bijna onoverwinnelijke gevaar geconfronteerd dat daar op ons wachtte.

Tien minuten daarvoor trok Raban in de Rozenbottelsteeg 6 de voordeur open.

'Ik ben naar de Duivelspot!' riep hij naar boven, naar de werkkamer van zijn moeder. 'Tot vanavond!' Maar toen verdwenen alle enthousiasme en vastberadenheid uit zijn ogen. Nee, hè?! Shit! Dit kon niet waar zijn...

'Hallo, Rabarbertje! Wat aardig dat je op ons hebt gewacht.' Raban kon zijn ogen en oren niet geloven. Hij stond oog in oog met drie dochters van vriendinnen van zijn moeder. Ze duwden hem als een muur van roze ruches en kantjes terug het huis in.

'Mama! Mama!' schreeuwde Raban om hulp. 'Wat komen *zij* hier doen?'

Zijn moeder was al uit haar werkkamer gekomen en stond op de trap. Ze begroette de meisjes, die nauwelijks tijd hadden om terug te groeten. De drie duwden de mopperende en tegenstribbelende Raban de kamer in en drukten hem op een stoel. Onder luid jammerend protest van Raban begonnen ze krulspelden in zijn haar te draaien.

'Mam!' schreeuwde hij. 'Dit wil ik niet! Echt niet!'

'Ach, toe, Raban, wat geeft dat nou?' riep Rabans moeder geïrriteerd. Ze stond nog steeds boven aan de trap en wilde zo vlug mogelijk weer aan haar werk. 'Wees blij dat ze met je komen spelen. Je vrienden hebben stuk voor stuk huisarrest.'

'Nou, en? Dat maakt mij niks uit. Ik verzin wel iets!' was Rabans commentaar. Hij was opgesprongen en stond nu letterlijk met zijn rug tegen de muur. Maar zijn moeder haalde haar schouders op.

'Ga je gang,' zei ze, 'maar je blijft hoe dan ook thuis!'

Met deze woorden draaide ze zich om en verdween weer in haar werkkamer. Raban keek naar de muur van roze ruches en kantjes, die nu met een boze grijns haar tanden ontblootte...

'Maar Rabarbertje toch!' zeiden de drie buitenaardse wezens met suikerzoete stemmen. Voor Raban voelde het alsof ze zúúr spuwden.

Hij praatte nu heel zachtjes, zodat zijn moeder het niet kon horen. Maar elk woord dat hij zei, was zo scherp als een scheermesje. 'Luister goed. Ik weet niet of jullie twéé dingen tegelijk kunnen onthouden, maar ik heet geen *Rabarbertje*. En ik ben ook geen proefkonijn voor drie kleuterschoolkapsters! Duidelijk?' Met deze woorden baande hij zich een weg dwars door de roze muur van ruches en kantjes en rende weg, de vrijheid tegemoet.

Hij rende en rende en kwam even na Felix bij de Duivelspot aan. Daar werd hij als tweede van onze groep geconfronteerd met het nieuwe, monsterlijke en bijna onoverwinnelijke gevaar dat daar op ons wachtte.

Vergeleken met Raban hadden Joeri en Josje het op de Fazantenhof bijna gemakkelijk. Ze waren een team, net als Marlon en ik. En terwijl hun moeder zich op de badkamer voor haar toilettafel mooi maakte, jammerden zij tweeën zonder ophouden bij de deur.

'Toe, mam, het is zo'n mooi weer! Mogen we naar de Duivelspot? De anderen zijn er vast al allemaal. Hún ouders zijn niet zo gemeen!'

Maar hun moeder was onverbiddelijk. En toen Joeri en Josje niet ophielden met jammeren, rukte ze de deur van de badkamer open om hun eindelijk het zwijgen op te leggen. Maar op de gang was niemand. Er stond wel een cassetterecorder waaruit de stemmen van Joeri en Josje klonken. Ze rende de woonkamer in en zag nog net door het raam dat haar zoons de straat uit renden. En die zoons zeurden al lang niet meer.

Vanuit het huis schuin aan de overkant zag ook Fabian de twee de straat uit stormen. Maar in tegenstelling tot Joeri en Josje had hij het te druk met andere dingen om te kunnen grijnzen. Fabian stond namelijk op de leuning van een stoel, die weer met zijn vier poten op vier wankele torens van boeken balanceerde, voor de hoge kast in de kamer. Hij probeerde zijn voetbal ervan af te vissen. Natuurlijk deed hij daarbij zijn uiterste best om niet de porseleinen borden van zijn moeder naar de andere wereld te helpen.

Fabian hield zijn adem in. Zijn vingertoppen voelden de bal. Voorzichtig, heel voorzichtig tilde hij hem op. Toen wiebelde de stoel even en hij verloor zijn evenwicht...

'SHIT!' was het enige woord dat hem op dat moment te binnen schoot.

Twee porseleinen borden rolden langzaam naar de rand van de kast. Fabian liet de bal meteen los. Hij voerde een

kleine buikdans uit om zijn evenwicht terug te vinden. Hij wilde net op de grond springen, toen de stoel weer op zijn vier poten stond. Precies op tijd! Fabian kon de borden nog net opvangen voor ze op de marmeren vloer van de kamer kapot zouden vallen.

'Pfff,' kreunde Fabian. Hij veegde met zijn arm het zweet van zijn voorhoofd. Toen rolde zijn voetbal van de kast en viel precies in de armen van zijn moeder. Ze stond achter hem. Haar blik eiste duidelijk een verklaring. Die kon Fabian haar in geen geval geven.

'Pfff!' kreunde hij opnieuw. 'Dat scheelde niet veel!'

Nu had hij alleen nog zijn onweerstaanbare glimlach. Maar daarnaast had Fabian ook altijd de beste ideeën. Glimlachend liet hij de geredde borden aan zijn moeder zien.

'Zullen we ruilen? Jij krijgt de borden en ik... de bal?' Dat laatste woord bleef in zijn keel steken toen hij het woedende gezicht van zijn moeder zag. Hij kuchte een beetje verlegen. Toen deed hij een laatste poging om zijn hoofd uit de strop te trekken.

'Eh... weet je, ik dacht eigenlijk, ik...' stotterde hij.

'Maak dat je wegkomt!' Zijn moeder verloor haar geduld. 'Onmiddellijk!'

Fabian grijnsde opgelucht.

'O, man, ik wist het wel. Je bent echt cool, mam!' Met die woorden sprong hij van de stoel. Hij drukte zijn moeder de twee borden in handen in ruil voor zijn voetbal. Hij drukte ook een kus op haar wang, en wilde net naar buiten rennen, toen de telefoon ging.

Zonder nadenken greep Fabi de hoorn. Ongeduldig riep hij: 'Ja, wat is er? Ik heb geen tijd!'

Maar aan de andere kant van de lijn was het doodstil.

'Hé, met wie spreek ik?' riep Fabian, die nog ongeduldiger werd toen hij het ademen aan de andere kant van de lijn herkende.

'O, mán! Max, wat is dit voor shit?' kreunde Fabian. 'Ik dacht dat je al lang op het veld was!'

Maar Max zei nog steeds geen woord. Hij stond aan de andere kant van de lijn in de mooie woonkamer van Eikenlaan 1 en keek hoe de werkster aan het schoonmaken was. Fabian kon alleen maar de stofzuiger horen.

'Shit, je hebt huisarrest! Sorry Max, bijna vergeten. En jij kunt het huis niet uit, hè?'

Max schudde zijn hoofd.

Fabi rolde met zijn ogen. 'Shit, Max, ik heb helemaal geen tijd!'

Maar Max zweeg nog steeds en de uitdrukking op zijn gezicht was echt wanhopig.

'Oké, luister!' Fabi slaakte een diepe zucht. 'Kun je in de badkamer komen?'

Weer zweeg Max, maar dat interesseerde Fabian niet meer.

'Max, het raam van de badkamer is recht boven jullie garage. Naast de garage staat de oude appelboom. De boom die je vader al jaren wil omhakken. Maar helaas is hij niet zo handig in dit soort dingen. Max?'

Maar Max had opgehangen en was al naar de badkamer verdwenen.

'Pfff, eindelijk!' kreunde Fabian en hing ook op. Zijn blik kruiste die van zijn moeder, die hem hoofdschuddend aan-keek met de porseleinen borden nog steeds in haar handen. Hij hief hulpeloos zijn armen. 'Jeetje, mam, wat moet ik dan, als hij het zelf niet bedenkt?' Toen glimlachte hij en zei: 'Nou, tot vanavond dan!'

En als laatste van ons rende hij naar buiten, de straat op. Het onheil tegemoet.

De val klapt dicht

Een eindje voor de Duivelspot kwamen we allemaal bij elkaar: Fabian, Joeri en Josje, Max, Marlon en ik. We lachten om het huisarrest en het voetbalverbod en niemand dacht ook maar een fractie van een seconde aan de gevolgen van onze ontsnapping. Dat kon tot vanavond wachten. Tot dan zou alles geweldig zijn. We voelden ons helemaal te gek en zo renden we ook de straat door. Toen we de laatste bocht namen die ons nog van de Duivelspot scheidde, botsten we in volle vaart tegen iets op dat ons al even hard tegemoet kwam.

Fabian sloeg bij de botsing tegen de grond. Wij konden nog net remmen en staarden met grote ogen naar de roodharige jongen met de jampotglazen-bril en de krulspelden in zijn haar.

'Jéé, ben jij het, Raban!' riep Joeri.

'Ja, wie anders?' zei ik.

'De Duivelspot is de andere kant op,' lachte Josje, de jongste van ons allemaal.

'Je méént het!' zei Raban. Zijn wangen werden vuurrood en hij duwde de hand van Fabian, die zijn vriend overeind wilde trekken, boos weg.

'Alles oké?' vroeg Fabian en wreef over zijn eigen buil.

'Nee, natuurlijk niet! Niets is oké,' siste Raban. 'Waar waren jullie nou? De Duivelspot is al bezet!'

'Ga toch weg, man!' riep Joeri.

'Je ziet ze vliegen!' zei ik tegen Raban. Dat was typisch Raban. Probeerde zich altijd overal uit te kletsen.

'Helemaal niet!' Raban stond voor ons. Hij kneep in zijn handen tot zijn knokkels kraakten. Zijn ogen, die door zijn bril met de jampotglazen al groot leken, werden nóg groter, als bij een stripfiguur. 'De Duivelspot is al bezet. Echt waar! Vandaag en de komende twee weken en misschien wel voor altijd.'

Raban zweeg. Hij verwachtte duidelijk dat wij van schrik zouden omvallen. Maar we keken elkaar alleen maar ongelovig aan.

Raban werd woedend. 'Vraag het dan aan Felix! Die zit daar ergens en durft niet meer weg van zijn plek.'

Nu werd het ernst. Felix was niet iemand die flauwe grappen uithaalde. Soms twijfelde ik er zelfs aan of hij wist wat een grap was. Maar dat speelde nu geen rol. Blijkbaar was iemand van plan ons speelveld, ónze Duivelspot, in te pikken. Daar maakte je geen grappen over.

We zetten het op een lopen naar de Duivelspot. Raban bleef waar hij was.

'Nee! Stop! Wacht nou! Stóóóp!!' riep hij ons wanhopig achterna. En hoewel het klonk alsof we regelrecht in een val liepen, luisterde niemand naar hem.

We renden de straat uit en door de opening in de schutting die om het speelveld heen stond. We renden langs Willies stalletje, waar Willie op zijn brommer net voor stopte om het voor het seizoen te openen. En we renden het veld op naar Felix, die bij de middenstip naar adem zat te snakken. Hij zei geen woord. Hij vocht wanhopig tegen zijn astma. Het kon aan zijn hooikoorts liggen, dacht ik. Want verder was er helemaal niets te zien. De Duivelspot was verlaten. Hij was hele-

maal verlaten, op ons en Raban na, die nu wild gebarend in het gat in de schutting opdook en daar bleef staan.

'Néé! Zijn jullie gek geworden? Kom terug! Ik kon op het laatste moment nog ontsnappen!'

We keken elkaar aan. We begrepen er niets van. Ik had de volgende spottende uitroep al in mijn hoofd, toen er aan alle vier de kanten achter de schutting iets begon te bewegen.

Het eerste waar ik aan dacht waren kakkerlakken. Maar zulke grote kakkerlakken had je zelfs in Azië niet. Nee, het bleken jongens te zijn, net zoals wij, alleen groter, sterker en forser en ze kwamen regelrecht op ons af. Net als Raban. Hij stopte pas toen hij tussen ons in stond en hij had gelijk. Al had hij er niet veel aan. De jongens die nu van alle kanten op

ons af kwamen en ons omsingelden, waren niet bang. Ze zagen er dreigend, eng, maar ook cool uit. Supercool.

Onze adem stokte en ons hart leek stil te staan: in het gat in de schutting waar Raban net nog stond en ons wanhopig had gewaarschuwd, verscheen Dikke Michiel.

Geef nooit op!

Dikke Michiel was de Darth Vader van onze wereld. Hij stond in het gat in de schutting. Vanaf het T-shirt waarmee Dikke Michiel tevergeefs probeerde zijn vette pens te bedekken, staarde diezelfde schoft ons aan. Maar in tegenstelling tot Darth Vader droeg Dikke Michiel geen sciencefiction-masker. *Zijn* gezicht was echt. Zijn kleine varkensoogjes zaten als gloeiende kooltjes tussen de vetplooien en zijn

adem reutelde als die van een potvis die de hele wereld rond-
gezwommen is.

Dikke Michiel was de sterkste jongen van onze school en
van de stad en hij was nooit bang. Dat had een simpele reden.
Dikke Michiel was nooit alleen. Net als nu. Zoals een mest-
hoop vliegen aantrekt, zo trok Michiel allerlei andere etters
aan en die kwamen nu van vier kanten op ons af.

Dikke Michiel stond daar als een veldheer en verroerde
zich niet. Hij wachtte in alle rust tot zijn maten grijnzend om
ons heen stonden. Frans met de varkensoogjes, die nog dik-
ker was dan Dikke Michiel, al was dat nauwelijks voor te
stellen. Jelle de Inktvis, wiens tentakels van armen bijna tot
op de grond hingen, hoewel hij het langste was van allemaal.
Joe de Stoomwals, Mike de Maaimachine en Simon de Zeis,
die als handelsmerk een fietsketting om zijn hals en op zijn
witte borst droeg. En dan was er nog Kong, de monumentale
Chinees. Die scheen zo sterk te zijn dat
hij een stalen kabel van twee centimeter dik kapot kon trekken.

Maar de sterkste en gemeenste van
allemaal was Dikke Michiel, en die
kwam nu regelrecht op ons af.

Zijn schoenen stapten over
het modderige, dampende
grasveld. De kletsnatte grond
trilde en klotste als het vet aan
zijn kwabbige lijf. Maar onder
die vetkwabben zaten stalen
spieren verborgen en een pikzwart
hart. Dat wisten we maar al te goed. Daarom deinsden we
onmiddellijk terug. Dat wil zeggen: we wilden terugdeinzen,
maar achter ons stonden Simon de Zeis en Kong.

Dikke Michiel kwam bij Felix, die nog steeds bij de middenstip zat en van opwinding naar adem hapte. Hij liep langs Felix en duwde hem diep in de modder. Alle geruchten die over Dikke Michiel de ronde deden, schoten door mijn hoofd. Ik zag opeens weer de buldog voor me, met zijn lippen en scheurkaken, toen hij Dikke Michiel aanviel. Meer dan drie jaar geleden had een buldog waar je eigenlijk een wapenvergunning voor zou moeten hebben, Dikke Michiel aangevallen. Hij had de hond bij zijn oren gegrepen en hem door de lucht geslingerd. Daarna hield hij alleen nog maar die oren in zijn handen. Toen was Dikke Michiel pas tien, en net met de hakken over de sloot in groep 6 beland. Maar nu was hij dertien en tweeënhalve kop groter dan ik.

Ik keek om me heen of er niemand was die ons kon helpen. In oude cowboyfilms op tv kwamen in zulke situaties altijd hulptroepen opdagen. Maar de enige die buiten ons op het veld was, was Willie. Die schroefde in alle rust de beschermplaten van zijn stalletje, alsof er niets aan de hand was.

Ik mocht Willie graag. Hij was de beste volwassene op de wereld. Hij behandelde ons niet als kinderen en hij bemoeide zich nooit ergens mee. In zijn ogen waren we oud genoeg om ons lot zelf in handen te nemen. Blijkbaar dacht hij dat op dit moment ook en dat was vette pech.

Ik had namelijk helemaal niet meer het gevoel dat ik mijn lot zelf in handen wilde nemen. Als ik heel eerlijk ben, voelde ik me precies wat ik in werkelijkheid ook was: een jongen van tien. En dat is vaak niet erg oud. Zeker niet als Dikke Michiel naar je toe komt lopen, als een muur voor je blijft staan en tweeënhalve kop boven je uitsteekt. Mijn blik dwaalde van de Darth Vader op zijn dikke buik naar zijn fonkelende ogen.

'Shit, die dikke pad heeft ons er mooi ingeluisd!' zei Fabi naast me. En ik voelde me al een heel stuk beter toen ik zijn schouder tegen de mijne voelde.

Maar Frans met de varkensoogjes beviel het duidelijk niet. 'Hoorde je dat?' schreeuwde hij. 'Michiel, hoorde je hoe hij je noemde?'

'Kop houden,' beval Dikke Michiel en hij knipte met zijn vingers. 'Inktvis!'

Onmiddellijk gooide de Inktvis de voetbal met zijn lange tentakels naar zijn aanvoerder. Dikke Michiel ving hem en gooide hem met een smak tegen Fabians borst, zodat die snakkend naar adem tegen de grond sloeg.

'Natuurlijk heb ik dat gehoord, Varkensoog,' grijnsde Michiel en ving de terug stuiterende bal nonchalant op. 'Maar ik geloof niet dat hij dat nu nog steeds vindt.'

Fabi keek hem woedend aan, maar zei niets. En niemand van ons nam hem dat kwalijk. Toen deed Dikke Michiel een stap in mijn richting.

'Goed! Dan zijn we het eens. De Duivelspot is vanaf nu alleen maar van ons. En ons, dat zijn wij, de enige echte Onoverwinnelijke Winnaars!'

De etters om ons heen joelden en op het gezicht van Dikke Michiel verscheen een uitdrukking van grote triomf.

'Onoverwinnelijk, hebben jullie dat gehoord?' zei hij dreigend. 'En daarom hebben jullie, stelletje zielige dwergen, vanaf precies deze nanoseconde hier niets meer te zoeken.'

Dikke Michiel keek me aan alsof hij ons alleen al door zijn blik zou kunnen weg-*beamen*. Maar helaas lukte dat niet, al had ik het nog zo graag gewild. We konden gewoon niet gaan. Dit was óns veld en dat mochten we niet opgeven, hoeveel van die bottenbrekende gekken er ook nog zouden opduiken.

'Wat is er aan de hand? Hebben jullie me niet begrepen?' riep Dikke Michiel spottend. 'Moet ik Kong misschien vragen of hij het wat duidelijker uitlegt?'

Onmiddellijk liet Kong zijn bereidwilligheid zien door zo met zijn knokkels te knakken dat het je door merg en been ging.

'Nee, hoor. Dat is niet nodig,' zei ik vlug. Dikke Michiel grijnsde tevreden.

'Wauw! Deze dwerg kan praten!' lachte hij schamper en de andere etters lachten mee. 'Dan begrijp ik niet waarom je jouw dwergencollega's niet zegt dat ze moeten opzouten. Waar wacht je op, sukkel?' siste hij en liet de voetbal tegen mijn borst stuiteren.

Ik wankelde even, maar sloeg niet tegen de grond. Dikke Michiel ving de bal weer op.

'Ik pieker er niet over!' zei ik, en zag wat ik verwacht had. De grijns op het gezicht van Dikke Michiel verdween.

'Wat zei je daar? Ik heb het niet goed verstaan,' gromde hij. Voor de tweede keer liet hij de bal tegen mijn borst stuiteren. Deze keer viel ik wel en weer ving Dikke Michiel de terugspringende bal op.

'Ik zei dat ik er niet over pieker,' zei ik met opeengeklemde kaken. 'Je hebt het goed gehoord.'

'Pardon?' Dikke Michiel werd nu paars. Hij tilde de bal ver over zijn hoofd naar achteren voor een derde worp. Met een krankzinnige vaart gooide hij hem naar mij toe. 'Je weet geloof ik niet wat je zegt!' schreeuwde hij.

Maar deze keer ving ik de bal als een keeper. Ik sprong meteen op en liep naar de verbijsterde dikzak toe. 'Ja hoor, ik weet precies wat ik zeg!' schreeuwde ik terug. 'Ik geef je twee weken, Blubberbuik! Twee weken en geen dag langer. Zo lang mag je met die sukkels van je dromen dat dit júllie voet-

slikken, maar dat lukte me niet helemaal. Ik voelde zelfs dat mijn knieën begonnen te trillen.

Gelukkig lachte Dikke Michiel toen : 'Oké, afgesproken! We zien elkaar weer over twee weken! Hier!'

Ongelovig keek ik van Dikke Michiel naar Fabi en Marlon. Ook die begrepen er niets van. Toen verspilden we geen seconde meer. We zetten het op een lopen, weg, weg, weg! We renden langs Willies stalletje en door het gat in de schutting. En we gilden en joelden alsof we de wedstrijd over twee weken al hadden gewonnen.

De moed in de schoenen

Aan de andere kant van de schutting stikten we zowat van het lachen.

'Niet te geloven!!' gierde Raban.

'Ik geef je twee weken, Blubberbuik!' imiteerde Fabi mij.

Felix, wiens astma als door een wonder verdwenen was, voegde er enthousiast aan toe: 'Zo lang kun je met die sukkels van je dromen dat dit jouw voetbalveld is!'

'Man! Dat was wild!' lachte Joeri.

'Nou! Echt wild!' lachte ook Josje en toen zei Raban iets wat we allemaal dachten: 'Hé, mannen! We zullen ze eens even een poepie laten ruiken, ik zweer het je!'

Maar Max en mijn broer Marlon zeiden niets. Ze keken alleen maar door het gat in de schutting naar het veldje, waar de Onoverwinnelijke Winnaars met hun training begonnen.

Dikke Michiel nam net een aanloop en schoot met een rotvaart de bal richting goal. In het doel strekte de Inktvis zijn lange tentakels uit en ving de bal alsof het een veertje was.

'Hé, Inktvis!' riep Raban. 'Wat was dat voor een slap balletje? Dat had ík zelfs nog wel kunnen stoppen!'

De Inktvis en Dikke Michiel keken naar ons. Ze zeiden niets. Inktvis rolde de bal alleen maar naar Dikke Michiel terug en die schoot. Maar deze keer schoot hij niet op het doel, hij schoot de bal in onze richting. De bal sloeg zo keihard tegen de schutting dat een van de planken brak en tegen de grond sloeg.

Max 'Punter' van Maurik, de man met het hardste schot ter wereld, slikte eerbiedig. Wij waren allemaal stil. Alleen Raban zei: 'Krijg nou wat!'

Maar de moed was hem, en ons allemaal trouwens, allang in de schoenen gezonken. Hoe moesten we van deze jongens winnen? De winter zat nog in onze botten. We hadden al maanden niet meer samen gespeeld en nu hadden we niet eens meer een veld om op te trainen. En trainen konden Dikke Michiel en zijn Onoverwinnelijke Winnaars nu elke dag. En ze waren niet alleen vier, vijf jaar ouder dan wij. Ze hadden allemaal een bijnaam die het merg in je botten deed bevriezen. En blijkbaar werden ze bij het voetballen niet gehinderd door hun stompzinnigheid.

Het lachen was ons vergaan. Felix hoestte weer en wij gingen met hangende hoofden op de stoeprand zitten, omdat we niets beters konden bedenken. Daar gingen we door met zwijgen tot ik het niet meer uithield. Maar mijn broer Marlon was me voor.

'Zo gaat het niet,' zei hij. 'We moeten iets doen.'

'O, ja, en wat dan wel?' vroeg Joeri. 'Kun je misschien een tweede speelveld tevoorschijn toveren?'

Marlon haalde alleen maar zijn schouders op. 'Veldjes genoeg. We hebben iets anders nodig.'

'Wat dan?' vroeg ik.

'Een trainer,' antwoordde Marlon zachtjes. 'Als we die etters willen verslaan – en dat zullen we wel moeten na de show die jij hier vandaag hebt opgevoerd – als we die etters willen verslaan, moeten we een trainer hebben.'

We keken hem allemaal stomverbaasd aan. Dit was typisch Marlon. Als hij een huis zou moeten bouwen, zou hij met het dak beginnen.

'Vind je niet dat we op het ogenblik een paar andere problemen hebben?' riep ik boos.

Mijn broer keek me hooghartig aan. 'Als je het mij vraagt hebben we op dit moment maar één probleem. We zijn bang. We doen het zowat in onze broek van angst!'

'Slimbo!' mopperde ik. 'Laat me niet lachen!'

En Fabian viel me bij: 'Aan jouw broer hebben we ook niks!'

Maar in ons hart wisten we allebei dat Marlon gelijk had. We wilden het alleen niet graag toegeven.

'Oké, blijf dan maar rustig hier zitten,' zei Marlon spottend. 'Maar over twee weken, dat zeg ik jullie, is hier niemand te zien. Over twee weken zullen jullie je allemaal verstoppen.'

'Nee hoor, hoe kom je dáár nou bij!' riep Raban, maar één blik van Marlon legde hem onmiddellijk het zwijgen op.

'Het is wél waar!' riep Marlon. 'Jullie zouden je nog verstoppen als jullie vanaf vandaag elke dag in het Olympisch Stadion mochten trainen.' Hij haalde diep adem en wij zwegen braaf, al viel ons dat zwaar.

Maar Marlon had nou eenmaal gelijk. Het Olympisch Stadion zou de Onoverwinnelijke Winnaars niet overwinnelijker maken. Het schot van Dikke Michiel werd niet zachter, de Inktvis werd niet banger in het doel, de Zeis niet rustiger en Kong en de Maaimachine werden niet langzamer. We moesten iets doen om zelf beter te worden. Een trainer was daarom een geniaal idee. Maar zoals bij elk geniaal idee was het moeilijk te verwezenlijken.

Wie moest ons trainen? Wie zou ons willen trainen? Raban riep: 'Guus Hiddink.' Dat was de enige trainer die hij kende, geloof ik. Maar op dit voorstel gingen we natuurlijk niet eens in.

De enige man van wie we wisten dat hij ooit gevoetbald had, was Max' vader. Maar Max vond het al doodeng om die avond naar huis te gaan. Hij had tenslotte twintig dagen huisarrest en hij piekerde er niet over zijn vader ook maar één vraag te stellen.

Toen kwam iemand naar ons toe gehompeld aan wie we tot nu toe nog helemaal niet hadden gedacht. 'Hallo, mannen!' begroette hij ons. 'Dit is een zware dag voor jullie!'

Toen gaf hij iedereen een flesje sinas. 'Als ik jullie op de een of andere manier kan helpen, zeggen jullie het maar,' zei hij glimlachend. Je begrijpt dat we die glimlach prachtig vonden, ook al rook hij sterk naar drank.

Willie, natuurlijk!

Onze oogkleppen vielen af.

'Willie, natuurlijk!' riepen we en we sprongen op.

Willie deinsde geschrokken terug. Zo veel enthousiasme had hij al jaren niet meer meegemaakt.

'Je bent toch ooit profvoetballer geweest, Willie?' riep Fabi.

'Ho ho! Wacht eens even!' probeerde Willie ons af te remmen.

'Nou, je hebt het wel gezegd!' zei ik.

'Dat is waar!' viel kleine Josje me bij.

'Natuurlijk is hij dat geweest,' bevestigde Raban. 'Hij was de beste! Dat zie je toch zo!'

Willie stond voor ons en probeerde uit pure verlegenheid de baard van een hele week van zijn verkreukelde wangen te vegen.

'Stop! Een ogenblikje! Wacht nou toch even!' riep hij.

We hingen aan zijn lippen. Willie trok de baseballpet van zijn hoofd en veegde het zweet van zijn voorhoofd.

'Eh... ik moet... eh... jullie iets...'

'Nee, je hebt het gezegd!' viel Felix hem in de rede. Hij wilde rest van de zin niet horen. 'Jij was een echte profvoetballer, totdat net zo'n bottenbreker als Dikke Michiel je knie naar de haaien hielp!'

Willie stond voor ons en stak hulpeloos zijn armen in de lucht. 'Heb ik dat echt verteld?'

We knikten en keken hem zwijgend aan.

Willie schraapte zijn keel. 'Had ik toen een beetje te veel gedronken?'

We schudden ons hoofd.

'Echt niet? Weet je het zeker?'

We keken hem lachend en vol verwachting aan.

Willie zuchtte. Hij maakte een paar rare bokkensprongen en toen hij daarmee klaar was, zei hij: 'Oké!' Hij zuchtte nog eens diep. 'Jullie zoeken een trainer. Heb ik dat goed gehoord?'

'Ja, dat klopt,' antwoordde Marlon vol verwachting.

'En jullie hebben mij uitgezocht?' vroeg Willie ongelovig.

'Ja!' zeiden Fabi en ik tegelijk.

'Waarom?' vroeg Willie. 'Omdat jullie niemand anders hebben?'

57

We zwegen verlegen.

'Of omdat jullie denken dat ik werkelijk de beste ben voor dit baantje?'

We keken hem aan.

'Dat moeten jullie me nu heel eerlijk zeggen. Jij, Leon, hebt net een hele grote mond gehad tegen Dikke Michiel en dat stelletje miskleunen. Te groot, als je het mij vraagt. Voor zoiets had je een blauw oog verdiend.'

'Nou en?' grijnsde ik, maar Willie keek me net zo lang aan tot mijn grijns verdween.

'Dat snappen jullie toch wel? Over twee weken hebben jullie allemaal een blauw oog, en jullie mogen blij zijn als het daarbij blijft. Dikke Michiel en zijn Onoverwinnelijke Winnaars zijn namelijk twee maten te groot voor jullie.'

We keken hem verbaasd aan. Dat hadden we niet verwacht, of liever gezegd: dat wilden we in geen geval horen. Maar Willie was genadeloos.

'En als jullie het mij vragen, maken jullie absoluut geen kans tegen dat stel.'

Nu had ik er genoeg van. 'Hé, Willie! Ik dacht dat jij onze trainer was!' ontplofte ik, maar Willie schudde alleen maar zijn hoofd.

'Dat ben ik nog niet. Ik ben alleen maar eerlijk tegen jullie. Ga alsjeblieft weer zitten allemaal.'

'Dat soort eerlijkheid hoef ik niet! Hou op, alsjeblieft!' riep ik en tranen van woede sprongen in mijn ogen.

Willie keek van mij naar de anderen, die weer op de stoeprand waren gaan zitten. Met rode wangen deed ik hetzelfde.

'Denken jullie er net zo over als Leon?' vroeg hij. De anderen staarden beteuterd naar de grond.

'Oké,' zei Willie, 'dan kan ik niets voor jullie doen.'

Hij zocht de lege flesjes bij elkaar en hompelde terug naar

het speelveld. We keken hem na. We zaten met onze mond vol tanden. Willie bleef staan en draaide zich om.

'Ik dacht dat jullie die miskleunen wilden verslaan?' Hij keek ons uitnodigend aan.

Ik begreep er helemaal niets meer van. 'Wat bedoel je nou?' riep ik. 'Dat kon toch niet?'

'Is het ook,' antwoordde Willie rustig. 'Maar zelfs het onmogelijke krijg je voor elkaar als je eerlijk bent.' Om zijn mond verscheen de schaduw van een glimlachje, wat me alleen maar nog bozer maakte.

'Oké, oké, wat wil je dan horen?' Wat ik nu moest zeggen, had ik nog nooit eerder bekend: 'Ja, ik ben een schijtluis! Ik ben hartstikke bang! Is dat het? Ben je nu eindelijk tevreden?'

Het glimlachje om Willies mond verdween. Hij schudde treurig zijn hoofd. 'Nee, dat ben ik niet. Ik wil weten welke trainer jullie willen. Als jullie mij willen, moeten jullie me volledig vertrouwen. En ik moet júllie volledig vertrouwen. Alleen als we elkaar volledig vertrouwen, zullen we de Onoverwinnelijke Winnaars overwinnen.'

Willie stond daar en wachtte af.

Felix slikte: 'En wat moeten we dan met die angst?' Die vraag stelde hij namens ons allemaal.

'Dat zal ik je vertellen,' zei Willie en het glimlachje keerde terug in het rimpeltje bij zijn mondhoeken. 'Jullie angst is fantastisch. Alleen omdat jullie bang zijn, zal het jullie lukken. Begrijpen jullie dat niet? Die angst is jullie kracht.'

We schudden ons hoofd. We begrepen er geen snars van.

Willie duwde zijn pet naar achteren en krabde op zijn hoofd. 'Maakt niet uit, jullie zullen dat echt wel gaan begrijpen. Hoofdzaak is dat jullie morgenochtend om tien uur allemaal op de wei bij de rivier zijn. Naast de brug. Duidelijk?

Wie te laat komt geeft een rondje bier... eh... ik bedoel een rondje sinas. En houd de moed erin, mannen!'

Willie gaf ons een dikke knipoog, en hompelde terug naar zijn stalletje. We hadden nog ongeveer een kleine minuut nodig tot ook de laatste van ons begreep dat we een trainer hadden. Ik slaakte een zucht van verlichting.

'We zullen er zijn!' riep ik Willie achterna. 'Je kunt voor honderd procent op ons rekenen!'

'En trek maar iets warms aan,' riep Raban tegen Dikke Michiel, 'want zo vaak zullen jullie niet aan de bal zijn! Zeg dat ook maar tegen die sukkels van je! Jullie hebben nog twee weken de tijd!'

Toen renden we weg.

Vaders en moeders

We renden voor ons leven. Dit was een geweldige dag. We hadden Dikke Michiel uitgedaagd en we hadden een eigen trainer. We waren niet langer een stel jochies, maar een echte voetbalploeg met een alles beslissende wedstrijd voor de boeg. Dat wilden we iedereen vertellen. Dat móésten we iedereen vertellen. En daarom renden we allemaal zo hard we konden naar huis. Zelfs Max deed dat, en dat was een vergissing.

Max was even vergeten wat er in de afgelopen dagen was gebeurd. Het kwam pas bij hem op toen hij al voor Eikenlaan 1 stond. *Twintig dagen huisarrest*, schoot het door zijn hoofd, en dat deed pijn. 'En een volledig voetbalverbod!'

Hij was zo verstandig om niet door de voordeur naar binnen te gaan, maar via de appelboom, het dak van de garage en het badkamerraam. Tenslotte was het nog geen twaalf uur. Misschien had zijn moeder helemaal niet gemerkt dat hij ervandoor was gegaan. Maar toen hij zich door het badkamerraam naar binnen liet glijden, zat zijn vader daar op de wc. Hij was zoals elke middag thuisgekomen voor de lunch en op dit moment verloor hij het laatste restje van zijn goede humeur.

'Naar je kamer!' klonk zijn toonloze bevel. 'We praten er later wel over.'

Maar hoe kon Max nou ergens over praten? Max voetbalde

alleen maar. Hij praatte bijna nooit en morgen om tien uur was de eerste training.

Voor Fabi was het het gemakkelijkste. Zijn moeder had hem toch zelf weggestuurd om haar porseleinen borden tegen hem te beschermen? Ze kon niet boos op hem zijn. En zodra hij haar het hele verhaal in geuren en kleuren verteld had, schudde ze haar hoofd. Waarom moet een man altijd doen wat een man moet doen? dacht ze.

'Je vader zal het wel leuk vinden als je hem dit vanavond vertelt,' was het enige wat ze zei. En daarmee was de zaak voor Fabian van de baan. Hij hoefde alleen maar te wachten tot morgen de training begon. Maar toen stelde zijn moeder nog een vraag: 'Wat doen jullie eigenlijk als Max niet komt?'

Op datzelfde moment stormde Felix de keuken van Valentijnstraat 11 binnen, waar zijn moeder hem opwachtte. Ze stond daar met de koortsthermometer in haar hand. Even dacht Felix dat hij een tijdreis had gemaakt en dat er helemaal geen drie uur verstreken waren sinds hij haar met zijn ijsblokjeslist te slim af was geweest. Voor de zekerheid keek hij op zijn horloge. Nee, het was echt al twaalf uur. Daarmee stond duidelijk vast dat zijn moeder zich drie uur lang niet meer had bewogen.

'Tjee, mama, sta je daar nou nog steeds?' flapte hij eruit in plaats van een begroeting. Maar zijn moeder zei geen woord. En Felix begreep het. Ze had niet geloofd dat hij geen koorts had. Ze wilde nog een keer zijn temperatuur opnemen en deze keer had hij geen ijsblokjes onder zijn tong.

In deze uitzichtloze positie nam hij de thermometer van haar aan en stak hem in zijn mond. 37 graden was de magische grens. Het cijfer op het lcd-schermpje steeg en steeg. Bij 36.8 kneep Felix zijn ogen dicht. Het duurde een eeuwigheid tot de pieptoon van de thermometer klonk.

'Zevenendertig vier,' zei zijn moeder. Het klonk als een doodvonnis.

'Ik wil een sportarts!' protesteerde Felix. 'Eén spuit en de koorts is weg.'

'Je gaat naar bed!' klonk het duidelijke antwoord.

'En jij begrijpt niets van de belangrijke dingen in het leven, mam!' was Felix' boze antwoord. Maar hoewel hij zeker wist dat hij gelijk had, had zijn protest geen effect. Braaf ging hij naar bed.

Raban daarentegen wilde helemaal niet braaf zijn. Het kwam niet eens in hem op. Raban was woedend. Toen hij terugkwam in de Rozenbottelsteeg 6, waren de drie dochters van zijn moeders vriendinnen er nog steeds. Ze draaiden nu krulspelden in elkaars haar.

'Wie het wáágt "Rabarbertje" tegen me te zeggen, grijp ik bij d'r vlechten en knoop die onder d'r kin dicht!' riep hij dreigend terwijl hij de trap op rende. Een seconde later viel hij de werkkamer van zijn moeder binnen. 'Moet je horen, mam! We hebben ruzie om de Duivelspot met Dikke Michiel en we zijn het veld twee weken kwijt. Dan moeten we tegen ze voetballen. Ze noemen zich de Onoverwinnelijke Winnaars. Daarom moeten we elkaar kunnen vertrouwen en de wedstrijd winnen. En daarom heb ik voor die troela's daar beneden vanaf nu geen tijd meer. Begrijp je?'

Zijn moeder, die in haar werk verdiept was, keek hem aan. Haar was gezicht één groot vraagteken.

'Oké, dan zijn we het daarover eens!' zei Raban en hij stormde de deur weer uit. Over de leuning van de trap riep hij naar beneden: 'Hé, kleuterschoolkapsters! De hond heeft jullie barbies opgevreten!'

Hevig geschrokken sprongen de meisjes op en renden naar de voordeur.

'Ja,' jende Raban, 'en ik heb hem geholpen. We hebben ons doodgelachen. Jullie moeten hier niet zo lang rondhangen!'

De meiden stormden gillend naar buiten. Daarna was het stil. Raban hoorde zijn moeder in haar werkkamer op het toetsenbord van haar computer tikken. Hij grijnsde tevreden en trok plechtig de laatste krulspeld uit zijn haar.

Een half uur later kwam de moeder van Joeri en Josje thuis van haar werk. Maar in plaats van haar kinderen vond ze daar weer alleen maar de cassetterecorder. Hij stond op de keukentafel. Zuchtend drukte ze op 'play'.

'We wachten in de boomhut op je,' klonk het uit de speaker.

De moeder van Joeri en Josje aarzelde even. Ze beet op haar onderlip en er verschenen diepe rimpels in haar voorhoofd. Toen liep ze vastberaden naar de keukendeur. Ze trok hem open en riep naar de boomhut: 'Ik kom niet. Geen haar op mijn hoofd!'

Maar in de boomhut bleef het doodstil.

De moeder van Joeri en Josje haalde diep adem en voegde

eraan toe: 'Joeri en Josje! Ik weet dat jullie je daarboven verstoppen en ik tel tot drie. Dan zijn jullie bij mij in de keuken!'

Ze liep vlug terug de keuken in en telde langzaam en luid:

'Eén!

Twee!

Drie!'

Maar in de boomhut bleef alles doodstil. In plaats daarvan meldde de cassetterecorder zich opnieuw.

'Lieve mama, al tel je tot honderd, we komen niet naar de keuken.'

De moeder van Joeri en Josje draaide zich met een ruk om en riep dreigend: 'Wacht maar eens even, dan zullen jullie wat beleven!'

Ze stormde de tuin in en klom de boom in, naar de hut. Maar dat was helemaal niet zo eenvoudig. De boomhut was niet alleen dóór kinderen, maar ook vóór kinderen gebouwd en had drie verdiepingen. De moeder van Joeri en Josje werkte zich door elke verdieping heen, beklom de veel te smalle ladder, en balanceerde over de veel te smalle planken die de verschillende terrassen verbonden. En elke keer als ze zich stootte, zich schaafde of zich op een andere manier pijn deed, herhaalde ze alleen maar: 'Wacht maar eens even, dan zullen jullie wat beleven!'

Met deze woorden gooide ze de deur van de bovenste verdieping van de boomhut open en verstarde. Voor haar stond een gedekte tafel en daarnaast stonden haar zoons. Josje stond met zijn moeders schort voor met een dampende pizza op een bord te wachten. Joeri had een stropdas over zijn T-shirt gestrikt en hield een fles rode wijn in zijn hand. De moeder van Joeri en Josje slikte het volgende 'Wacht maar eens even, dan zullen jullie wat beleven!' in en haar twee zoons keken haar grijnzend aan.

'Mam, we moeten ergens over praten,' zei Joeri glimlachend. En Josje flapte eruit: 'Maar niet over wat jij denkt!'

Hun moeder keek van de een naar de ander. 'O, nee? Waarover dan wel?'

'Over wat Leon heeft gedaan,' borrelde het uit Josjes mond op. 'Hij heeft ruzie met Dikke Michiel gemaakt en wij krijgen daarom allemaal een blauw oog. Misschien wel meer. Daarom moeten we elke dag heel goed trainen. Met Willie, die leert ons alles.'

Hun moeder ging zitten.

'Wacht even, jongens. Wie is Dikke Michiel?' wilde ze weten.

'Die jongen die honden hun oren afrukt!' antwoordde Josje, en Joeri schonk haar een glas wijn in.

'Drink en eet eerst maar iets,' zei hij glimlachend. 'En dan praten we over het voetbalverbod. Jij zou toch ook niet willen dat we ons veldje aan Darth Vader verliezen?'

Ik stelde zo'n zelfde soort vraag ook aan mijn vader. We zaten in de Hubertusstraat te eten. Mijn bal, de laatste voetbal die de Wilde Bende nog bezat, had hij na zijn thuiskomst van kantoor meteen in beslag genomen. Hij had hem naar zijn werkkamer gebracht en de deur op slot gedraaid. Daar lag de bal nu nog. Over drie minuten begon het journaal en mijn vader zei nog steeds niets.

'Weet je, pap, je moet mijn bal maar teruggeven,' zei ik met een zakelijke stem. 'We moeten straks nog even weg en jij bent de enige die een sleutel van je werkkamer heeft.'

Mijn vader verslikte zich van pure verbazing en morste bier over zijn overhemd. 'Wat zeg je? Kun je dat nog eens herhalen?' vroeg hij proestend.

'Ik wil dat we eerlijk zijn. Alleen als we allemaal oprecht en eerlijk zijn, kunnen we Dikke Michiel overwinnen. En daarvoor hebben we onze bal nodig.'

Ik keek hem glimlachend aan. Mijn vaders ogen gingen van mij naar mijn broer.

'Oprecht en eerlijk?' herhaalde hij en Marlon grijnsde naar hem. 'Oké, jullie krijgen de bal terug,' zei mijn vader. 'Op één voorwaarde.'

Marlon en ik knikten ijverig.

'Jullie nemen Sokke mee,' zei hij even zakelijk als ik.

'Nee, nee, dat kan niet! Dat is gemeen. Sokke is vreselijk. Hij rent overal dwars doorheen en zit alleen maar achter de bal aan.'

Maar mijn vader was niet te vermurwen. 'Oprecht en eerlijk, zeiden jullie,' zei hij met een glimlachje. 'Sokke is jullie hond. Toen ik Sokke voor jullie kocht hebben jullie me iets beloofd. "We zullen elke dag voor hem zorgen," zeiden jullie.'

We waren stil en staarden beteuterd naar Sokke, die in zijn mand lag en ons kwispelend aankeek. Hoe moet dat ooit goed gaan? dachten Marlon en ik. Sokke rende achter de bal aan als een wolf achter de lekkerste haas. Felix lag met koorts in bed en Max...? Tja, hoe ging het met Max? Hoe moesten we zonder hem van de Onoverwinnelijke Winnaars winnen?'

'Pap, we zijn nog even weg!' riepen we en renden hard naar buiten. We haalden Fabian, Josje, Joeri en Raban op en stormden met zijn zessen naar Eikenlaan 1.

Daar zat Max in zijn kamer op zijn bed. Zijn vader stond voor hem en gaf hem een vette preek. Hij praatte en praatte. Hoe teleurgesteld hij in zijn zoon was. Hoe weinig hij hem, zijn vader, respecteerde. En hoe schandelijk brutaal hij was. Ten slotte verlangde hij voor alles een verklaring. Maar Max zei niets. Daarom praatte zijn vader weer. Hij praatte en praatte en verkondigde dat het noodzakelijk was dat hij op school beter zijn best deed.

'Daarom, beste jongen, zul jij de hele vakantie hier op je kamer doorbrengen. Duidelijk?'

Max' vader stond voor zijn zoon en wachtte weer op een antwoord. Maar Max zei opnieuw geen woord. Hij zat gewoon op zijn bed en keek langs zijn vader door het open raam naar buiten.

Op dat moment belden wij aan. We drukten wel vijf keer op de bel.

'Staat de boel in brand? Wat komen jullie doen?' vroeg Max' vader nadat hij open had gedaan.

'We zijn de hulptroepen!' zei Josje met een brede grijns.

'En we kunnen alles uitleggen,' voegde Marlon eraan toe.

'Het gaat om eer en trots!' zei ik.

'En we moeten eerlijk en oprecht zijn!' voegde Joeri er vlug aan toe, terwijl hij Fabian een por gaf.

'Ja... eh... precies,' stotterde die. 'Ik zei tegen Max dat hij ervandoor moest gaan, via het badkamerraam, het dak van de garage en de appelboom die u altijd al wilde laten omhakken.'

'Ja, en daarom zal Fabian het huisarrest met Max delen!'
riep Raban ijverig.

Fabian keek hem aan. Als blikken konden doden...
Vrijwillig huisarrest, dat was echt té erg, en voor het eerst zag
ik dat Raban toch niet álles kon maken bij Fabian.

Raban voelde dat en werd zenuwachtig. 'Ja, echt waar,
meneer Van Maurik, en... en... Ik bedoel, we helpen hem
natuurlijk allemaal. En dat... dat betekent dat we allemáál
het huisarrest met Max willen delen. Allemaal!'

Max' vader fronste zijn wenkbrauwen. Zoiets had hij nog
nooit van zijn leven gehoord. En wij trouwens ook niet. We
keken Raban aan alsof hij regelrecht uit het gekkenhuis
kwam en daar werd hij nóg zenuwachtiger van.

'Ja echt, dat willen we graag, meneer Van Maurik. Maar
alleen als we het huisarrest iets verplaatsen. Ik bedoel, over
twee weken zouden we tijd hebben! Wat vindt u daarvan?'
Raban grijnsde verlegen. Hij geloofde, net als wij, dat hij alles
had verprutst. 'Eh... zonder Max zullen we nooit winnen!'
deed hij zijn allerlaatste poging.

De vader van Max staarde ons aan. Seconden, minuten en
uren gingen voorbij. Zo leek het in elk geval.

Ten slotte wilden we weggaan. Toen vond Max' vader eindelijk zijn tong terug: 'Afgesproken,' zei hij kuchend. Meer
zei hij deze dag niet meer, hoewel hij anders altijd praatte en
praatte en praatte....

Alle begin is moeilijk

Alle begin is moeilijk. Dat gold de volgende morgen vooral voor Felix. Al heel vroeg, rond zeven uur, sloop hij de keuken van Valentijnstraat 11 in. Hij haalde drie ijsblokjes uit de koelkast en stopte die in zijn mond. Dat zou zeker genoeg zijn tot zijn moeder opstond en daarom stond niets de training meer in de weg.

Met een zwaai gooide Felix de deur van de koelkast dicht en danste de keuken uit. Dat wil zeggen, dat was hij van plan. Maar in de deuropening stond zijn moeder en haar blik vertelde Felix dat de val was dichtgeklapt. Van schrik slikte hij alle drie de ijsblokjes tegelijk door. Hij snakte naar adem.

'Hoi, eh... mam!' stamelde hij. 'Eh... ik bedoel goedemorgen!' en de adem die hij daarbij uitblies toverde een ijsbloem op de glazen pot die op de koelkast stond. Maar gelukkig zag zijn moeder dat niet. Ze kwam naar hem toe en keek, terwijl Felix zijn ijzige adem inhield, in zijn open mond. Toen stak ze de koortsthermometer tussen zijn tanden. Felix hield nog steeds zijn adem in.

'Dacht je nou echt dat ik me voor de tweede keer door die truc om de tuin laat leiden?' zei zijn moeder over haar schouder terwijl ze de keuken uit liep.

Felix rukte de thermometer uit zijn mond. Hij ademde een ijsbloem op de deur van de koelkast en zoog zo veel lucht naar binnen als hij maar kon. Toen stak hij de thermometer weer in zijn mond. Niet ademen, niet ademen! dacht hij alleen maar. Als je nu ademhaalt, vriest de thermometer in je mond vast.

De seconden verstreken. Eerst tien. Toen twintig, toen dertig, toen veertig. Daarna telde Felix niet meer. Zijn ogen puilden uit toen zijn moeder terugkwam. Felix had het gevoel dat hij elk ogenblik kon ontploffen. De koortsthermometer zou uit zijn mond vliegen en zijn adem zou zijn moeder en het hele huis vast met een laagje ijs bedekken.

Daar klonk de reddende piep van de thermometer. Bliksemsnel rukte hij hem uit zijn mond, gaf hem aan zijn moeder, draaide zich om en blies zijn adem uit. Een vlieg die in de lucht door zijn adem werd getroffen, viel bevroren op de grond.

'Shit!' zei Felix.

'Zeg dat wel,' bevestigde zijn moeder. 'Shit. Wat zou ik graag weten hoe je dit doet.'

Felix draaide zich naar haar om. 'Hoeveel heb ik?'

'Zesendertig acht,' antwoordde zijn moeder zo achterdochtig alsof de thermometer gezegd had dat de lucht groen was.

Maar Felix stormde al naar zijn kamer.

Marlon en ik hadden ook verschrikkelijk veel haast. Mijn vader ging Sokke uitlaten. Wij moesten weg zijn vóór hij terugkwam...

'Hoe lief Sokke ook is, bij de training kunnen we hem echt niet gebruiken,' zei Marlon.

Stipt om negen uur waren we allemaal op de wei aan de rivier. Natuurlijk wisten we dat de training pas over een uur begon, maar we hielden het niet langer uit. Daarom begonnen we maar een beetje te voetballen. Ik schoot de bal hoog de lucht in. Toen zetten we het op een lopen. Iedereen wilde het eerst bij de bal zijn, maar dat lukte niemand.

Al bij de start gleed Fabian uit en viel languit in de modder. Josje en Raban kwamen helemaal niet van hun plek. Ze bleven steken in de blubber alsof hun schoenzolen met lijm waren ingesmeerd. Joeri en Marlon renden wel weg, maar kwamen niet ver. Ze struikelden over de brokken steen die overal tussen de graspollen lagen. En als laatsten plonsden Felix, Max en ik tot onze knieën in een diepe kuil die vol water stond.

'Bravo! Bravo!' riep iemand. Ik kroop uit het gat en zag Willie een paar meter van ons vandaan op een boomstronk zitten.

'Dit is geen voetbalveld!' riep ik tegen hem.

Joeri wreef over zijn knie. 'Hier breek je alleen je benen!'

'Precies!' jammerde Raban wanhopig. Hij zat nog steeds vast. 'Moet je ons nou zien!'

'Inderdaad,' grijnsde Willie vergenoegd, maar ik vond het helemaal niet leuk meer.

'Lach niet zo raar!' riep ik tegen hem. 'Hier kun je toch niet trainen? Het enige wat je hier kunt doen, is...' Ik was zo woedend dat ik helemaal niets kon bedenken. 'Het enige wat je hier kunt doen, is...'

'Leren zwemmen?' zei Willie met een grijns.

Ik snakte naar adem. Ik wilde hem iets lelijks toewensen, maar hij was me voor.

'Ik denk dat het water in deze tijd van het jaar nog te koud is. Daarom stel ik voor dat jullie eerst eens leren hoe je moet lopen.' Hij hompelde naar mijn bal toe en schoot hem naar de andere kant van de wei. 'Die hebben we vandaag nog niet nodig!'

We staarden hem ongelovig aan. Hoe konden we nou trainen zonder voetbal? Maar Willie trok zich niets aan van onze protesten. 'Jullie denken toch niet dat Dikke Michiel en zijn Onoverwinnelijke Winnaars eerlijk gaan spelen? Daarom houden we nu een hardloopwedstrijd. Steeds met zijn tweeen. En terwijl jullie rennen, stellen jullie je voor dat de kuilen en keien in dit veld de benen van dat stelletje miskleunen zijn. Die zullen jullie onderuithalen, is dat duidelijk? Daarom ontwijken jullie die stenen en kuilen. Je springt eroverheen of je danst ertussendoor!'

'Dat is zeker een grapje!' riep Fabian terwijl hij het natte zand van zijn wangen veegde. 'De modder is zo glibberig als een ijsbaan!'

'Precies,' zei Willie. 'De modder zou ik bijna vergeten. De modder is jullie angst. De angst die je zult voelen en de knikkende knieën die je zult hebben als iemand als de

Maaimachine, de Stoomwals of Kong op je afkomt.'

'Ik ben niet bang,' zei Joeri met opeengeklemde kiezen. 'Ik pak de bal gewoon af.' Zijn ogen fonkelden boos en we wisten waarom. Als het om voetbal ging, was Joeri voor niets of niemand bang.

Willie zuchtte. 'Kijk eens hier!' zei hij. Hij pakte een kiezelsteen op. 'Deze kiezelsteen zijn jullie en die kei daarginds zijn de Onoverwinnelijke Winnaars.'

Toen gooide hij de kiezel hard naar de kei. Het steentje ketste tegen de kei en sprong in een hoge boog terug.

Willie bekeek Joeri van top tot teen. 'Jij zult nog heel bang worden,' zei hij.

Joeri keek verlegen naar de grond, maar Willie liet dat niet toe.

'Dus moet je het voordeel van de kiezel benutten,' zei hij. 'De kiezel is vlug en heel licht. Hij kan dansen.'

Willie gooide een tweede steen. Hij gooide hem heel laag. De steen landde op een plas, sprong omhoog, over de hoge kei heen, landde weer op een kei, sprong opnieuw op en belandde toen in de modder. Daar bleef hij in steken.

Nu begrepen we wat Willie bedoelde. We begonnen te lachen en we renden weg. Hoe vaak we ook uitgleden, vielen, in plassen trapten of onze knieën en ellebogen bezeerden, niemand gaf het op. We renden om het hardst. Op het laatst werden we geblinddoekt. Willie zette zijn gettoblaster aan, en niemand protesteerde. Geblinddoekt liepen we op het ritme van de muziek. De modderige wei werd voor ons zo glad als een golfbaan en we dansten weg als lachende dwergen.

Aan het einde kregen we allemaal een flesje cola van Willie. Die had hij uit zijn stalletje meegenomen. En hoewel we bijna uitgeput waren, hielden we niet op met lachen. We stelden ons voor hoe Dikke Michiel of Varkensoog of de gevreesde Kong druipend van het zweet voor Willies stalletje op de Duivelspot stonden. Dat was nu gesloten, omdat Wilie ons hier trainde. We stelden ons voor hoe ze op hun knieën vielen, tegen de houten wand sloegen en met wegdraaiende ogen smeekten of hij hun iets te drinken wilde geven.

Wat was het leven cool, vooral toen Willie tegen ons zei dat we de volgende dag eindelijk met de bal gingen oefenen.

We voelden ons helemaal te gek. Na deze eerste dag twijfelde niemand van de Wilde Bende er meer aan dat we Dikke Michiel en zijn Onoverwinnelijke Winnaars zouden overwinnen.

De vuurproef mislukt

Maar de volgende morgen werd alles heel anders. Ik sprong op, maar moest me onmiddellijk weer op mijn bed laten vallen. Even dacht ik dat ik op de een of andere manier lamme benen had gekregen, maar het bleek alleen maar een verschrikkelijke spierpijn te zijn. Kreunend klom ik het laddertje van mijn hoge bed af.

Marlon verging het niet anders. We moesten elkaars schoenveters vastmaken. We konden gewoon niet met onze handen bij onze voeten komen. Op stramme, pijnlijke benen liepen we naar buiten.

Net als gisteren wilden we weer verdwijnen voordat papa met Sokke van zijn wandeling terugkwam. Maar hij was er nog. Hij wachtte in de tuin op ons en hield ons Sokkes riem voor.

'Nee, alsjeblieft niet!' jammerden we.

Papa haalde verbaasd zijn schouders op. 'Oké,' zei hij en we haalden opgelucht adem, 'maar dan krijg ik de bal. Dat was de afspraak.'

'De bal? Echt niet, pap!' zei ik. 'Die hebben we vandaag nodig. Dringend nodig! Willie heeft het gezegd.'

'Oké! Maar Sokke heeft jullie ook dringend nodig,' zei mijn vader. Sokke kwispelde alsof hij ons ellendige lot wilde verzachten.

We baalden verschrikkelijk, want op de wei aan de rivier

stortte Sokke zich – nog steeds kwispelend – op mijn bal. We konden gewoon niet voetballen en elke keer groef de hond zijn tanden dieper in het leer. Het was een kwestie van tijd tot onze laatste bal kapot zou zijn. Maar vóór dat kon gebeuren, pakte ik Sokke en bond hem vast aan een boom. Hij blafte en jankte, maar dat kon me niets meer schelen. De spierpijn in mijn benen maakte me al boos genoeg en het enige wat ik wilde, was eindelijk voetballen.

Maar nauwelijks had ik Sokke vastgebonden of Willie verscheen voor de training en pakte mij mijn bal weer af. Hij schoot hem hoog door de lucht naar de andere kant van de wei en zei net als gisteren: 'Die hebben we vandaag nog niet nodig!'

Ik ging helemaal door het lint.

'Wat zeg je nou?' schreeuwde ik. 'Je zei gisteravond dat we vandaag met de bal gingen oefenen. Heb ik gelijk of niet?'

De anderen knikten. Dus had ik gelijk en had Willie gelogen. Koppig als ik was stormde ik ervandoor om mijn bal te halen, maar Willie riep me terug.

'Wacht even, Leon,' zei hij. 'Ik hou mijn woord. Dit is jullie bal voor vandaag.'

Willie grijnsde, maar wij staarden geschrokken naar het ding dat hij in zijn hand hield en dat hij 'bal' noemde.

'Dat is geen bal,' zei ik.

'Wel waar!' riep Willie. 'Als ik me niet vergis wordt zo'n ding in dit land een tennisbal genoemd!'

'Maar met een tennisbal kun je niet voetballen,' protesteerde ik.

'Zeker wel, als je niets beters bij de hand hebt. Wij kickten vroeger met blikken en stenen.'

'Dat zal best!' riep ik boos. 'Maar wij hebben wel iets beters. Daarginds ligt mijn bal. Vanwege die bal moest ik

Sokke meenemen en vanwege die bal blaft en jankt hij nu de oren van ons hoofd. Ik speel niet met die tennisbal. Ik pieker er niet over!'

Vastbesloten ging ik op weg naar de overkant van het veld, maar Willie riep me weer terug en deze keer was hij streng.

'Stop!' beval hij op zo'n boze toon dat ik onmiddellijk bleef staan. 'Ik ben jullie trainer en ík zeg wat jullie moeten doen. Duidelijk?'

Ik keek naar mijn vrienden. Zo duidelijk was het ons nog niet. Integendeel. Zo hadden we ons onze training niet voorgesteld.

Toen lachte Raban: 'Hé, jongens, wat maakt het uit? Gisteren hebben we hier gedanst. Waarom zouden we hier vandaag dan niet met een balletje wol spelen?'

'En morgen misschien met een gebakken ei!' lachte Fabian en we lachten mee. Maar het lachen van vandaag was op de een of andere manier anders dan het lachen van gisteren. Misschien lag het allemaal aan de spierpijn. We waren een beetje chagrijnig. Toch begonnen we met de training.

Willie verdeelde ons in twee ploegen. Fabian, Marlon, Raban en ik tegen Max, Felix, Joeri en Josje. Toen gooide Willie de tennisbal weg. En hárd dat hij gooide! Wij hadden gisteren geleerd hoe je je in deze modderige wei moest bewegen, maar de tennisbal niet. Hij verstopte zich tussen de graspollen. Als iemand van ons hem had, gleed hij tussen onze voeten door of sprong van onze schoen direct richting tegenstander.

Steeds vaker schreeuwden we tegen elkaar: 'Kijk uit!'

'Kun je het niet of hoe zit dat?'

'Tjéé, wat ben jij een sukkel!'

Willie kwam elke keer tussenbeide. We mochten elkaar niet uitschelden. We waren een team en we moesten samen beter worden. Maar we waren allemaal geïrriteerd. Daarbij kwam nog de spierpijn, plus het gejank van Sokke. En steeds weer had een ander lid van de Wilde Bende geen zin meer, ging op de grond zitten of riep tegen Willie:

'Ik vind het wel genoeg!'

'Ik heb geen zin meer!'

'Ik kap ermee!'

Maar Willie bleef hard. We hadden maar twee weken de tijd en we wilden de Onoverwinnelijke Winnaars overwinnen. Daar herinnerde hij ons aan, en daarom pestte hij ons met die tennisbal.

'Als jullie alles voor elkaar krijgen met de tennisbal,' beloofde hij ons steeds weer, 'zal elk kunststukje met de voetbal kinderspel zijn.'

Maar hoewel we toch kinderen waren, lukte het ons deze

dag niet. 's Avonds smaakte de sinas ook al niet en we gingen als geslagen honden naar huis. We zwegen somber en we dachten allemaal: Zo zullen we de Onoverwinnelijke Winnaars nooit verslaan. De Duivelspot is voor altijd verloren. Al heeft Willie gelijk, hoe houden we het zo nog tien dagen vol?

Maar eerst kwamen de volgende drie dagen en die werden nog erger. Het werd heel warm. Zo warm als het in hoogzomer is, en met de hitte kwamen de muggen. Ze zwermden om ons heen en we kregen muggenbulten op armen, benen en gezicht. En daar kwam ook nog het geblaf en gejank van Sokke bij, die zelfs niet wilde ophouden toen we om beurten naast hem gingen zitten. Sokke liet zich niet aaien. Hij wilde alleen maar onze bal. Hij was helemaal gek op de bal, terwijl wij het ding steeds meer begonnen te haten. We schreeuwden tegen elkaar, maakten elkaar voor rotte vis uit en één keer pakte ik Raban zelfs beet en gooide hem in de modder. 'Shit! Wanneer begin je eindelijk eens een keer te voetballen?'

Willie probeerde ons rustig te krijgen, maar we snauwden tegen hem.

'Wat wil je dan?'

'Het was jouw idee!'

'Door jou zitten we in deze ellende!'

'Probeer jij het een keer met je lamme poot!'

Toen zei Willie niets meer. Hij ging zitten en keek alleen maar naar ons.

In het begin dachten we: Ha! Nu hebben we hem! Nu houden we op! Maar toen stonden we daar en keken elkaar aan. We wisten dat degene die het eerst zou gaan, een lafaard was en dat wilde niemand zijn. Niemand wilde de schuld krijgen als we de wedstrijd om de Duivelspot zouden verliezen.

Stilletjes liep ik naar de bal, balanceerde hem op mijn

wreef, tilde hem hoog in de lucht, kopte hem, stopte hem met mijn borst en schopte hem met mijn knie naar Fabian. Die deed hetzelfde en gaf hem door naar Max. Toen kwamen Joeri, Marlon en Felix. Pas bij Raban viel hij voor het eerst in de modder. Maar dat maakte ons niets uit. Eindelijk lachten we weer en eindelijk had iedereen het begrepen. We speelden zoals Pelé aan het strand in Brazilië. Willie had ons dat zo vaak verteld en we waren het gewoon vergeten. Aan het strand speel je de bal altijd omhoog, omdat hij anders alleen maar wegspringt. Daarom kunnen die Brazilianen zo toveren en zo toverden wij ook – op Josje en Raban na.

De volgende twee dagen zei ik niets. Misschien kwam het doordat ik mijn bal tegen Sokke inruilde. We hadden hem toch niet meer nodig en zo waren we in elk geval van Sokkes gejank verlost. Maar ik kreeg het op mijn zenuwen. Elke keer als Raban of Josje de bal hadden, ging hij verloren en maakten de tegenstanders een doelpunt. Die twee waren gewoon te suf, en wat nog veel erger was: ze leerden helemaal niets bij. Josje was nog te jong. Hij was pas zes, vier jaar jonger dan ik, daarom kon ik het hem wel vergeven. Maar voor Raban gold dat niet. Raban zág het gewoon niet. En toen werd Felix nog ziek ook. Hij kreeg opnieuw koorts en er waren geen ijsblokjes meer. Zijn moeder had het vriesvak uit voorzorg ontdooid.

Daarom riep ik op de negende dag van onze training, en vier dagen voor onze wedstrijd, het team en Willie bij elkaar. En ik nam geen blad voor de mond.

'Josje en Raban moeten weg,' zei ik. 'Als zij meedoen, heeft de tegenstander twee spelers meer.'

Josje en Raban schrokken verschrikkelijk. Josje sprong op, rende weg, verstopte zich achter de eerste de beste boom en begon, net als Sokke, te janken. Maar Raban bleef zitten en de anderen keken me zwijgend, maar verwijtend aan.

'Wat is er? Zijn jullie het niet met me eens, dan?' drong ik aan en ik keek Willie aan, toen de anderen bleven zwijgen. 'Willie, misschien wil jij uitleggen wat ik bedoel?'

Maar Willie nam me geschrokken op. 'Jullie vormen een team met zijn allen,' zei hij toen. 'En wat je als team begonnen bent, moet je ook als team tot een einde brengen.'

'O, maar dat bedoel ik niet. Ik wil winnen.'

'O ja?' riep Willie. 'Ik denk dat de anderen dat ook willen.'

Hij keek me nu strak aan, alsof hij me met die blik het zwijgen op wilde leggen. Ik wist het, ik stond in mijn mening alleen. Zelfs Marlon stond niet aan mijn kant. En hij vond verliezen nog wel net zo erg als ik.

'Oké,' zei ik. 'Afgesproken. Dan zullen we eerlijk zijn. Dat wilde je toch, Willie?'

Willie kneep zijn ogen even dicht, maar hij wilde nog steeds dat ik mijn mond hield.

'Oké,' zei ik. 'Felix is ziek. We zijn nog maar met zijn zevenen en zeg nou eerlijk of Raban en Josje voetballers zijn.'

'Dat denk ik wel,' antwoordde Willie. 'Ze spelen de bal met de voet. Dat wordt overal voetballen genoemd.' Hij glimlachte even en met die glimlach vroeg hij me te zwijgen. Maar ik veegde de glimlach van zijn gezicht.

'Jij weet ook wel dat ik dat niet bedoel. Ik wil van jullie weten, of ze goede voetballers zijn.'

De anderen zwegen. Niemand beantwoordde mijn vraag met 'ja'. Zelfs Willie zei niets meer. Hij schudde alleen zijn hoofd.

'Waarom zeg jij niets, Willie?' vroeg Raban zenuwachtig. 'Jij bent onze trainer.'

'Ik kan hier niets over zeggen,' antwoordde Willie. 'Het gaat niet meer om voetballen, het gaat hier om meer. Hier gaat het om zoiets als vriendschap.'

En deze keer trof zijn verwijt niet alleen mij. Het trof ook alle anderen, want niemand van hen deed een poging Raban in het team te houden. Toen stond Raban op, veegde de tranen van zijn wangen en liep langzaam weg. Josje rende achter hem aan en we keken hen na tot ze allebei tussen de bomen verdwenen waren.

'Bravo!' prees Willie ons. 'Dat was een hele goeie. Nu zijn jullie nog met zijn vijven. Vijf superprofs tegen zeven onoverwinnelijke monsters. Jullie winnen het zaterdag zeker. Geen twijfel mogelijk!'

De spot in zijn ogen trof me als een stomp in mijn maag. Ik haalde diep adem en zei toen: 'Dat denk ik ook! We gaan winnen.' Nu hield ik Willies blik vast. 'Geef me één dag en ik beloof jullie dat we morgen weer met zijn zevenen zijn.'

Toen sprong ik op en spurtte ervandoor.

De speler die met de zon danst

Ik rende en rende tot ik buiten hun gezichtsveld was. Toen bleef ik staan en haalde een paar keer diep adem. O, wat was dit moeilijk! Hopelijk kwam ik Raban en Josje nu niet tegen. Mijn slechte geweten kleefde aan me als kauwgum aan je schoenzolen. Die twee waren mijn vrienden geweest, en dat was nu voor altijd voorbij. Een moment lang wilde ik me omdraaien en alles ongedaan maken, maar toen wiste ik die gedachte uit mijn hoofd.

'Jij hebt gelijk,' zei ik tegen mezelf. 'Jij hebt gelijk.'

Ja, ik had gezegd wat alle anderen dachten. Ze hadden het alleen niet gedurfd. Ze waren te laf geweest. Iedereen wist dat we met Raban en Josje zeker zouden verliezen en niemand zou het ze vergeven hebben. Vriendschap of geen vriendschap, we hadden twee nieuwe spelers nodig en een daarvan wist ik al.

Dus rende ik hard door. Ik rende tot ik bij het kinderopvanghuis kwam. 'Huis van de zon,' stond er naast de poort, en in de tuin zag ik de jongen die ik elke keer zag als ik met de schoolbus naar huis kwam. Elke middag voetbalde hij met andere kinderen in de tuin en hij was nog echt goed ook.

Maar deze keer was de jongen alleen. Hij zat treurig op het gazon en trok grassprieten uit.

'Hé, hallo!' riep ik, maar hij hoorde me niet.

'Hallo daar!' riep ik. De jongen keek niet op. Toen duwde ik het hek open en liep naar hem toe. 'Hallo! Ben je misschien doof?' vroeg ik en ging naast hem in het gras zitten.

Maar de jongen keek me niet eens aan. Even vroeg ik me af of hij echt doof was. Of was hij zo iemand als Max, die gewoon niks zei? Ik zuchtte diep en deed toen een laatste poging.

'Ik snap het al. De anderen zijn op schoolreisje en jij mocht niet mee. Wat heb je gedaan?'

De jongen trok het gras met wortel en al uit.

'Ze zijn allemaal al naar huis,' zei hij zachtjes.

Nu keek de jongen me aan en ik zag dat hij huilde.

'Mijn moeder heeft geen tijd om me te komen halen!'

'O,' zei ik, en deed of ik alles begreep. 'Hoe komt dat?'

'Dat gaat je niks aan,' zei de jongen.

Ik haalde mijn schouders op. 'Oké, wat jij wilt. Maar je hebt dus tijd? Of heb je huisarrest?'

De jongen keek me verbaasd aan.

'Ja, huisarrest is een ziekte die op onze leeftijd heel veel voorkomt,' grijnsde ik. 'Heb jij het ook?'

De jongen schudde zijn hoofd.

'Oké. Dan kun je meegaan en met ons trainen. Weet je, we hebben aanstaande zaterdag een belangrijke wedstrijd. Het gaat om eer en trots.'

'Wat voor een wedstrijd?' vroeg de jongen.

'Een voetbalwedstrijd,' antwoordde ik een beetje verward. 'Wat anders? Denk je soms dat ik minigolf speel?'

Nu lachte de jongen.

'Oké. Opschieten dan. Heb je je voetbalspullen bij je?' vroeg ik.

'Dit zijn mijn voetbalspullen.'

Ik keek van zijn bruine wollen trui naar de geruite broek en naar zijn versleten sandalen.

'Echt waar?' vroeg ik.

'Ik heb niets anders bij me,' zei de jongen en het glimlachje verdween van zijn gezicht. 'Mag ik nu niet meer mee?'

'Sorry, wat zeg je?' vroeg ik verward. 'Wat zei je net?' Ik had niet meer naar hem geluisterd. Ik dacht alleen nog maar aan de dagen waarop ik vanuit de schoolbus naar hem had gekeken. Tjéé! Hoe kon je op zulke sandalen zo supergoed spelen?

'Mag ik nu niet meer mee?' herhaalde de jongen nog een keer.

Ik keek hem grijnzend aan. 'Natuurlijk ga je mee,' antwoordde ik. Ik draaide me om en liep naar het hek. 'Maar je zult wel natte voeten krijgen.'

'Maakt me niks uit!' riep de jongen. Samen renden we de straat uit.

'En een blauw oog, of erger,' voegde ik er hijgend aan toe.

Opeens bleef de jongen staan. Ik deed hetzelfde.

'Een blauw oog? Waarom?' De jongen huiverde even. 'Luister eens even heel goed: ik laat me niet slaan, hoor!'

Ik slikte. Dat was de bedoeling niet.

'Kom nou maar,' zei ik zo gewoon mogelijk. 'Ik zal je onderweg alles uitleggen, goed?'

Maar de jongen aarzelde nog steeds en ik had maar heel weinig tijd. Ik had weer een te grote mond gehad, want ik had geen flauw idee waar ik de tweede man voor onze ploeg vandaan moest halen.

'Oké!' Ik zuchtte diep. 'Hoe heet je eigenlijk?'

'Jojo,' antwoordde de jongen, nog steeds voorzichtig.

'Oké Jojo, ik heet Leon. En je hebt vast wel eens van de Wilde Bende gehoord?'

Jojo schudde zijn hoofd. Ik kon het niet geloven.

'Man, dat kán toch niet? De Wilde Bende zijn de jongens die gehakt gaan maken van Dikke Michiel en zijn Onoverwinnelijke Winnaars!'

'Gehakt?' vroeg Jojo en zijn glimlach keerde terug. 'Cool! Dat heeft die dikke pad wel verdiend!'

'Precies,' zei ik. 'Maar daarom moeten we op zoek. We hebben nog een man nodig. Vandaag nog, Jojo. We zoeken nog iemand voor ons team. En ik mag hier ter plekke doodvallen als er in deze stad niet nog een jongen te vinden is die weet hoe je moet voetballen!'

De onbedwingbare

'Kijk,' zei Jojo. 'Dat is onze man!'

Hij duwde de takken van de haag een beetje uit elkaar en we keken in de tuin van een reusachtige villa.

'Wie woont er in zo'n huis?' vroeg ik verbaasd. 'Dirk Kuyt of Figo?'

'Nee, eerder Edwin van der Sar!' antwoordde Jojo. Hij wees naar een hoek van de tuin.

Daar stond een jongen, zo te zien van mijn leeftijd. Hij knalde een bal tegen de muur en ving hem daarna met het gemak van de topklasse weer op.

'Dat is Marc,' zei Jojo. 'Hij voetbalt vaak met ons.'

'Oké!' zei ik en ik wilde Marc al roepen, maar Jojo hield me tegen.

'Wacht. Niet zo!' zei hij. 'We moeten voorzichtig zijn.'

'Hoezo?' wilde ik weten. 'Hebben ze een of andere automatische schietinstallatie?'

'Nee, zo erg is het niet. Maar bijna. Marc mag in geen geval voetballen.'

'Aha, voetbalverbod. Dat ken ik ook. Wat heeft hij gedaan?'

'Niets,' antwoordde Jojo ernstig. 'Het komt door zijn vader. Die denkt dat alleen maar jongens als wij voetballen. Eh... ik bedoel, als ik. Je weet wel, jongens die het niet zo ver zullen schoppen in het leven.'

'Tsjongejonge! Dat is stom,' zei ik hoofdschuddend.

'Dat kun je wel zeggen. Daarom wil hij ook dat Marc prof-golfer wordt.'

'Dat huis is helemaal te gek,' zei ik met een zucht. 'Ik geloof niet dat ik ooit in zo'n gigantische villa zal wonen. Maar wat doen we nu?'

Jojo keek me grijnzend aan. 'We doen net zoals de india-nen. Daar mocht je alles, zolang je je maar niet liet pakken.'

Jojo legde zijn handen om zijn mond en krijste drie keer als een adelaar. Meteen pakte Marc de bal, keek rond of er iemand naar hem keek, rende toen naar ons toe en kroop onder de haag door.

'Hé. Ik dacht dat jullie allemaal vakantie hadden,' begroet-te hij ons.

'Die vakantie doet er even niet toe,' antwoordde Jojo. 'Ik heb een heel goed idee!'

'Ja precies!' zei ik. 'We voetballen tegen Dikke Michiel en zijn Onoverwinnelijke Winnaars. Doe jij ook mee?'

'Wat een vráág!' lachte Marc. Met zijn drieën renden we weg.

Je kunt je niet voorstellen hoe verbaasd de anderen waren toen ik met Jojo en Marc terugkwam op de wei aan de rivier. Ik had nog geen uur nodig gehad, en de twee nieuwe jongens lieten al zien wat ze konden. Daarmee waren Raban en Josje niet alleen vervangen, ze waren compleet vergeten. De slech-te humeuren verdwenen en iedereen was blij. Alleen Willie had nog een gezicht als de onweersbui die al dagen dreigend boven ons hing en maar niet wilde losbarsten. Maar hij ging door met de training en dat deed hij goed.

En toen gaf hij ons eindelijk een echte bal. Mijn bal. Ik had hem 's morgens weer tegen Sokke geruild en toen we de voet-bal na die vreselijke dagen met de tennisbal weer aan onze voeten voelden, stoorde zelfs Sokkes gejank ons niet meer.

We merkten allemaal wat Willie in de afgelopen dagen van ons gemaakt had. We waren echte voetballers geworden. Bijna alles lukte en op de een na laatste dag voor de wedstrijd stond Marlon tijdens de sinas op en stak zijn flesje in de lucht.

'Op Willie!' zei hij plechtig. 'Op de beste trainer van de wereld!'

'Ja, op Willie, de beste trainer van de wereld!' riepen we allemaal.

Daarna flitste de bliksem en rolde de donder oorverdovend aan alle kanten om ons heen. Maar we schrokken er niet van, we lachten alleen maar en renden wild en vrij door de regen.

De beste voetballers van de wereld

De volgende morgen was de lucht fris en helder. Op de wei aan de rivier bevrijdde Willie ons zelfs van het gejank van Sokke. Hij nam hem van me over en zette hem in ons midden.

'Zo,' zei hij. 'Al hebben jullie me gisteren tot de beste trainer van de wereld uitgeroepen, dat betekent nog niet dat jullie ook de beste voetballers van de wereld zijn. Duidelijk?'

'Noem dat maar moed inspreken!' mopperde ik.

Willie keek me aan. 'Voor jou geldt dat in het bijzonder, Leon. Jij maakt de meeste fouten van ons allemaal.'

'Nou ja! Wat is dat nou weer voor onzin?' siste ik verontwaardigd. 'Ik speel iedereen eruit en maak bijna elk doelpunt.'

'Precies, omdat je nooit aan afgeven denkt,' antwoordde Willie ijskoud.

'Ik kan het niet anders, Willie!' riep ik boos. Dit verwijt wilde ik in geen geval horen. Ik wist dat ik egoïstisch, balverliefd en eigenwijs was, maar zo was ik nu eenmaal. Ik was Leon, slalomkampioen en topscorer, en dat wilde ik ook zijn. Willie kon doen wat hij wilde, al ging hij op zijn kop staan.

'Ik ga niet proberen je te veranderen,' zei hij met een scheef lachje. 'Dat doet Sokke wel voor me.'

'Sokke?!' riepen we geschrokken.

'Laat Sokke er alsjeblieft buiten,' zei Felix. 'Hij werkt op onze zenuwen.'

'Hij zal jullie nog veel meer op je zenuwen gaan werken!' grijnsde Willie. 'Hij speelt namelijk nu tegen jullie allemaal. Dat gaat zo: Sokke staat in het midden en als het jullie lukt meer dan tien passes te spelen vóór hij de bal te pakken krijgt, noem ik jullie ook de beste voetballers van de wereld.'

We keken hem ongelovig aan.

'Maar dat is niet eerlijk!' riep Marlon. 'We zijn met zijn zevenen. Sokke heeft absoluut geen kans.'

'Als dat zo is, is de training vandaag zeer snel afgelopen,' grijnsde Willie weer.

Toen gooide hij de bal naar Marlon. Sokke stoof erachter-

aan. Marlon haalde de bal met links uit de lucht en legde hem rechts voor de pass. Maar Sokke was sneller en verborg de bal onder zijn buik.

'Dat was niet eerlijk!' klaagde Marlon opnieuw tegen Willie.

'Oké. Probeer het nog een keer,' stelde Willie voor. Hij pakte Sokke de bal weer af en gaf hem aan Marlon.

'Beter zo?' grijnsde hij en hij hield Sokke vast, tot Marlon de bal had neergelegd voor de pass. Toen liet hij hem los.

Sokke stormde op Marlon af. Die gaf de pass haarscherp langs hem heen en telde triomfantelijk: 'Eén!'

Maar zijn pass was lang niet zo nauwkeurig als we van hem gewend waren. Joerie moest zich haasten om de bal te bereiken vóór Sokke. Hij stopte hem met de hak, draaide zich bliksemsnel om en telde: 'Twee!', maar Sokke was er al.

'Shit, dit is niet eerlijk!' schreeuwde nu Joerie. 'Hij is te snel.'

'Onzin! Je hoeft hem er alleen maar uit te spelen!' protesteerde ik en haalde mijn bal.

Willie hield Sokke vast aan zijn halsband.

'Laat hem maar los. Ik wacht!' zei ik en Sokke kwam op me af. Deze keer rende hij niet, maar draafde rustig met zijn staart kwispelend in de lucht.

'Nou, kom dan! Waar wacht je nog op?' vuurde ik Sokke aan. Ik maakte eerst met links, toen met rechts een schijnbeweging boven de bal, draaide bliksemsnel om mijn as en gaf met links een hakje naar rechts.

Sokke bleef staan en deed de

hele tijd niets. Hij hield zijn kop schuin en dacht volgens mij dat ik zo gek als een deur was. Want toen ik het hakje had gegeven, sprong hij alleen maar bliksemsnel naar voren en pakte de bal met zijn tanden.

Ik keek naar Willie. 'Oké! Je hebt gelijk. Wat moeten we doen?'

Willie grijnsde weer. 'Een pass geven, meer niet,' zei hij. 'Maar wel snel en precies.'

We knikten en zuchtten. Willie was echt de beste trainer van de wereld en wij wilden echt de beste voetballers worden. Maar na twee uur, om twaalf uur, toen de zon gloeiend heet op ons gezicht brandde, hadden we het precies tot drie passes gebracht. De enige met wie het nog goed ging, was Sokke. Hij blafte en kwispelde met zijn staart. Maar wij hadden absoluut even rust nodig. De sinas verdampte in onze kelen en de enige troost die we hadden, was de zekerheid dat het met Dikke Michiel en zijn Onoverwinnelijke Winnaars nog veel slechter ging.

Dikke Michiel is niet dom

De Duivelspot leek op een spookveld en de Onoverwinne-lijke Winnaars smoorden in hun eigen vet. Ze lagen half-dood rond het stalletje van Willie. Of liever gezegd: tussen de resten van het stalletje.

De eerste dag al, toen Dikke Michiel begreep dat hij ner-gens in de buurt iets te drinken kon krijgen nu Willies stal-letje dicht was, had hij het tot zelfbedieningswinkel ver-bouwd. Zijn miskleunen, zoals Willie Michiels makkers altijd noemde, hadden niet met hun vuisten tegen de houten muren geslagen en met hun ogen gerold. Nee, ze hadden gewoon een bijl meegebracht en de houten wand kapotge-slagen. Maar ze hadden daarbij ook de elektriciteitskabel beschadigd, waardoor tijdens het onweer van de avond ervoor kortsluiting was ontstaan in de grote koelkast. De reddende sinas was veranderd in een plakkerig, vies drankje. En toen de gierige Frans met de varkensoogjes toch probeer-de een van de flesjes leeg te drinken, verslikte hij zich zo dat hij bijna stikte.

Hulpeloos lagen ze nu in de middaghitte en maar twee van hen waren nog wakker genoeg om na te denken.

De één was de Zeis. Hij keek de ander, Dikke Michiel, bezorgd aan. 'Wat doen we nu?'

'Hou je kop!' riep Michiel. 'We winnen morgen, verder niks.'

De Zeis knikte, maar zijn blik dwaalde over hun halfdode ploeg. 'Ik bedoel alleen...'

'Hou je kop!' snauwde Michiel. 'En anders kun je een dreun krijgen!'

'Ja, maar ik bedoel eh...' durfde de Zeis toch te zeggen, 'als die Willie niet hier is, zijn die schijtluizen echt aan het trainen.'

'Die schijtluizen zijn een stelletje lilliputters, is dat nu eens en voor altijd duidelijk?' schreeuwde Dikke Michiel. 'En hou nou eens eindelijk je kop! Ik probeer na te denken.'

'O ja?' riep de Zeis verbaasd terwijl hij zenuwachtig rondrende over het gras. 'Maar al zijn het dwergen, die Willie, hun trainer, is toevallig wél profvoetballer geweest.' Hij krabde even op zijn hoofd en keek Dikke Michiel voorzichtig aan. 'En ik bedoel, heel misschien heeft hij iets van dat stelletje kunnen maken. Het zou beslist niet goed voor jou zijn, Michiel, eh... Ik bedoel voor ons allemaal, als je morgen verliest.'

Nu sloeg Dikke Michiel toe. Zijn vuist trof de Zeis recht op zijn neus. Die schreeuwde en keek hem totaal overdonderd aan.

'Maar Michiel, ik...!'

'Maar wat?' schreeuwde Michiel tegen hem. 'Ik zei toch KOP HOUDEN, of niet soms? Rot toch op, die Willie is nooit prof geweest! Hij heeft met mijn vader in de afdeling gespeeld. En die kapotte knie van hem, daar heeft mijn vader hoogstpersoonlijk voor gezorgd.' Bij deze herinnering klaarde het gezicht van Michiel ineens op. 'Kom op, sta eindelijk eens op, stelletje luilakken. Ik heb een plan!'

Intussen waren wij nog altijd met Sokke aan het trainen in de wei aan de rivier. Maar het lukte ons nog steeds niet. Na hooguit vijf passes was het afgelopen. Sokke was gewoon te vlug. We wilden het al opgeven, toen Willie opsprong en zich opeens van een heel andere kant liet zien. Een kant die we tot nu toe nog niet kenden. Hij hompelde om ons heen, rende ondanks zijn manke been met ons mee en moedigde ons aan één stuk door aan.

'Goed, Leon, rechts. Pass naar rechts. Joeri staat vrij! Ja, dat was goed. Dat was vier! Ja, en Marlon moet naar links. Naar links, nu ben je vrij en zie je, dat was de vijf! En nu direct een hakje naar Jojo! Zes! Hé, jullie zijn goed! En Jojo, kijk: daar in het midden staat Marc. Kom op Marc, lopen!'

Maar Marc bleef staan en Sokke had de bal. Geschrokken keek Marc naar Willie, maar die stond te klappen.

'Hé, dat was een nieuw record! Zien jullie wel? Jullie moeten voortdurend in beweging blijven. En Marc, jij moet naar de bal. Loop hem tegemoet. Wacht niet tot hij komt, dan heeft zelfs Sokke geen schijn van kans! Kom. Nog een keer. Volgende keer lukt het, dan zijn jullie niet alleen de beste voetballers, maar ook de beste voetbal*ploeg* van de wereld!'

Wij geloofden daar nog niet helemaal in, maar Willie stak ons aan. Opnieuw danste hij om ons heen. En met zijn aanwijzingen en tips ging de bal weer soepel van de een naar de ander. We konden het nauwelijks geloven, we waren al bij passes zeven en acht.

Toen trok Willie zich terug. Hij zei niets meer en ging op de grond zitten. Maar zijn ogen straalden, zo enthousiast was hij over ons spel.

We haalden de negen en de tien en speelden ook toen nog door. Sokke rende tevergeefs tussen ons heen en weer. Hij jankte van woede. Bij de zeventiende pass gaf hij zich uiteindelijk gewonnen. Hij stond met zijn tong uit zijn bek hijgend voor ons, blafte nog een keer, liep toen kwispelend naar de boom waaraan zijn riem was vastgemaakt. Daar ging hij op zijn buik liggen en verstopte zijn ogen vol schaamte onder zijn poten, tot ik de riem aan zijn halsband had gehaakt. Voor vandaag had Sokke meer dan genoeg van voetballen. Maar wij liepen naar Willie, sloegen de armen om elkaar heen, en vormden voor het eerst een kring.

Willie telde tot drie en zonder dat we het daar vooraf over

hadden gehad, schreeuwden we uit wat van nu af aan onze strijdkreet zou zijn. Allemaal samen schreeuwden we: 'RRRRAAAAAA!'

Maar toen de strijdkreet weggestorven was, werd hij beantwoord met een spottend: 'Woef!'

We keken geschrokken om. Zo had Sokke nog nooit geblaft. Zo blafte hooguit Dikke Michiel, en die kwam nu ook naar ons toe. Onwillekeurig deinsden we terug, tot we merkten dat we allang omsingeld waren. Van alle kanten kwamen ze op ons af. Varkensoog, de Maaimachine, de Stoomwals, de Inktvis, de Zeis en Kong.

Sokke gromde tegen de etters. Hij klonk als een wolf en wel zo overtuigend en woest, dat zelfs Dikke Michiel zenuwachtig werd. Minstens drie keer controleerde hij of Sokke echt wel aangelijnd was. Pas toen liet hij weer zijn 'Woef!' horen en bleef voor Willie staan.

'Zo trainen profvoetballers dus. Wauw...'

Willie voelde zich duidelijk opgelaten.

'Ik snap het wel. Maar ik dacht bijna dat er hier een hondenschool was.'

Op zijn commando lachten de miskleunen. Dikke Michiel liet Willie voor wat hij was en kwam naar ons toe.

'Heeft hij jullie van die trucjes geleerd? Ik bedoel, van die slimme trucjes die alleen profs kennen?'

We werden allemaal woedend.

'Nou en,' siste ik. 'Wat gaat jou dat aan?'

'Mij?' vroeg Dikke Michiel en hij stak zijn armen in de lucht alsof hij de onschuld zelf was. 'Helemaal niets.'

'En waarom ben je dan hier?' vroeg ik uitdagend. 'Ben je verdwaald, of zo?'

'Wel ja! Toe maar!' lachte Dikke Michiel. 'Jij bent zeker de dappere dwerg?'

Hij boog zich over me heen. Ik stikte bijna in zijn reutelende adem en zijn gloeiende oogjes brandden gaten in mijn gezicht.

'Wees maar niet bang hoor, lilliputter. Vandaag doe ik je niks. Vandaag meen ik het goed met jullie. Tenslotte hebben we morgen een wedstrijd, en die moet echt goed worden. Of niet soms?'

'Daar kun je gif op innemen,' gromde ik.

'Precies. Inderdaad!' blies Dikke Michiel mij in mijn gezicht. Ik moest er bijna van kokhalzen. Toen praatte hij weer heel hard. 'En daarom ben ik hier. Jullie moeten namelijk weten dat jullie "Witbier-Willie" nooit profvoetballer geweest is. Of beweer jij dat ik lieg, mankepoot?'

De vraag was aan Willie gericht, maar die zweeg. Nerveus en ongemakkelijk keek hij in onze richting.

'Kom op, zeg het tegen hem!' riep ik.

'Zeg dat Michiel liegt!' zei Fabian.

En Joeri riep bemoedigend: 'Je bent toch de beste trainer van de wereld!'

Maar Willie staarde naar de grond.

'Zie je wel? Wat heb ik gezegd?' sarde Dikke Michiel. 'Mankepoot heeft jullie iets wijsgemaakt. En o, wat spijt me dat: jullie hebben al die dagen voor niks geploeterd! Of zie ik er misschien uit als een hond?'

Weer grijnsden zijn maten op zijn commando.

'Woef! Woef!' blafte Michiel en hij lachte daar zo hard bij, dat de vetrollen onder zijn Darth Vader T-shirt een golvende dans uitvoerden.

'Woef! Woef!' blafte hij nog een keer. 'Tegen welke dieren hebben jullie nog meer gevoetbald? Tegen de krekels in het bos en tegen de kikkervisjes hier in de plassen? Wauw! Ik lach me helemaal dood. Kwak, kwak, kwak!'

Dikke Michiel en zijn Onoverwinnelijke Winnaars brulden van het lachen en ons bleef niets anders over dan dat te verdragen. Toen Dikke Michiel uitgelachen was, veegde hij de tranen uit zijn ogen.

'Sorry, lilliputters. Dit was alleen maar een vriendendienst. Ik hoop toch dat we elkaar morgen om tien uur zien en anders weet ik in elk geval waar jullie zijn. In de apenkooi van de dierentuin.'

Dikke Michiel proestte het opnieuw uit en hield zijn vetrollen vast, alsof hij bang was dat ze ervandoor zouden gaan. De anderen lachten gehoorzaam mee en zo wankelden de Onoverwinnelijke Winnaars lachend weg.

We bleven staan wachten tot ze verdwenen waren. Toen keken we allemaal naar Willie.

'Heeft hij gelijk?' vroeg ik.

Willie zag er ellendig uit.

'Heeft hij gelijk?' vroeg ik nog een keer.

'Ik heb geprobeerd het te-tegen jullie te zeggen,' stotterde hij.

'Je hebt gezegd dat we eerlijk moeten zijn!' hielp Marlon hem herinneren.

Willie sloeg zijn ogen neer.

'Weet ik,' antwoordde hij.

'En wat moeten we nu geloven?' vroeg Joeri.

'Dat we de Onoverwinnelijke Winnaars tóch overwinnen, misschien?' zei Fabian spottend.

Willie keek ons aan en zei smekend: 'Jullie zijn de beste voetballers ter wereld. Dat kunnen jullie van mij aannemen.'

'En jij bent niet eerlijk geweest, Willie,' stelde ik vast. 'We willen je nooit meer zien.'

Willie draaide zich om en wreef in zijn ogen. Misschien huilde hij ook, net als ik.

'Kom,' zei ik tegen de anderen. 'We hebben hier niets meer te zoeken.'

We liepen allemaal langs Willie en gingen toen naar huis. Onderweg zeiden we geen woord tegen elkaar. Het was voorbij. We hadden niet alleen de Duivelspot, maar ook het geloof in onszelf verloren.

Een donkere nacht en een nog donkerder ochtend

's Nachts kon niemand slapen en we plaagden onszelf allemaal met dezelfde gedachte. De teleurstelling was te groot.
We hadden allemaal zo hard getraind. We hadden ons uiterste best gedaan. En we hadden Willie vertrouwd. Alleen om
hem hadden we de modderige wei, de tennisbal, de hitte, de
muggen en het geblaf en gejank van Sokke verdragen. En nu
was alles voor niets geweest.

Ja, een moment lang waren we op de top van de berg
geweest. We hadden echt geloofd dat we de beste voetbalploeg van de wereld waren, maar toen was Dikke Michiel
gekomen en had ons gewoon naar beneden geschopt. We
waren duizenden meters in de diepte gestort en daar lagen
we nu en konden ons niet meer bewegen. We waren een
foute grap, een lachwekkend stelletje en wat we over onszelf
hadden gedacht, leek nu een goedkope leugen.

'Maar we hebben wel van Sokke gewonnen,' zei Marlon
opeens vanuit het bed onder me. Het was vast al drie uur in
de ochtend en hij was ook nog steeds wakker, net als ik. Weet
je, Marlon geeft het nooit op en dat is hartstikke goed, maar
in dit geval betekende het alleen maar nog meer gepieker.
Willie was niet eerlijk geweest, en daarom was alles wat hij
ons had bijgebracht nu niets meer waard.

'Maar we hebben wel van Sokke gewonnen!' herhaalde
Marlon tegen half vier.

'Nou en!' antwoordde ik. 'Ben je vergeten wat Dikke Michiel met honden doet?'

'Hij rukt ze de oren af,' zei Marlon.

'Precies!' fluisterde ik. 'En daarom is Dikke Michiel geen hond. Hij is een monster. Hebben we ooit van een monster gewonnen?'

Marlon zweeg.

'Marlon! Willie is nooit prof geweest en daarom zijn wij ook niet de beste voetbalploeg van de wereld!'

'Maar we gaan toch voetballen tegen de Onoverwinnelijke Winnaars?' vroeg Marlon. Hij kon het gewoon niet laten.

Ik staarde naar het plafond. Toen vroeg ik alleen maar: 'Hoezo?'

Op een of ander moment sukkelden we in slaap en de volgende morgen was zelfs Marlon zo moe dat hij niet wilde opstaan. We lagen onrustig te woelen en zo verging het de anderen ook. Onze ouders kwamen ons wekken, maar we stuurden hen weer weg.

'De wedstrijd gaat niet door!' zeiden we.

'Dikke Michiel heeft zijn benen gebroken.'

'De lucht is uit onze voetbal. We kunnen niet spelen.'

Op Eikenlaan 1 opende Max zijn ogen. Zijn vader stond in zijn kamer en had een splinternieuwe voetbal in zijn hand. Hij was pikzwart.

'Nike,' zei Max' vader en draaide het glanzende leer rond in zijn hand. 'Beperkte oplage. Hiervan bestaan er maar vijfduizend. Ik denk dat dit de juiste bal is om een nieuwe verzameling mee te beginnen.' Hij glimlachte naar zijn zoon. 'Vooropgesteld dat je vandaag niet terugkrabbelt.' Met een ernstig gezicht voegde hij eraan toe: 'Mijn zoon krabbelt namelijk nooit terug, heb ik gelijk of niet?'

Hij hád gelijk. Max sprong op, pakte de bal en stormde zijn kamer uit.

Een paar seconden later stond Fabians moeder voor zijn bed en gaf hem de telefoon: 'Het spijt me, maar een man moet doen wat een man moet doen,' zei ze hoofdschuddend en ze liet hem alleen.

'Hallo? Wat is er?' kreunde Fabian in de hoorn en kreeg geen antwoord.

'Shit, Max! Wat wil je nou? Nee hè? Je wilt toch niet spelen of zo?'

Max stond aan de andere kant van de lijn naar zijn nieuwe bal te kijken.

'Zeg, Max, je bent knettergek. Dat wordt niks, echt niet!' zei Fabian, maar Max schudde zijn hoofd. Hij vocht met zichzelf en ten slotte lukte het hem. Hij zei: 'Jawel!'

Fabian sprong uit zijn bed. 'Hou toch op, man. Hoe krijg je het voor mekaar?! Moet je echt op dit moment beginnen met praten? Dit zal ik je nooit vergeven, hoor je! Mam! Waar zijn mijn voetbalschoenen?'

Vijf minuten later sloeg er schuin tegenover het huis van Fabian een steentje tegen het raam van Joeri en Josje. Josje sprong uit bed en keek door het raam naar buiten. Daar stonden Fabian, Max, Marlon en ik. Josjes blik dwaalde naar zijn slapende broer. Joeri deed in elk geval alsof hij sliep.

Toen riep Josje naar ons beneden op straat: 'Sorry, Joeri kan niet. Hij doet het in zijn broek van angst.'

Binnen een nanoseconde stond Joeri voor het raam en duwde Josje opzij.

'Ik ben niet bang!' schreeuwde hij tegen ons.

'Waarom ben je dan nog niet beneden?' schreeuwden wij uitdagend naar boven.

Met zijn vijven renden we door. Het was al half tien, maar in het Huis van de Zon werd ons verteld dat Jojo door zijn moeder was opgehaald. Dat was dubbel zo erg, want nu was er niemand meer die de adelaarsschreeuw kon doen om Marc te roepen. Wat moesten we beginnen? Als we aanbelden en naar Marc vroegen, zou dat de laatste uitwedstrijd voor hem kunnen zijn. Maar als hij – net als wij hadden gedaan – in bed lag te woelen, zou hij nooit weten dat de wedstrijd toch doorging.

Dus verzamelde ik moed en belde aan. De voordeur was zo hoog en breed als de poort van een ridderslot. We wachtten een eeuwigheid en wilden al gaan, toen er eindelijk iemand verscheen. De man zag eruit als een pinguïn en hield een zilveren dienblad in zijn hand.

'Bonjour. Kan iek vat vor u doen?' vroeg hij.

We verstonden er geen woord van. Waarom zei die pinguïn 'u' tegen ons? We waren net tien!

'Édouard, wie is daar?' vroeg een verkouden vrouwenstem. Daarna zag ik achter de pinguïn een vrouw in een badjas een deur uit komen. Ze had haar hele gezicht ingesmeerd met mayonaise of zoiets.

'O-la-la, u vielt madame sprekun?' zei Édouard tegen ons. 'Bien sûr, het interview. Een ogenblik. Madame, de eren van de krant zijn ier!'

De badjas met het mayonaisegezicht slaakte een geschrokken gil, verdween in de kamer waaruit ze was gekomen en sloeg de deur weer zo hard dicht dat hij kraakte. Geschrokken keken we de pinguïn aan.

'Maar, maar, we zijn helemaal niet van een krant,' stotterde Marlon.

'Sssst!' zei Édouard en gaf ons een knipoog. 'Iek eb een bootskap voor juulie. Een ge-eime bootskáp. Zéér zéér ge-eim.'

We begrepen er niet veel van.

'Een bootskap van Junior. Maar daarvoor eb iek et vagdvoort nodieg,' grijnsde Édouard.

'Ja maar, wat voor een wachtwoord voor welke Junior?' vroeg ik en trappelde ongeduldig met mijn voeten. 'We willen alleen maar Marc spreken, verder niets!'

'Pardon, maar zonder vagdvoort luukt ier niets,' zei Édouard aarzelend. Opeens leek hij weer heel erg op een pinguïn. 'Juulie zijn toch de Vielde Bende of niet, en juulie ebben zo'n skreeuw. Mon dieu, hoe vas die ook veer?'

'RRRAAA!' riepen we toen en Édouard kromp ineen.

'Sssst, niet zo ard. Et ies ge-eim.'

'Zeg het nou maar, pinguïn!' zei Fabian, en Édouard keek hem verbaasd aan.

'Pinguïn, o-la-la! C'est bon!' lachte hij zachtjes. Toen boog hij zich naar ons toe en fluisterde: 'Bon... Junior, iek bedoel Marc, moest élaas met monsieur papa naar de golf. Maar vij ebben net getelefoneerd. Zoals jullie gezien ebben is madame eel nerveuse, éél erg nerveuse en vij geloven niet dat ze zonder monsieur de ogtend doorkomt.'

Hij gaf ons weer een knipoog, maar we verstonden niet veel van zijn gebrabbel.

'Wat bedoelt u?' vroeg ik.

'Is Marc al onderweg?' vroeg Fabian. 'Waar is die golfbaan eigenlijk?'

'Een alf uur van ier,' antwoordde Édouard en keek op zijn horloge. 'Oef, diet vort een problème.'

'Dat kunnen we wel zeggen,' mompelde ik. Het was al kwart voor tien. 'En weet u, meneer de Pinguïn? Ik háát golf!'

Toen renden we weg.

Wees wild!

Voor de Duivelspot stond Felix op ons te wachten. Dat was een groot geluk. Nu waren we in elk geval met zijn zessen.

'Hoi Felix, ben je weer beter?' begroette ik hem enthousiast, maar Felix schudde zijn hoofd. Hij ademde zwaar.

'Hoe ben je dan het huis uit gekomen?' vroeg Fabian. 'Heb je weer een vlieg laten bevriezen?'

'Ik... ik ben gewoon weggerend!' hijgde Felix en nu pas merkten we dat hij weer last van astma had. Maar het kwam niet van het gras.

'Wat is er aan de hand?' vroeg Marlon bezorgd.

Felix keek hem alleen maar aan, ademde moeilijk en knikte met zijn hoofd richting de Duivelspot.

Met een angstig voorgevoel volgden we zijn blik en liepen toen door het gat in de schutting. Eén moment dachten we allemaal dat we astma kregen, zo verschrikkelijk voelden we ons. Voor ons lagen de resten van Willies stalletje en daarachter wachtten de Onoverwinnelijke Winnaars op ons. Ze droegen T-shirts en broeken vol gaten en scheuren en ze hadden allemaal hun gezicht beschilderd. Ze brulden hun strijdkreet: 'UAAAHH! UAAAHH!'

Ontzet bleven we staan. Pas nu wist ik dat ik gelijk had gehad. Het waren monsters die voor ons stonden en wat ons nu te wachten stond was geen voetbalwedstrijd meer. De kikker in mijn keel was intussen zo groot geworden als een konijn.

'Is Willie er al?' vroeg ik aan niemand in het bijzonder.

'Willie? Laat me niet lachen!' klonk scherp de stem van Dikke Michiel. 'Willie is teruggekrabbeld,' zei hij met dubbele tong alsof hij dronken was, 'als jullie snappen wat ik bedoel. Hik!'

We kregen een kleur als vuur en staarden naar de grond. Toen sloeg de klok in de kerktoren tien keer.

'Goed, dan is het nu zover!' zei Dikke Michiel handenwrijvend. 'Waar wachten we nog op?'

'O... op Marc,' zei Felix, moeilijk ademend. 'Zeven te-tegen zes is niet ee-eerlijk.'

'Ohohoho!' joelde Dikke Michiel als antwoord. 'Dat is dan heel jammer. Maar het leven is helaas niet eerlijk. Dat zullen jullie vandaag wel merken.' De andere etters van zijn ploeg lachten op zijn bevel. 'Daarom hebben wij de aftrap en spelen jullie met de zon in je gezicht.' Weer lachten de Zeis en de Inktvis en co. 'Zo gaat het bij een duel: de uitgedaagde partij mag de wapens bepalen!'

Dikke Michiel legde de bal op de middenstip. 'En ik stel voor dat we tot tien spelen. Dan ben ik binnen twintig minuten weer thuis, en ik heb vandaag nog meer te doen.'

Hij graaide in zijn broekzak en haalde er een fluitje uit. We aarzelden nog. We moesten tijd zien te rekken. Twintig minuten. Shit. Marc zou zeker niet binnen twintig minuten hier zijn.

In slow motion liepen we naar onze kant van het veld, maar Dikke Michiel wachtte niet. Hij blies gewoon op zijn fluitje en schopte de bal naar links. Daar wachtte Kong.

We renden erop af en ik schreeuwde tegen de anderen: 'Ik ga in het doel. Felix is linksbuiten. Fabi naar rechts en Joeri, Max en Marlon blijven hier achter bij mij.'

Maar de anderen hoorden me niet. Ze renden Kong achterna die bijna even vlug was als Fabian. Dikke Michiel stond daarom helemaal vrij toen Kong een voorzet gaf vanaf de zijkant. Ik rende uit het doel en gooide me in het schot van Michiel. De bal sloeg zo keihard tegen mijn vuisten dat het leek of ze van mijn armen braken. Tijdens mijn duikvlucht keek ik om naar de bal. Hij rolde over de lijn.

'Eén-nul,' grijnsde Michiel en ik schreeuwde tegen de anderen: 'Dit is shit! Noemen jullie dat spelen?'

Maar nu hadden wij de aftrap. We stelden ons op. Felix speelde naar Fabian en die rende zo hard als hij maar kon op het Varkensoog, de Maaimachine en de Stoomwals af.

'Felix, waar ben je?' schreeuwde hij.

Maar Felix stond hijgend bij de middencirkel. Fabi moest alleen verder. Hij speelde de bal rechts langs de Maaimachine en liep links om hem heen. De Maaimachine stond er tamelijk stom bij, maar de Stoomwals kwam hem te hulp en versperde Fabi eenvoudig de weg. Die botste in volle vaart tegen hem op, stuiterde terug, viel op de grond en bleef liggen. Maar de Stoomwals had het nauwelijks gemerkt. Hij draaide zich om, nam de bal en schoot hem naar de Zeis op rechts.

Marlon viel meteen aan, maar de Zeis duwde hem gewoon op de grond.

'Hé! Dat is een vrije trap!' riep ik, maar Dikke Michiel lachte me uit.

'Dat was een schouderduw. Dat mag!'

Marlon lag op de grond, trok zijn knieën op van de pijn en hield zijn ribben vast. Toen werd Joeri wild.

'Oké! Die schouderduw kun je krijgen!' schreeuwde hij.

Op dat moment gaf de Zeis een pass naar Dikke Michiel. Joeri stormde op hem af, wilde als eerste bij de bal zijn, maar hij rende recht in de elleboog van Michiel. Als een natte zak viel Joeri op de grond.

'O, sorry!' grijnsde Dikke Michiel, draaide zich om en schoot de bal zo hard naar het doel, dat ik, hoewel het schot recht op de man was, mijn vuisten wegtrok.

'Twee-nul!' grijnsde Michiel en keek op zijn horloge. 'Twee-nul na een minuut. Ik geloof dat ik jullie overschat heb.'

Ik werd razend, pakte de bal en liep zelf naar de aftrap.

'Max, jij gaat in het doel!' riep ik nog. 'En Felix, jij speelt de bal naar mij.'

Felix knikte en deed de aftrap. Ik nam de bal aan en begon te dribbelen. Ik speelde ze duizelig, zo woedend was ik. Varkensoog, de Stoomwals en de Maaimachine vielen achter me in de modder.

Toen riepen Fabi en Marlon: 'Kom op, Leon. Geef die bal af!'

Maar ik was te woedend. Ik zag alleen maar de Inktvis en het doel van de Onoverwinnelijke Winnaars.

'Kom op, Leon, geef af!' riepen Fabi en Marlon nog een keer.

Ik zag hen rechts en links naast me, maar ik piekerde er niet over om de bal af te geven.

Toen gleed de Zeis van achteren tussen mijn voeten en duwde me omver.

'Vrije trap!' schreeuwde ik en sprong meteen weer op.

'Hoe kom je erbij?' lachte de Inktvis. Hij pakte de bal. 'Hij heeft de bal gespeeld, vind ik.'

Toen nam hij een aanloop en schoot de bal hoog over het veld. Daar stond Dikke Michiel alleen tegen Joeri en Max. Maar Joeri was niet meer de Joeri zoals we hem kenden. Hij had niet alleen een blauw oog, hij was ook bang. Precies zoals Willie het voorspeld had. Hij viel niet meer aan en even later stak Dikke Michiel zijn armen in de lucht, viel op zijn knieën en schreeuwde: 'Drie-nul!'

De Onoverwinnelijke Winnaars lachten ons uit en onder hun gelach draafden wij moedeloos naar onze helft terug. Maar het werd nog erger: wij kregen ruzie.

'Zie je wat er gebeurt als jij alles alleen doet!' schreeuwde Marlon tegen me.

'Laat me met rust!' was mijn beledigde antwoord.

'Nee. Hij heeft gelijk!' riep Fabi.

'Doe het zelf dan beter!' schreeuwde ik tegen hem.

Maar we deden het niet beter en hoewel Max het volgende schot hield, hadden we geen schijn van kans. Na de volgende aanval kón Felix niet meer en ging langs de kant zitten. Onze benen werden loodzwaar en we hadden het gevoel dat we weer op de modderige wei aan de rivier waren. We wisten nauwelijks meer wat Willie ons had laten zien en we wilden niets liever dan dat hij bij ons terugkwam. Maar waarom zou hij dat doen? Ik had heel erg lelijk tegen hem gedaan. 'Ik wil je nooit meer zien,' had ik tegen hem gezegd en inmiddels was het al vijf-nul voor de Onoverwinnelijke Winnaars.

Toen riep Dikke Michiel met spottende stem genadig: 'Rust!'

Raban de held

Wat we in al onze angst en wanhoop helemaal niet hadden gemerkt, was dat we twee supporters hadden. Ze waren ons stiekem gevolgd en lagen als twee indianen plat op hun buik. Door een klein gat in de schutting volgden ze gespannen de wedstrijd en toen Dikke Michiel zijn eerste doelpunt maakte, zei de een tegen de ander: 'Hoera! Net goed! Dat hebben ze verdiend!'

Bij het tweede doelpunt zei de ander tegen de een: 'Ja, cool, maak ze maar in!'

En bij het derde doelpunt klapte de een van enthousiasme zelfs in zijn handen. 'Bravo! Ga zo door!'

Maar de ander sprong op en riep: 'Nee!'

Josje keek Raban verbaasd aan, maar die balde zijn vuisten. 'Nee, nee, en nog eens nee! Dat hebben we niet verdiend.'

'We?' vroeg Josje verbaasd. 'Ze hebben ons eruit gegooid, hoor. Ben je dat soms vergeten?'

'Nee! Maar dat maakt me niets meer uit. Dít hebben we niet verdiend!' Even keek Raban peinzend naar de lucht, en toen sprong hij op en ging ervandoor. 'Ik moet Willie halen!' riep hij over zijn schouder.

Josje keek hem na. 'En wat doe ik?' riep hij.

'Jij haalt hulp!' schreeuwde Raban zonder te stoppen.

'Hulp?' riep Josje. 'Waar vandaan en voor wie?'

'Dat weet ik toch niet,' schold Raban en rende door. 'Haal gewoon de hulptroepen!'

Josje keek hem radeloos na, sprong op en liep toen langzaam weg. Hij had geen idee waarheen, maar Raban rende en rende. Hij rende regelrecht naar de wei aan de rivier. Waarom wist hij niet. Maar toen hij daar aankwam, zag hij hem zitten.

'Willie!' riep hij. 'Willie, we hebben je nodig.'

Maar Willie hoorde hem niet.

Raban rende naar hem toe en toen hij bij hem kwam, zei hij alleen maar: 'Shit!'

Om Willie heen lagen zeker vijftien lege bierblikjes.

'Dit is balen!' zei Raban in zichzelf en toen zei hij tegen Willie: 'Heb je die allemaal leeggedronken?'

Willie schudde zijn hoofd.

'Die heb ik allemaal leeggegooid,' zei hij. 'Als ik ze opdrink kraam ik te veel onzin uit.'

'Nou! Dat kun je wel zeggen,' kreunde Raban. 'Maar nu heb je niets gedronken. Ga alsjeblieft mee! Kom, waar wacht je nog op?'

'Waarheen?' vroeg Willie.

'Naar de Duivelspot natuurlijk!' antwoordde Raban, maar Willie schudde zijn hoofd.

'Alsjeblieft!' riep Raban. 'Ze hebben je nodig. Doe niet zo stom. Ze hebben Josje en mij ook eruit gegooid, maar wij steken toch ook niet onze kop in het zand? Nee. We hebben besloten Leon en de anderen eens even duidelijk te bewijzen hoe belangrijk we zijn.'

Maar Willie schudde opnieuw zijn hoofd. 'Nee, nee. Ze geloven mij niet meer. Ik ben niet eerlijk geweest!'

'Ja, dat zal allemaal best, maar ze hebben je nu nodig. Als jij nu niet naar ze toe gaat, is het afgelopen met de Wilde Bende.' Rabans ogen waren gigantisch achter de jampotglazen in zijn bril en ze keken Willie nu smekend aan.

'Alsjeblieft, Willie,' deed Raban een laatste poging. 'Het zijn mijn vrienden!'

Maar Willie draaide zich om en keek uit over de rivier. Raban zag de tranen niet die in Willies ogen waren gesprongen. Daarom riep hij boos: 'Shit. Waarom heb je dat bier allemaal weggegooid? Je had het beter op kunnen drinken!'

Raban wilde weglopen, maar hij wist niet meer waarheen. Daarom liet hij zich wanhopig achter Willie in het gras vallen en staarde naar zijn rug. Hij staarde en staarde alsof hij Willie wilde hypnotiseren, en plotseling stond Willie op.

'Je hebt gelijk!' zei hij. 'Kom, waar wacht je nog op?'

En voor Raban begreep wat er gebeurde, zette Willie het op een lopen.

Nog veel wilder!

Intussen rende Jojo als een tijger in een kooi heen en weer door de tram. Hij was veel te laat.

De hele morgen had hij gewacht tot zijn moeder eindelijk wakker zou worden. Ze had met haar hand op haar hart beloofd dat ze met hem mee zou gaan naar de wedstrijd. Maar ze was gisteravond heel laat thuisgekomen met een vreemde man. Ze hadden gezongen en gedanst en ze hadden tegen Jojo gezegd dat ze een fantastische avond hadden gehad. Maar toen hadden ze ruzie gekregen. Zijn moeder had de vreemde man de deur uitgezet en een arm om Jojo heen geslagen.

'Vergeet die rotvent,' had ze tegen hem gezegd. 'Morgen laat je mij je vrienden zien. Die laten je niet in de steek, hè?'

Maar vanmorgen was ze gewoon niet wakker geworden. Hij wachtte tot het te laat was, en wekte haar. Maar ze riep alleen maar boze dingen tegen hem. Toen schreef hij op een briefje: 'Lieve mama, ik hou van je', en legde dat op de keukentafel. Daarna rende hij het huis uit. In de tram liep hij ongeduldig heen en weer tot die op de bekende halte stilstond. Jojo sprong eruit, rende naar de Duivelspot en botste net voor het gat in de schutting bijna tegen Marc op. Samen renden ze naar het veld.

Maar wat daar op hen wachtte, vloerde hen volledig, zoals een knock-out in de eerste minuut een bokser volledig vloert. Dikke Michiel stond voor zijn Onoverwinnelijke Winnaars en vertelde lachend en druk gebarend hoe onoverwinnelijk ze waren. Vijf doelpunten in zeven minuten, en allemaal door hem gemaakt. Zo goed had hij zich in lange tijd niet meer gevoeld. Daarachter zaten en lagen wij, de Wilde Bende, in het gras en staarden naar onze loodzware voeten. Het oog van Joeri was groen, blauw en paars geworden. Marlon drukte met zijn handen tegen zijn ribben. En ik likte de schaafwond op mijn knie, die zo groot was als mijn handpalm.

Marc en Jojo lieten zich bij ons in het gras vallen.

'Het loopt niet helemaal volgens plan, geloof ik,' waagde Marc een voorzichtige grap. Maar de enigen die erom lachten waren de Onoverwinnelijke Winnaars.

Opeens sprong Jojo op. Woedend schreeuwde hij: 'Straks lachen jullie niet meer. Let maar op!'

Weer schudde Dikke Michiel van het lachen en hield zijn vetrollen vast. Maar toen bevroor de lach op zijn gezicht. Zijn ogen gloeiden als laserstralen en keken naar iets boven onze hoofden. We draaiden ons om. Achter ons stonden Willie en Raban. Michiels laserstralen ketsten volledig af op Willies pokerface.

'Ik denk dat Jojo gelijk heeft,' zei Willie en zijn woorden klonken alsof hij ze in steen beitelde. Op hetzelfde moment schoof een onweerswolk voor de zon, en Dikke Michiel deed onwillekeurig een paar stappen naar achteren.

'Wauw! Jojo beweert nogal wat,' zei hij terwijl hij moeite moest doen om zijn zelfbeheersing te bewaren. 'Hebben jullie dat ook gehoord, mannen? Waar wachten we nog op? Laten we beginnen!'

'Stop, één ogenblikje!' meldde Raban zich en hij deed twee stappen naar voren. 'We hebben nog één voorwaarde!'

Dikke Michiel fronste zijn voorhoofd. 'Een voorwaarde!' Hij snoof minachtend.

'Ja, een voorwaarde!' Raban hield zijn blik vast. Toen haalde hij adem en zei: 'Wie verliest, bouwt Willies stalletje weer op.'

Dikke Michiel staarde hem aan alsof hij hem met zijn blik had willen doden. Maar toen trilde zijn buik, schokte, begon te golven en Dikke Michiel proestte het uit.

'Wel ja! Dan wens ik jullie veel plezier met de herbouw,' zei hij.

De andere etters begonnen mee te lachen en joelend renden ze naar hun kant van het veld, toen een schreeuw als een mes door hun lachen sneed.

'RRRAAAAA!' schreeuwden we schouder aan schouder in een kring en stoven toen uit elkaar.

Ik nam de aftrap, en speelde de bal door naar Max. Die speelde terug naar Marlon en die schoot zijn droompass naar rechts. Daar rende Fabi al langs de lijn. Hij speelde naar mij en ik speelde de bal door naar Jojo op links. De Onoverwinnelijke Winnaars stonden wezenloos naar ons te staren. Jojo sprong over de benen van de Maaimachine weg en speelde de bal weer naar mij, voordat Varkensoog dichterbij kon waggelen. Ik schoot op het doel. De bal vloog naar de linker doelpaal. Ik hief mijn armen al op, maar de Inktvis stak zijn tentakels uit en ving de bal moeiteloos op.

De miskleunen werden opeens weer actief. Inktvis richtte zijn dodelijke aftrap op Kong. Joeri stond wel bij hem, maar hij was nog steeds bang. Kong liet hem staan en speelde de bal door naar Michiel. Die schoot direct op het doel. Marc vermoedde in welke hoek het zou zijn. Hij dook en stompte de bal weg, maar helaas niet krachtig genoeg. De bal sprong tegen de binnenkant van de paal en van daaruit in het doel.

'Zes-nul!' schreeuwde Michiel en hij stak zijn armen in de lucht tot aan de donderwolken.

We draafden met vuurrode wangen terug en zochten Willie op. Die stond te klappen.

'Ja, dat was goed. Ga zo door, mannen!'

'Hou op, alsjeblieft!' riep ik tegen hem. 'Het is zes-nul voor de anderen!'

Toen riep Willie me bij zich. 'Met zo'n rothumeur heb je op het speelveld niets meer te zoeken.' En hij stuurde Felix in mijn plaats de storm in.

Weer vielen we aan. Deze keer over links. Jojo speelde de bal door naar Felix, en die verder naar Fabian, die op het doel schoot. Maar de bal stuitte tegen de lat.

'Dat is toch niet eerlijk!' riep ik.

'Jawel!' protesteerde Willie. 'Jullie geloven echt nog niet in jezelf. Begrijp jij het niet? De anderen moeten respect voor jullie krijgen. Zeg dat tegen Joeri, als je dadelijk weer speelt. Hij moet Kong en Michiel eens een keer goed onder handen nemen. En daarmee bedoel ik geen overtreding, hoor je? Daarin zijn zij beter dan jullie. En jij speelt terug naar Max. Laat hem op het doel schieten. Alles begrepen?'

Ik schudde mijn hoofd, maar Willie glimlachte opbeurend naar me. 'Hé, terug naar je plaats, jij!'

Dat Dikke Michiel op dat moment zijn zevende doelpunt maakte, scheen Willie geen klap te interesseren.

Weer vielen we aan. Deze keer over het midden. Marlon liep met de bal regelrecht richting doel. De Maaimachine en de Stoomwals namen het samen tegen hem op. Daarbij kwam Varkensoog nog van links. Maar dat scheen hem helemaal niet te storen. Pas op het laatste moment gaf hij de bal af naar Fabi op rechts. Die gaf een voorzet richting penaltystip. Daar plukte ik de bal uit de lucht en stond vrij voor de

Inktvis. Die maaide met zijn tentakels door de lucht. Opeens was hij groter dan het doel. Ondanks dat begonnen mijn voeten te trillen. Ik wilde een doelpunt maken. Ik voelde iets in mijn rug en gaf een hakje naar achteren. De Zeis gleed tussen mijn benen. Ik viel, maar mijn pass was allang bij Max. En Max 'Punter' van Maurik schoot de bal op het doel. De Inktvis wierp zich ervoor. Maar op het moment dat de bal tegen zijn borst sloeg, kreunde hij en vloog ermee het doel in.

Ik weet niet wie op dat ogenblik meer verbijsterd waren, de Onoverwinnelijke Winnaars of wij. In elk geval duurde het even tot we door hadden dat dat ons eerste doelpunt was. Alsof het zeven-één was en niet één-zeven liepen we juichend naar onze helft terug en wachtten daar de aanval van de tegenstander af.

Dikke Michiel grijnsde alleen maar spottend. Toen schoot hij opzij naar Kong. Die rende naar voren, stormde langs Max en toen verder richting Joeri. Maar deze keer ging Joeri niet opzij. Hij schopte de bal terug tegen Kongs voet. Die bleef verrast staan, week toen uit naar links en stopte plotseling. Weer stond Joeri voor hem. Kong keek om en toen naar rechts en geloofde zijn ogen niet. Overal wachtte Joeri. Joeri 'Huckleberry' Fort Knox, het eenmans-middenveld, was weer bij de levenden. En voor Kong het wist, had Joeri de bal. Hij schoot hem naar Jojo, die op het doel richtte. De Inktvis vloog de bal tegemoet, maar omdat hij na het schot van Max voorzichtiger was geworden, stompte hij hem weg. De bal vloog naar mij en ik deed mijn specialiteit, de omhaal. Toen stond het zeven-twee.

Na zeven-vier begon het te regenen. De grond werd sponsachtig en week en de Onoverwinnelijke Winnaars gleden erop rond als eenden op een ijsbaan. Maar wij hadden twaalf dagen op zo'n ondergrond getraind en dansten nu tussen onze tegenstanders door.

Ik maakte mijn derde doelpunt, een onvervalste hattrick, Fabi zijn tweede en toen schoot Jojo de bal in de hoek van het doel en werd het zeven-zeven. Marlon, nummer 10, regeerde over het middenveld en werd daarvoor met een schot van twintig meter beloond. De bal vloog verder en verder. Hij werd door een windvlaag gepakt en verdween, onbereikbaar voor de tentakels van de Inktvis, in het doel. Dat was doelpunt nummer acht.

Nu stonden wij aan kop en toen Felix zijn astma vergat en een wervelwind werd, volgde het negende doelpunt. Negen-zeven voor ons. We sloegen de armen om elkaar heen en we wisten dat we gewonnen hadden. Toen verloor ik de bal. Ik gaf weer eens geen pass. Ik wilde absoluut het tiende doelpunt maken en Willie haalde me er voor straf weer uit. Hij zette Raban in mijn plaats.

'Dat kun je niet menen!' schreeuwde ik tegen Willie. 'Wil je dat we verliezen?'

Een moment lang aarzelde Raban. Dat wilde hij niet op zijn geweten hebben. Hij wilde gewisseld worden, maar dat vond Willie niet goed.

'Kom Raban, schiet op! Zonder jou zouden ze al gigantisch verloren hebben!' De zijdelingse blik die Willie in mijn richting zond, legde me ter plekke het zwijgen op.

Ik zweeg nog steeds toen Michiel het doelpunt scoorde waardoor ze nog maar één punt achterstonden. Het was geen fout van Raban, maar toen hij de absoluut zekere kans op een doelpunt verspeelde, sprong ik op. Ik wilde heel hard gaan schelden, maar ik zag Willies ogen en zei niets.

Toen schoot de Zeis de gelijkmaker. Het was negen-negen en het volgende doelpunt zou de wedstrijd beslissen. Ik hield het niet langer uit.

'Oké, oké!' schreeuwde ik tegen Willie. 'Ik zal heus wel afgeven!'

Maar Willie wachtte nog. Weer kreeg Raban een absoluut zekere kans om te scoren en opnieuw verspeelde hij die. Daarna kon alleen nog een meesterstukje van Marc de winnende treffer van de Onoverwinnelijke Winnaars verijdelen. Hij stompte de bal in een duikvlucht uit de linker benedenhoek. Maar de bal was nog warm. Onze adem stokte en ons hart stond stil. Kong schoot opnieuw op het doel en Marc lag nog op de grond. Hij zette zich af, vloog omhoog, werd Marc de onbedwingbare en krulde de bal op het laatste moment om de doelpaal heen.

Bij de hoekschop die volgde, botste Joeri met de Zeis en bleef gewond liggen. Hij moest naar de bank en Willie stuurde mij voor hem het veld in. Maar dat wilde ik niet. Ik was geen verdediger, ik was Leon, de spits. Maar Willie accepteerde geen tegenspraak.

Dus deed ik mijn best. Weer raakte Raban de bal kwijt en daarna kwam Kong op mij af. Ik slikte: die jongen was een echte reus. Maar toen herinnerde ik me wat Joeri in zo'n geval deed. Ik liep naar hem toe, gleed tussen zijn benen door, trof de bal en sprong op. Daarna rende ik weg. Ik rende en rende en dribbelde om iedereen heen die me in de weg liep. Ik was Leon, de Slalomkampioen, en ik wilde ook de topscorer zijn. Daarom gaf ik de bal weer niet af. Ik deed of ik het roepen van de anderen niet hoorde, tot ik voor het doel stond.

Vóór me stonden alleen Varkensoog en de Zeis. Ik grijnsde naar hen. Ook die kon ik zeker aan. Ik rende op hen af. Het maakte me niets uit dat ons doel nu geen verdediger had en dat er niemand was die Michiel en Kong nu nog dekte. Ik zou het hier even maken.

Toen hoorde ik Raban. Hij rende rechts achter me. O, mijn god, dacht ik. Hij heeft het toch al drie keer verprutst! Dus boorde ik me tussen mijn twee tegenstanders in. Ik speelde de bal langs Varkensoog en wilde door de benen van de Zeis heen.

Raban schreeuwde nog een keer: 'Voorzichtig Leon, nog iemand van rechts!'

Ik zag alleen de schaduw. Het was Dikke Michiel zelf. Als een Jumbo bij een noodlanding gleed hij op me af. Ik schoot bliksemsnel naar rechts. Raban rende naar de bal toe en haalde met de verkeerde voet uit voor het schot.

'Nee, niet met links!' schreeuwde ik spottend tegen hem. 'Je hebt de bal toch al drie keer met réchts gemist?'

Maar Raban hoorde me niet. Daarvoor was hij veel te vast-

besloten. Deze keer trof hij de bal en schoot hem in het net.

We hadden gewonnen en vielen over elkaar heen. Toen namen de anderen Raban op hun schouders en renden met hem over het veld. Alleen ik lag nog voor het doel. Ik kon het gewoon niet geloven dat Raban inderdaad de héld was. Toen stond Willie opeens naast me en stak zijn hand uit.

'Gefeliciteerd!' zei hij.

'Waarmee?' Ik snauwde zowat tegen hem.

'Dat je nu niet alleen de slalomkampioen en topscorer bent,' grijnsde Willie, 'maar ook de koppigste jongen-van-de-flitsende-voorzetten die er op de wereld bestaat.'

Hij grijnsde naar me en ik grijnsde terug. Toen pakte ik zijn hand. Hij trok me op en samen liepen we naar de anderen. Raban en ik sloegen de armen om elkaar heen en schouder aan schouder zetten we onze triomftocht voort.

'Te gek doelpunt,' zei ik, 'en nog wel met links!'

'Te gekke pass,' zei Raban. 'En die solo daarvoor was wereldklasse, echt!'

'Maar toch... als jij me niet voor Dikke Michiel had gewaarschuwd, dan...' Ik maakte de zin niet af.

'Nou, wát dan?' riep Dikke Michiel uitdagend.

Hij stond recht voor ons en achter hem stonden zijn overwinnelijke Onoverwinnelijke Winnaars. Ze kookten van woede en ze waren tot alles bereid. Opeens was het muisstil en in die stilte rammelde de fietsketting die de Zeis afdeed. Hij gaf hem aan Michiel en die draaide er dreigend mee door de lucht.

'De wedstrijd was een grap,' zei hij en hij liet zijn gemeenste grijns zien. 'Dat snappen jullie toch wel, of niet? Ik bedoel, ik hoef toch niet duidelijker te worden?'

We keken hem aan. Zijn ogen brandden gaten in onze gezichten. Zijn adem reutelde en daarbij sloeg hij ritmisch met de fietsketting. Het was als het tikken van een bom die op het punt stond te ontploffen.

'Ik bedoel, jullie denken toch niet écht dat de Duivelspot nu van jullie is?' riep hij dreigend.

Machteloos weken we langzaam naar achteren. We hadden gewonnen en toch verloren. Toen klonk er gegrom achter ons. We keken om en zagen Josje met Sokke aankomen. Sokke trok zijn lippen op en ontblootte zijn indrukwekkende tanden.

Dikke Michiel kreeg last van zenuwtrekken in zijn gezicht. 'En wie mag dat dan wel zijn?' riep hij, opeens helemaal niet cool meer.

'De hulptroepen!' lachte Josje breed. Toen stormde Sokke op Dikke Michiel af. De blubberbuik spande de fietsketting tussen zijn handen, maar hij ging uit voorzorg wel twee stappen naar achteren.

'Ik waarschuw jullie!' schreeuwde hij dreigend. 'Hou die hond bij je. Jullie weten toch wat ik anders met hem doe!'

Maar Sokke was niet meer te houden. Hij gromde en hij zag eruit als een wolf. Eigenlijk had Sokke zulke grote oren dat hij meer op een vleermuis leek. Maar als hij woedend wordt en zijn tanden laat zien, vallen die vleermuisoren helemaal niet meer op.

'Ik waarschuw jullie!' schreeuwde Dikke Michiel nog een keer, maar toen sloeg hij op de vlucht.

'Goed zo, Sokke! Ruk zijn oren eraf!' riepen we hem achterna.

En Dikke Michiel schreeuwde dreigend terug: 'Hiervoor zullen jullie nog een keer boeten!'

Toen sprong hij over de schutting alsof hij opeens vijftig kilo lichter was geworden. De andere miskleunen renden ook weg en sprongen achter hem aan. Ze verdwenen zoals ze ook opgedoken waren: als kakkerlakken zodra je het licht aandoet.

Maar ons wachtte een fantastische tijd. Sokke kwispelde trots met zijn staart. Raban en ik waren weer vrienden, de zon brak door de donderwolken heen en opende de hemel voor ons tot aan de horizon.

Felix de wervelwind

De Wilde Voetbalbende

Ahum! Sorry! Ik heet Felix Torens. Misschien heb je al van me gehoord?

Veel mensen noemen me 'Astmaatje' omdat ik vaak last heb van astma. Maar voor mijn vrienden, de Wilde Voetbalbende natuurlijk, ben ik 'de Wervelwind'. Voor Fabian bijvoorbeeld, de snelste rechtsbuiten ter wereld. Hij heeft altijd een goed humeur. En als je raad nodig hebt omdat je in de puree zit, kun je het beste naar hem toe gaan. Fabian heeft de slimste ideeën, en als hij erbij glimlacht bespaart hij je zelfs huisarrest. Man, wat is die Fabi wild! Maar Leon, zijn beste vriend, is nóg wilder.

Leon, de slalomkampioen, topscorer en de jongen-van-de-flitsende-voorzetten is nergens bang voor. Hij doet precies wat hij wil en wat hij wil is winnen. Daarvoor laat hij zelfs de kans lopen zélf een doelpunt te maken, en geeft de bal af. Maar hij kan ook heel hard zijn. Voor de laatste wedstrijd heeft hij zelfs Josje en Raban uit de ploeg gegooid. Ze waren niet goed genoeg, zei hij.

Dat zou Marlon nooit doen. Marlon is Leons oudere broer. Hij geeft nooit op, maar Marlon zou nooit zo hard zijn. Hij is de nummer 10, de spelverdeler, het middelpunt van onze ploeg en alles wat Marlon doet, doet hij voor ons. Hij geeft de ideale pass in de ruimte. Hij helpt bij de verdediging of bij de aanval. En hoewel hij overal is waar je hem nodig hebt, zie je hem niet. Als Marlon speelt, lijkt het of hij een mantel draagt die hem onzichtbaar maakt.

Dan is Joeri heel anders. Joeri 'Huckleberry' Fort Knox, het eenmans-middenveld. Als Joeri meespeelt, zijn we met drie man meer. Dat denken onze tegenstanders in elk geval. Ze lopen naar de scheidsrechter om bezwaar te maken. Ze beweren dat ze door Joeri van alle vier de kanten omsingeld worden. Of ze zeggen dat we met zijn tienen op het veld zijn. Maar als de scheidsrechter ons telt, zijn we altijd maar met zijn zevenen. Ha! En Joeri heeft meestal de bal. Die speelt hij dan naar Marlon, en die geeft als Mark van Bommel een verre pass naar rechtsvoor.

Daar staat Fabi, hij stormt langs de zijlijn en zoekt Leon, die dan meestal het doelpunt maakt. Of Leon wordt op het laatste moment onderuitgehaald. Dan begint hij hard te kreunen. Hij rolt wild heen en weer, maar als je heel goed kijkt, zie je dat hij stiekem grijnst.

Want nu komt Max naar voren. Max 'Punter' van Maurik, de man met het hardste schot van de wereld. Hij zegt niet veel, Max. Eigenlijk zegt hij helemaal niets. Sinds ik hem ken, heeft hij nauwelijks wat gezegd, ook niet als hij je opbelt. Maar als er een vrije trap is of een schot, laat hij zijn beroemde geluidloze grijns zien. En dan schiet hij de bal desnoods met keeper en al in het net.

'BENG!' roepen we dan allemaal. En: 'RRAAA!' roepen we als hij scoort. Raban schreeuwt het hardst van allemaal.

Raban, de held. Raban voetbalt zoals een blinde foto's zou maken. Daarin heeft Leon zeker gelijk, maar daar gaat het niet om. Want zelfs toen Leon hem uit de ploeg gooide, bleef Raban ons trouw. En hij heeft zich van zijn beste kant laten zien.

We hadden alles al verloren in die wedstrijd om ons veldje, de Duivelspot: onze eer en trots.

Raban haalde Willie terug en maakte daarna ook nog de beslissende goal.

Zo zie je maar dat zelfs iemand als Raban belangrijk is. Dat weten we nu. Hij is een trouwe en onvervangbare vriend, net als Josje.

Josje, ons geheime wapen, is het kleine broertje van Joeri. Hij is pas zes. Toch heeft hij ons aan het einde van de wedstrijd gered. In de laatste seconde kwam hij met Sokke aanzetten. Sokke is de hond van Leon en Marlon, met van die grote vleermuisoren. Met hem heeft Josje Dikke Michiel weggejaagd. Man, dat was cool! Heb je wel eens gezien hoe een kwal van honderd kilo probeert over een schutting te springen? Daar kunnen we ons nu nog suf om lachen. En sindsdien weten we ook dat we allemaal bij elkaar horen.

Alleen ik heb dat gevoel nog niet. Ik, Felix, linksbuiten en wervelwind. Want ik heb astma, en dat wordt elke dag erger, vooral sinds mijn vader niet meer thuis woont. Op een dag – dat weet ik zeker – gaat het zo slecht met me dat ik uit de ploeg word gegooid.

De concurrentie is groot. Er zijn nu al twee nieuwe jongens in het team. Marc, de onbedwingbare, en Jojo, die met de zon danst. Die jongens zijn allebei zó goed. Wie een doelpunt maakt tegen Marc, komt in het Guinness

Book of Records. En Jojo speelt als linksbuiten voor mij, als mij door mijn astma niets meer lukt. Tja, zo is het nou eenmaal en daar kan zelfs Willie niets tegen doen.

Willie is onze trainer. Hij is de beste trainer van de wereld en omdat hij dat is, is de Wilde Voetbalbende ook de beste voetbalploeg die er bestaat. In elk geval zou ik nooit bij een andere ploeg willen spelen. Alleen als ik bij onze ploeg speel, is de wereld oké voor mij.

Maar de wereld is niet oké. Dat kun je van me aannemen. Overal liggen gevaren op de loer en die slaan altijd precies toe op het moment dat je je heel zeker van jezelf voelt. Dat moesten we deze keer leren. Het gevaar heeft ons bikkelhard te pakken gehad... Deze keer was het ernst, en als je dit boek

gaat lezen, maak dan je borst maar nat. Dit is geen kinderverhaal. Dit verhaal is echt gebeurd, gevaarlijk, en wild...

Om te beginnen kregen we een nieuwe leerling in onze klas: Rocco, de tovenaar, zoon van een beroemde Braziliaanse voetballer. En die jongen was niet onze vriend, dat kun je rustig van me aannemen. Nee, integendeel: hij werd onze vijand. En opeens werd het voortbestaan van de Wilde Bende bedreigd. Opeens leek het of we waren weggevaagd. Opeens waren wij niets meer en onze tegenstander die dat beweerde, was niemand minder dan Ajax. Inderdaad, ja: ik heb het over Ajax, de beste voetbalclub van de wereld!

Hoe zouden wij ons tegen die club moeten verdedigen? Hoe moesten we voorkomen dat wij, van de Wilde Bende, ons in alle windrichtingen zouden verspreiden en elkaar nooit meer terugzien? We waren helemaal alleen, weet je, want Willie, onze trainer, liet ons gewoon in de steek.

Het begin van het einde

En het begon nog wel zo goed. De tijd na de voorjaarsvakantie was geweldig. Raban, de held, zweefde drie meter boven de grond. Als een rode ballon met krullen en een jampotbril vloog hij over ons heen. Iedereen die hij tegenkwam moest het verhaal van onze overwinning horen.

'Man, je gelooft het niet! We lagen met zeven-nul achter. Echt waar, tegen Dikke Michiel en zijn miskleunen. Die waren niet alleen groter, breder en zwaarder dan wij. Ze hadden ook nog hun gezicht in oorlogskleuren beschilderd! Ik

zweer het je, alsof ze ons stuk voor stuk wilden scalperen. Maar ik heb Willie erbij gehaald. En toen werd het alleen nog maar schieten van ónze kant. We hebben ze helemaal ingemaakt! En toen heb ik ze, ja ik, en nog wel met links, mijn zwakkere voet, voor altijd naar de eeuwige jachtvelden gestuurd. KLABAMM!'

Bij zijn 'KLABAMM!' schaterden we het uit. We lieten Raban verder vertellen, hoewel hij helemaal geen zwakkere voet heeft. Daarvoor moet je ook een sterkere voet hebben, en die had Raban echt niet. Maar verder was alles waar en het ging hartstikke goed met ons. We hadden de Onoverwinnelijke Winnaars overwonnen en onze Duivelspot verdedigd. Maar er was nog iets veel belangrijkers. Eerst waren we een stelletje jongens die wel eens een balletje trapten, maar nu vormden we een echt team. We waren groter en volwassener geworden. En onafscheidelijk. En zo, dachten we toen, zou het altijd blijven.

Maar eigenlijk was dat al het begin van het einde. We wisten het alleen nog niet. Of liever gezegd, we wílden het gewoon niet weten. We waren blind. We droomden weer als kleine kinderen en dachten de hele tijd alleen maar aan onze overwinning. Verder deden we helemaal niks.

We begonnen met het uitzitten van het huisarrest van Max. Zijn vader had hem twintig dagen opgelegd. Shit! Twintig dagen! Dat is voor een jongen van tien hetzelfde als levenslang. Levenslang en nog veel langer. En dat alleen maar omdat Max eerst met zijn voetbal en toen met de wereldbol de twee grote ruiten in de huiskamer van middelgrote gaten had voorzien. Dat de wereldbol toen ook nog tegen het hoofd van Max' vader vloog, was vette pech.

Maar Max' vader zag dat helaas heel anders. Weet je, hij is bankier en géén lid van de Wilde Bende. En op een bank krijg je voor het kapot schieten van ruiten gewoon levenslang. Daar konden we helaas niets aan veranderen. Het enige wat we konden doen, was onafscheidelijk zijn en samen de straf van Max delen.

Twintig dagen gedeeld door tien betekende twee dagen voor elk lid van de Wilde Bende. Twee dagen huisarrest, dat leek ons nog wel te doen. Maar voor Fabian, die een bloedhekel heeft aan huisarrest, waren dat altijd nog twee dagen te veel. En omdat Fabi altijd raad weet als alles verschrikkelijk en uitzichtloos wordt, had hij ook deze keer een plan.

Op de eerste dag na de vakantie gingen we alle tien na school regelrecht naar Max' grote, statige huis aan Eikenlaan 1.

Met zijn tienen liepen we langs zijn sprakeloze moeder. Ze had zelden zo veel kinderen bij elkaar gezien. En al helemaal nog nooit zo veel leden van de Wilde Bende. Met zijn tienen groetten we haar netjes. We zagen haar versteende gezicht en hoopten dat ze gauw weer kon ademhalen. Toen gingen we de glanzend geboende trap op, die daarna helaas niet meer zo glansde, en verdwenen in de speelkamer.

Daar stond ook het barbiehuis van Max' kleine zusje, maar dat gaf niet. Fabi zette de barbies in de prullenbak. En Max duwde Julia, zijn kleine, jammerende zusje, twee kussens in haar handen. Toen legde hij haar uit wat een cheerleader is. In de tussentijd bouwden wij de speelkamer om tot voetbalstadion en de wedstrijd kon beginnen.

Nou ja, wedstrijd... Het ging er alleen maar om zoveel mogelijk goals te scoren. Want dat had Fabi gepland: bij elk doelpunt moest Julia dansen.

Eerst vond ze dat helemaal niet leuk. Ze huilde en snotterde en gebruikte de kussens alleen maar om haar neus mee af te vegen. Maar Fabi was een geduldige leraar. Steeds opnieuw legde hij haar uit wat ze moest doen om een echte cheerleader te zijn. En uiteindelijk begon ze het leuk te vinden. Ze zwaaide met de kussens door de lucht, draaide rond, huppelde en sprong.

Ze huppelde en sprong steeds hoger en wilder en ten slotte sprong ze niet meer alleen omhoog... Ze sprong ook op het bed, gebruikte de matras als trampoline en kwam met een klap terug op de grond, die ervan trilde.

'BOEM!' lachte Julia juichend, en de vloer trilde onder onze voeten. BOEM! En zo had Fabi het ook gepland...

'BOEM!' trilde de vloer die ook het plafond van de woonkamer was. En 'rinkeldekink' trilde de grote kristallen kroonluchter boven de tafel in die kamer. En aan die tafel zat de vader van Max, die probeerde zijn krant te lezen. Elke 'Boemm!' en 'rinkeldekink' werkte hem meer op zijn zenuwen. Het was maar een kwestie van tijd tot hij zou ontploffen, en zo had Fabi het ook gepland.

De vader van Max sprong op. Hij stormde de trap op en stond toen voor ons in de speelkamer. In zijn hoofd zat het duistere plan het huisarrest van Max nog een keer te verlengen.

'Ik denk, mijne heren, dat dit...!' begon hij zijn preek. Toen kon hij opeens geen woord meer uitbrengen. We zaten allemaal muisstil op de grond en keken hem aan.

Alleen Julia sprong wild heen en weer en juichte en schreeuwde: 'Hup, Wilde Bende, wat zijn jullie cóól! Kom op, schiet die bal nog eens in het dóél!'

Max' vader stond voor ons als een beul die zijn eigen bijl had ingeslikt om zijn lieve dochtertje niet te laten schrikken. Hij kon gewoon niet boos op haar worden, en zo had Fabi het ook gepland.

'Ze vindt het prachtig!' zei hij grijnzend tegen Max' vader.

'Ze gaat als een trein! We kónden het haar gewoon niet ver-
bieden.'

De vader van Max keek van zijn dochter naar Fabi. Zijn
ogen werden spleetjes en voorspelden weinig goeds. Maar
Fabian bleef cool.

'Maar misschien lukt het u wél, meneer Van Maurik!' zei
hij met een uitgestreken gezicht. 'Eerlijk gezegd hangt dit
gehuppel ons al uren de keel uit!'

Julia verstarde en begon te huilen. 'Nietes! O, wat geméén,
papa! Dat is geméén!' snikte ze en sloeg haar armpjes om
haar vaders benen. Die was nu tot alles in staat. Die Fabian
ging eraan! Maar zijn beulenbijl zat helaas nog in zijn keel.

Fabi haalde diep adem. 'Weet u, meneer Van Maurik,' zei

hij met een zucht. 'Juist dit gejammer en gehuil wilden we de kleine Juultje besparen.'

Even was het doodstil. Zelfs Julia's gejammer werd door deze stilte opgeslokt. Toen wrong de stem van Max' vader zich langs de beulenbijl in zijn keel en we hoorden rochelend: 'Eruit, jullie!'

'Wat zegt u?' vroeg Fabian beleefd, maar zeer verbaasd.

'Eruit!' klonk het nu veel duidelijker.

'Maar wij hebben huisarrest!' protesteerde Fabi. Maar de vader van Max wilde van huisarrest niets meer horen. Als een degenslikker spuugde hij de beulenbijl uit.

'Eruit! Het huisarrest is afgelopen!' beval hij.

Dat lieten we ons geen twee keer zeggen. Even later stormden we naar buiten, renden de straat uit en stopten pas toen we buiten gehoorsafstand waren. Toen barstten we in lachen uit. We kwamen niet meer bij! En toen we eindelijk uitgelachen waren, liepen we naar de plek waar we al de hele tijd heen wilden. Naar de Duivelspot met Willies stalletje. Dat was door de Onoverwinnelijke Winnaars kapotgemaakt en dat moesten wij nu weer opbouwen. Of liever gezegd: eigenlijk hadden de Onoverwinnelijke Winnaars dat moeten doen, want dat was de afspraak. Maar Dikke Michiel, Varkensoog, de Inktvis, Kong, de Zeis en hoe die griezels ook allemaal mogen heten, peinsden daar niet over. En wij konden Willie toch niet in de steek laten?

De dagen en weken daarna waren helemaal te gek. We repareerden het stalletje en voetbalden. En in de rust vertelde Willie ons verhalen over Marco van Basten toen hij nog spits was, Maradonna, Jaap Stam of Pelé. Dan deden we onze ogen dicht en droomden dat we zelf profvoetballers waren. In de grote, uitverkochte stadions van de wereld zouden we strijden om de wereldbeker. We geloofden er rotsvast in dat die droom ook werkelijkheid zou worden. We waren er al best dichtbij, dachten we. Maar jammer genoeg deden we onze ogen niet alleen maar dicht om te dromen. We sloten ze ook voor de werkelijkheid.

Ik heb het al een keer gezegd. Dit was het begin van het einde. Zelfs Raban, die iedereen het verhaal van onze overwinning vertelde, werd steeds minder enthousiast. Het verhaal van onze overwinning werd vervelend en saai, en Willie gaapte steeds vaker als hij het hoorde.

Op een keer vroeg hij ons wat een indiaan is zonder strijdbijl of buffeljacht. We keken hem aan alsof hij regelrecht uit een minigolfteam van Mars kwam. Een andere keer wilde hij weten wat we van Luke Skywalker vonden als hij zich voor Darth Vader verstopte. We lachten hem uit, want zoiets doet Luke Skywalker niet. Ook vroeg hij ons een keer of Ajax nog zou bestaan als de Champions League afgeschaft werd.

Maar zoals ik al zei: we snapten niet wat hij bedoelde. We wilden het niet snappen, en daarom renden we regelrecht in de armen van het grootste gevaar. Een gevaar dat het bestaan van de Wilde Voetbalbende bedreigde. Een gevaar, dat onze dromen verstoorde en dat ons alles zou afpakken wat belangrijk voor ons was.

Rocco

De dag na de Pinkstervakantie was de dag waarop dit gevaar zich voor het eerst liet zien. De eerste dag na de vakantie is altijd al erg genoeg, vind ik, maar ik had de hele nacht liggen hoesten en me daarom 's morgens ook nog verslapen. Ik had niet zo'n goed humeur. Vind je het gek? Ik kwam te laat op school en sloop de klas in, naar mijn plaats. Maar halverwege verstijfde ik.

De plaats tussen Leon en Fabi, *mijn* plaats, was bezet. Stomverbaasd staarde ik naar de jongen met de koperkleurige huid en het pikzwarte haar. Toen hoorde ik de stem van de leraar, die achter me stond: 'Rocco komt uit Brazilië. Zijn vader werkt hier. Hij gaat het nieuwe seizoen bij Ajax spelen.'

De klas werd rumoerig. Leon, Joeri en Fabian keken de jongen die op mijn plaats zat eerbiedig aan.

Er werd 'cool!' geroepen en 'wauw!' en Leon en Fabi gaven elkaar lawaaierig een high five.

'Hé! Wat zei ik net tegen je?' lachte Fabi enthousiast. 'Hij is de zoon van een voetbalheld!'

Rocco glimlachte trots toen hij dat hoorde. Maar niemand zag mij. Zelfs de leraar viel het niet op dat ik in het gangpad tussen de tafels stond.

'Ik wist wel dat jullie dat zou interesseren,' glimlachte hij. 'Maar ik stel voor dat jullie de belangrijke dingen van het leven in de pauze bespreken.' Toen schreef hij het woord Brazilië op het bord. 'Laten we het over Brazilië hebben,' zei hij op een toon waarop leraren een voorstel doen dat je niet kunt weigeren.

Ik had helemaal geen zin om over Brazilië te praten. Maar hoe kon onze leraar dat weten als hij me niet eens zag staan?

'Wie van jullie weet iets over het land waar Rocco vandaan komt?' vroeg hij, terwijl hij zich weer naar ons omdraaide. 'Iets anders natuurlijk dan dat er veel gevoetbald wordt.'

De klas zweeg en de leraar glimlachte welwillend. Niemand had naar hem geluisterd, behalve ik.

'In Brazilië zitten de mensen zeker op de grond!' riep ik vals.

Nu zagen ze mij pas. Ik stond nog steeds in het gangpad. Rocco fronste zijn wenkbrauwen en keek me vijandig aan. Onze leraar nam uiteraard geen genoegen met die opmerking.

'Goedemorgen, Felix!' zei hij. 'Zou je ons even willen uitleggen wat je bedoelt?'

'Maar natuurlijk,' antwoordde ik, nog steeds vals. 'Blijkbaar bestaan er geen stoelen in Brazilië. Anders zou Rocco vast niet mijn stoel hebben ingepikt.'

'Ah,' zei de leraar. Hij begreep eindelijk wat mij dwarszat. Hij keek naar Leon en Fabi en toen naar mijn plaats, waar Rocco zat. 'Ik dacht dat jullie deze ruil van plaats met Felix hadden besproken?'

Fabian en Leon trokken verlegen aan hun schoenveters.

'Ik begrijp het,' knikte de leraar. 'Los dat in de pauze maar even op. Ga tot die tijd maar naast Raban zitten, Felix.'

Met een boze blik naar Leon en Fabi liep ik naar de vrije plaats naast Raban en wilde gaan zitten. Maar Rocco was me voor.

'Hoi, Felix,' zei hij terwijl hij opstond. 'Jij bent toch Felix, de wervelwind?' Nu glimlachte hij zelfs heel vriendelijk. 'Sorry, ik wist niet dat dit jouw plaats was.'

Ik staarde hem aan, deed of ik zijn glimlach niet zag, en ging tussen Leon en Fabi op mijn plaats zitten.

'Hé, wat is er aan de hand?' vroeg Leon. 'We dachten dat je ziek was.'

'Shit, ja!' zei Fabi zachtjes. 'Sorry, Felix, erewoord!'

Rot toch op met je erewoord, dacht ik. Ik sloeg mijn boek open en staarde naar de saaie foto's.

'Rocco is echt helemaal oké!' fluisterde Joeri in de rij achter me. 'Hij komt vandaag naar de training, is dat niet cool?'

'O ja?' Ik snauwde bijna. 'Wie komt naar de training? Rocco of zijn vader?' Ik keek Rocco snel aan. 'Ik bedoel, je vader is toch de profvoetballer en niet jij, klopt dat? Hoe kunnen wij dan weten of je wel kunt voetballen?'

Rocco fronste zijn wenkbrauwen en keek naar Leon en Fabi.

'Hé, dat is toch helemaal niet zo belangrijk!' riep Raban. 'Rocco is aardig en hij heeft hier nog helemaal geen vrienden.'

'Nou en? Dan ga jij toch lekker met hem spelen in de pauze?' siste ik.

Nu werd het stil. Zelfs de leraar was sprakeloos en vergat door te gaan met de les.

'Sorry,' zei Leon tegen Rocco. 'Felix is niet altijd zo, maar hij doet het nu zowat in zijn broek van angst omdat hij denkt dat jij hem uit het team probeert te werken. Heb ik gelijk of niet?'

Die zat! Maar ik gaf dat natuurlijk niet toe. Ik staarde uit het raam. Jullie kunnen me allemaal wat! dacht ik. Die Rocco wordt nóóit mijn vriend. Die Rocco is ook niet oké, laat staan aardig. Daar komen jullie allemaal nog wel achter. Die Rocco heeft het alleen maar hoog in zijn bol!

Ja, precies dat dacht ik. Ik was er vast van overtuigd, en het zou vast niet lang duren of iedereen wist het: Felix heeft gelijk.

Rocco de tovenaar

Toen ik 's middags bij de Duivelspot kwam, waren de anderen er allemaal al. Iedereen behalve Rocco. Ze zaten in een kring om Willie heen te dwepen met het Braziliaanse wonderkind. Met wie ook anders? Jojo en Marc, die allebei op een andere school zaten en Rocco daarom niet kenden, konden hun oren niet geloven.

'Wauw!' mompelde Jojo. 'De zoon van Ribaldo, echt waar?'

En Marc floot tussen zijn tanden. 'Als hij maar half zo goed speelt als zijn vader, dan is hij een ster!'

Ik rolde met mijn ogen. 'Een ster? Laat me niet lachen. Waarom verstopt hij zich dan?'

De anderen keken verbaasd naar mij op en Willie fronste zelfs zijn wenkbrauwen.

'Ja. Precies! Wedden dat hij niet komt?' zat ik te jennen. 'Hij heeft namelijk geen zelfvertrouwen! Hij is bang omdat hij eigenlijk helemaal niet goed is!'

Op dat moment tikte iemand op mijn schouder.

'Hoi Felix!' zei Rocco. Hij liep langs me heen en ging bij de anderen zitten. Enthousiast werd hij begroet.

'Hoi, Rocco!'

'Klasse dat je er bent.'

'Man, wat een cool shirtje is dat!'

'En wat zijn dat voor schoenen?'

Rocco had het gele shirt aan van het nationale elftal van

Brazilië en zijn schoenen waren goudkleurig. Ze schitterden zo dat het bijna pijn deed aan je ogen.

'Die heb ik van mijn vader gekregen,' zei hij trots, en ik rolde weer met mijn ogen. Wat een opschepper, dacht ik alleen maar.

Maar dat dachten de anderen niet. Willie stond zelfs op en zoiets had hij tot nu toe voor niemand van ons ooit gedaan. Hij gaf Rocco een hand.

'Jij bent dus Rocco,' zei hij. Op dat moment trof mijn bal hem tegen zijn borst. Verbaasd keek Willie me aan. Mijn ogen schoten vuur van boosheid.

'Waar wachten we nog op?' riep ik uitdagend. 'Ik ben hier om te trainen!'

Willies blik ging van mij terug naar Rocco. Hij schoof zijn pet naar achteren en krabde op zijn voorhoofd. Dat deed hij altijd als hij moest nadenken.

'Aha, ik heb het! Oké. We spelen vier tegen twee. De vier aan de buitenkant zijn Fabi, Leon, Rocco en Felix. In het midden spelen Raban en ik.'

Ik balde mijn vuisten en perste mijn lippen op elkaar. Rocco en ik samen in een team. Dat had ik me echt niet zo voorgesteld. Maar Willies blik liet geen protest toe.

'Oké, afgesproken!' zei ik mokkend. 'Hoeveel passes?'

'Zeven!' antwoordde Willie. 'Als jullie zeven keer de bal aan elkaar doorspelen, zonder dat Raban of ik eraan kunnen komen, hebben jullie een punt. In het andere geval is het punt voor ons en bij drie punten heb je gewonnen.'

Ik keek Rocco aan alsof hij mijn vijand was. 'Zeven passes. Heb je dat gehoord?'

'Ja, zeven,' knikte hij. 'Ik heb het begrepen.'

'Oké dan!' snauwde ik en ik pakte de bal op. 'O ja, en nog iets, Rocco!' zei ik. 'Bij ons heeft het midden nog nooit gewonnen.'

Ik liep het veld op, liet de bal vallen en wachtte tot iedereen op zijn plaats stond. Leon, Fabi, Rocco en ik stonden met een afstand van zes meter in een vierkant. Raban en Willie wachtten in het midden. De eerste pass was nog gemakkelijk, maar daarna moesten we in beweging komen. Willie en Raban stortten zich op ons. De passes moesten snel en precies gespeeld worden om te kunnen winnen. Maar dat wilde ik helemaal niet. Ik wilde dat we verloren vanwege Rocco.

Daarom speelde ik de eerste pass direct naar hem. Ik speelde hem scherp en halfhoog. Dat was tegen de regels, maar ik wilde dat hij al bij het eerste contact de bal aan Raban verloor. Wauw! Uitgerekend aan Raban, dacht ik. Dat zou fantastisch zijn! Dan kreeg Rocco de schuld en ik zou mijn plaats in de ploeg houden.

Tja, zo gemakkelijk gaf ik niet op, dat moesten ze merken, en alles liep volgens plan. Raban zag de pass die ik gaf en rekende op hetzelfde resultaat als ik. Zo'n bal kon je gewoon niet stoppen. Raban stortte zich op Rocco om de bal te onderscheppen. Maar dat mislukte. Rocco plukte de bal met zijn grote teen uit de lucht alsof iemand hem met secondelijm had ingesmeerd. Hij liet hem een keer op zijn bovenbeen stuiteren, speelde hem over Raban heen, pakte hem weer met links en schoof hem nonchalant langs Willie, die hem aanviel, naar Fabi.

Maar Fabi en Leon kwamen niet van hun plek. Ze waren net zo overdonderd als ik.

'Krijg nou wat!' riep Raban. 'Dat was echt wild!'

'Nee! Dat was pure toverkunst!' riep Fabi. Hij liep eindelijk naar de bal en schoot hem naar Leon.

'Drie!' telde hij hardop.

Leon nam de bal aan en ik liep me vrij.

'Hier!' schreeuwde ik, maar Leon schoot de bal terug naar

Fabi. Fabian speelde hem naar Rocco, hoewel ik weer 'Hier!' riep en vrijstond.

'Vijf!' riepen Fabi en Leon tegelijk, maar Rocco stond helemaal niet vrij. Hij stond tussen Willie en Raban en die vielen hem meteen aan. De plaats die voor Rocco overbleef was kleiner dan een postzegel. Toch bleef hij heel cool. Hij zette zijn voet op de bal, stak zijn billen naar achteren, draaide een kwartcirkel om zichzelf heen, en riep: 'Fabi, pas op!' Toen schoot hij de bal loodrecht omhoog en kopte hem achterwaarts terug naar mij.

'Zes!' riep hij, en: 'Felix, kom op, maak de zevende!'

Maar ik stond daar roerloos. Van verbazing zakte mijn mond open en dat maakte me alleen maar nog bozer. Ik wilde en kón niet toegeven dat ik me in Rocco vergist had. Ik wilde niet dat hij zo'n goede voetballer was.

'Shit, Felix! Geef die bal eindelijk eens af!' schreeuwde Fabi. Ik keek hem afwezig aan. Toen zocht ik naar de bal. Ik kon hem niet vinden.

'Hállo!' ontplofte Leon. 'Ben je blind? Hij ligt vlak voor je voeten!'

Leon had gelijk. Ik werd vuurrood van schaamte. Onzeker tilde ik mijn voet op. Leon stond vrij. De zevende pass was kinderspel. Toen sprong Raban tussen mij en de bal.

'Eén-nul voor het midden!' riep hij triomfantelijk en Fabi en Leon grepen naar hun hoofd.

'Felix, wat is er met je aan de hand, man?'

Ik keek hulpeloos naar Willie, maar die zei niets. Hij keek me alleen maar vol verwachting aan. Maar ik kon niets doen. Ik schaamde me. In plaats van Rocco had ík de bal aan Raban verspeeld en dat maakte me zo mogelijk nog bozer. Nu was ik niet meer woedend op Rocco, maar op mezelf.

'Kom op, we gaan door!' riep ik boos. Ik pakte de bal en speelde hem deze keer recht naar Leon.

'Eén!' riep ik om mezelf wat moed in te spreken, maar de pass was te kort.

'Shit, Felix!' schold Leon. Hij kwam in de laatste seconde voor Raban bij de bal en schopte hem door naar Fabi. Die speelde terug naar Leon en Leon schoot regelrecht naar Rocco.

'Vier!' riep ik hard.

Maar de pass was niet nauwkeurig genoeg. Willie sprong ertussen. Hij zou de bal afpakken. Dat was overduidelijk. Toen sprong Rocco vóór Willie en pakte de bal. Hij tilde hem met zijn linkervoet op en tikte hem met zijn rechtervoet naar mij.

Dat kan toch niet, dacht ik en verward stopte ik de bal met rechts. Nu geen fouten maken, schoot het door mijn hoofd. Daarom legde ik de bal voor me neer. Ik draaide mijn linkervoet, de zwakkere, weg en wilde met rechts schieten. Maar ik was veel te langzaam en weer was Raban vóór mij aan de bal.

'Twee-nul voor het middenveld!' riep hij en ik zocht alleen maar naar een gat in het gras waarin ik weg kon kruipen.

Rocco kwam naar me toe. 'Felix?' vroeg hij vriendelijk. 'Ik wil graag iets tegen je zeggen.'

Ik keek hem boos aan. 'O ja? En wat dan wel?'

Maar Rocco doorstond mijn blik. 'Ik stop de bal steeds met mijn zwakkere voet. Dan kan ik hem met de sterke meteen doorspelen.'

Hij legde de bal met links klaar en paste hem met rechts bliksemsnel naar mij.

'Zie je?' riep hij glimlachend, maar ik staarde hem woedend aan. Wat kletste hij nou over een zwakkere voet, dacht ik. Als je zo speelt als hij, heb je vijf rechtervoeten!

Rocco nam de bal. 'Nu wordt het ernst!' riep hij tegen de anderen. 'De volgende drie punten maken wij, is dat duidelijk?'

Ik slikte zenuwachtig, maar Rocco gunde me geen tijd. De bal rolde al naar Leon. Die speelde een dubbelpass naar Fabi en toen kwam de bal naar mij. Deze keer moet het me lukken, dacht ik, maar toen zag ik Raban en Willie regelrecht op me af komen. Automatisch ging mijn rechtervoet naar de bal. Nee, dat is fout, schoot het door mijn hoofd, en ik trok mijn been weer terug. Maar dat was pas goed fout! De bal rolde tussen mijn benen door en – shit – wat moest ik doen? Ik had mezelf gepoort. Ik draaide me bliksemsnel om, schoof mijn lichaam tussen de bal en Raban, blokkeerde hem, stopte met links en paste met rechts razendsnel naar Rocco.

'Wauw!' riep die. 'Dit was zelfs nog beter!'

Ik straalde en riep keihard: 'Vijf!'

Daarna ging alles heel gemakkelijk. Leon en Fabi maakten de zesde en ook de volgende ronde werd met zeven passes voor ons beslist. Het was nu twee-twee. Nu kwam de alles beslissende set. Leon begon. Hij speelde naar Rocco en die passte naar mij. Het liep gesmeerd. Raban schopte steeds weer in het niets en bij de vijfde gelukte pass begon hij te schelden: 'Dit is toch niet eerlijk! Rocco is veel te goed!'

Maar Willie zag dat heel anders. Hij voerde het tempo op en liet zien wat hij kon. We waren even stomverbaasd. We hadden hem nog nooit zo goed zien spelen. Willie was zelfs beter dan Rocco, ondanks zijn manke poot, en daarom haalden we met veel moeite de zes. Nog één pass en we hadden gewonnen. Maar dat was helemaal niet zo gemakkelijk. De bal was bij Rocco en die werd door Willie in het nauw gedreven. Met veel moeite speelde Rocco de bal door naar mij.

Maar Rocco was niet precies genoeg, de bal was te hard en halfhoog. Deze bal kon ik onmogelijk met mijn voet aannemen. Ik keek om me heen. Achter me stond Raban, die zijn kans zag op een zekere overwinning. Ik nam een duikvlucht naar de bal en kopte hem met mijn rechterslaap naar Leon. Die stopte hem cool met zijn borst.

'Dat was super! Dat was zeven!' riep hij. 'Het is ons gelukt!'

'Wereldklasse, Felix!' voegde Fabi eraan toe.

Maar ik lag op de grond en keek naar Rocco.

'Bedankt,' zei ik.

'Waarvoor?' Rocco haalde grijnzend zijn schouders op. 'Als jij er niet was geweest, zou ik het verprutst hebben.'

Toen trok hij me overeind en met zijn allen liepen we naar het stalletje. Willie trakteerde op sinas en we gingen rond Rocco in het gras liggen. Rocco begon te vertellen over het strand in Brazilië en over de vrienden die hij daar heeft. Hij vertelde ons hoe verdrietig hij was dat hij daar weg moest, en hoe blij hij was nu hij ons gevonden had. Toen zweeg hij even en keek lang naar zijn gouden schoenen. 'Ik zou heel graag bij jullie spelen,' zei hij toen. 'Willen jullie dat ook?'

'Natuurlijk!' riepen de anderen. 'Waarom vraag je dat eigenlijk nog?' Maar Rocco hoorde hen niet. Hij tilde zijn hoofd op en keek mij aan.

'En hoe zit het met jou?' vroeg hij zachtjes.

Ik werd vuurrood en slikte de brok weg die in mijn keel zat. Rocco werd erg zenuwachtig.

'Wil jij dat ook?'

'Já, man! Natuurlijk wil ik dat!' Ik grijnsde naar hem. Mijn woede en jaloezie waren vergeten. Op dat moment zou ik mijn hand in het vuur hebben gestoken voor Rocco. En iedereen die me verteld had wat er de volgende morgen ging gebeuren, zou ik voor leugenaar hebben uitgemaakt.

159

Felix heeft gelijk

De volgende morgen stonden we allemaal voor het hek van het schoolplein op Rocco te wachten. We voelden ons twee, drie jaar ouder, zo'n beetje dertien. We waren nu een voetbalteam met een echte Braziliaan erbij! Zoiets kwam wel bij Ajax voor, maar bij de Wilde Bende?! Als je bij Ajax speelt, dat wisten we allemaal, dan ben je pas echt cool. Dan ben je ook niet meer bang voor Dikke Michiel, die plotseling voor ons stond in zijn Darth Vader-T-shirt, waarmee hij moeizaam probeerde zijn vetrollen bij elkaar te houden. Zijn adem rochelde en reutelde als die van een stokoude potvis. Zijn

ogen schoten als gloeiende laserstralen uit de vetplooien van zijn gezicht. Ze namen ons op en zochten zoals altijd de zwakste onder zijn vijanden eruit.

'Wegwezen, Astmaatje! Opzij!' siste hij. Achter hem stonden de Inktvis, Kong de Chinees en de Zeis, met de fietsketting om zijn hals.

Ik slikte en verwachtte een astma-aanval. Dikke Michiel en astma-aanvallen hoorden in mijn leven bij elkaar. Maar ik bleef rustig ademhalen en als in een droom keek ik naar mezelf.

'Wat doe jij hier?' vroeg ik de monsterkwal die voor me stond. 'Dat gebouw daar is een school!'

Dikke Michiel fronste zijn wenkbrauwen. Daar had hij niet op gerekend en blijkbaar schoot hem niets te binnen wat hij als antwoord kon geven.

'Intelligente tweevoeters gaan naar een school om iets te leren,' legde ik hem uit. Ik begreep zelf niet wat ik deed. Shit! Zoiets durfden anders alleen Leon en Fabi maar. Maar op een of andere manier vond ik dit prachtig!

'Dacht je misschien,' vroeg ik verder, 'dat je tot die soort behoorde, de tweevoeters?'

De laserogen van Dikke Michiel vlogen dwaas heen en weer. In zijn kleine hersens werd gewerkt! Het was duidelijk dat hij niets begreep van wat ik bedoelde.

'Ik geloof dat monsters zoals jij in de dierentuin thuishoren. Snap je me nu?' hielp ik hem op weg en ik vergat het gevaar waarin ik voortdurend verkeerde.

Het gezicht van Dikke Michiel zwol op en begon van binnenuit licht te geven. Zijn laserogen brandden gaten in mijn lijf. Het Darth Vader-T-shirt trilde als een vulkaan die op uitbarsten stond en zijn adem reutelde alsof er een lawine regelrecht op me af kwam.

161

'Je bent zo goed als dood, A-A-Astmaatje,' siste hij en hij greep naar me met handen zo groot als wieldoppen. Ik bukte me bliksemsnel, maar toch niet snel genoeg. Dikke Michiel pakte me beet en tilde me moeiteloos op. Ik trappelde woest met mijn benen in de lucht.

'Je bent zo goed als dood, Astmaatje!' herhaalde hij hijgend, waarbij hij zijn vieze adem in mijn gezicht blies. Ik had het gevoel dat ik stikte.

Maar ik gaf niet op. Ik trotseerde de stinkende adem en grijnsde terug: 'En zo dadelijk serveer jij Sokke je dikke gat als ontbijt!'

Dikke Michiel verstarde en keek geschrokken om. Ook de Inktvis, de Zeis en Kong zochten naar Leons hond met de vleermuisoren.

'Waar is dat rotbeest?' riep Dikke Michiel. 'Shit, waar zitie?' In paniek rammelde hij me door elkaar: 'Astmaatje, waar zit dat beest?'

'Daar,' zei ik. 'Op de parkeerplaats, tussen de auto's. Zie je hem niet? Hij komt recht op je af.'

Dikke Michiel keek in de richting die ik hem aanwees.

'Waar dan?' schreeuwde hij. 'Ik zie hem niet!'

'Daar, bij de bussen! Hij is zo hier! Ik zou 'm smeren als ik jou was,' grijnsde ik.

Hij liet me vallen en ging ervandoor met de Inktvis, de Zeis en Kong op zijn hielen.

'Lopen, Michiel! Lopen!' riepen we hem achterna. Toen vielen we zowat over elkaar heen van het lachen, want Sokke was er helemaal niet. Hij was op dat moment niet eens in de stad. Hij was met Leons moeder op vakantie aan zee. Maar dat wist Dikke Michiel niet. Daarom rende hij om de geparkeerde bussen heen, stormde de school binnen en klapte de deur achter zich dicht alsof hij achterna werd gezeten door Godzilla in eigen persoon.

We kwamen niet meer bij van het lachen.

'Wauw, Felix, dat was écht cool!' prees Fabian me en we lachten tot Rocco er aankwam. Hij zat achter in de auto van zijn vader en we keken onze ogen uit: João Ribaldo, de Braziliaanse voetbalheld, zat zelf aan het stuur. Hij was blijkbaar op weg naar Ajax en had zijn trainingspak al aan. Rocco keek naar ons.

'Hoi Rocco!' riep ik.

'Wauw! Dit is cool,' begroette Fabian hem.

'Dat zou ik ook wel eens willen!' riep Raban. 'Door João Ribaldo zelf naar school te worden gebracht!'

'Hou op, Raban!' zei Joeri hoofdschuddend. 'Dat is toch zijn vader!'

'Ja, precies,' zei ik eerbiedig. 'Dat is zijn vader!'

We keken naar Rocco die nu naar ons wees. Blijkbaar vertelde hij zijn vader over ons. We knapten bijna van trots en we wisten ons even geen raad van verlegenheid toen João Ribaldo ons aankeek.

Met een koel, uitdrukkingsloos gezicht keek hij naar ons

en toen schudde hij zijn hoofd. Rocco probeerde nog iets te zeggen, maar zijn vader viel hem in de rede. De situatie was voor hem blijkbaar opgelost. Hij stuurde zijn zoon, die niet wilde uitstappen, de auto uit.

'Hoi Rocco!' riepen we allemaal. 'Wat is er met jou aan de hand?'

Rocco keek om naar zijn vader, maar die bleef onverbiddelijk.

'Niets!' zei hij. 'Wat zou er aan de hand moeten zijn?'

Toen liep hij ons zonder nog iets te zeggen voorbij.

'Hé, Rocco!' riep ik. 'Wacht even!'

Maar Rocco liep regelrecht de school in. We keken hem na tot hij verdwenen was. Zijn vader deed hetzelfde. Pas toen vertrok hij.

'Niets,' herhaalde ik Rocco's antwoord spottend. 'Laat me niet lachen! Dit *niets* ken ik goed. Ik geloof hem niet.'

'Ik ook niet,' zei Fabi. 'Kom, waar wachten we nog op?'

We renden over het schoolplein, de trap op, regelrecht naar onze klas. We liepen naar Rocco's plaats en gingen als een muur voor hem staan. Rocco keek ons even aan. Toen begon hij wat te rommelen in zijn rugzak.

'Wat is er aan de hand?' vroeg ik. 'Praat je niet meer met ons?'

Rocco schudde zijn hoofd.

'En waarom niet, als ik vragen mag?' hield ik koppig vol.

Rocco keek me aan, maar hij zei niets.

'Ik vroeg je iets!'

'En ik heb geen tijd voor deze onzin!' snauwde Rocco terug. 'Ik moet me op de lessen concentreren.'

Op dat moment kwam onze leraar binnen, maar daar trok ik me niets van aan. Rocco was belangrijker.

'Moet je je zo op de lessen concentreren dat je ook niet meer naar de training komt?'

Rocco keek me aan. Toen haalde hij hooghartig zijn schouders op. 'En al was dat zo, wat maakt dat dan uit? Wat kan ik van jou nog leren?'

Zijn blik was ijskoud, alleen zijn ogen glansden een beetje verdacht, alsof er zich per ongeluk een paar tranen in verstopt hadden. Maar dat zagen we niet. We waren woedend en hevig teleurgesteld. Ik had gisteren toch gelijk gehad. Rocco was niet onze vriend. Hij was alleen maar verwaand.

'Net zo verwaand als zijn vader!' besloot Fabi zijn verslag aan Willie.

We zaten sip op het veldje en dachten helemaal niet aan trainen. Het flesje sinas stond onaangeroerd naast ons en lusteloos porden we met de rietjes in het gras. Opeens ging Marc rechtop zitten.

'Ik denk dat ik het heb!' riep hij. 'Het is niet Rocco. Het is zijn vader.'

'Nee, dat geloof ik niet!' Ik schudde mijn hoofd. 'Een vader doet zoiets niet.'

'O nee?' counterde Marc. 'En wat doet de mijne dan? Hij laat geen gelegenheid voorbijgaan om iets te verzinnen waardoor ik niet naar de training kan.'

'Ja, die van jou, misschien,' zei Leon, 'maar Rocco's vader is Ribaldo. Geloof jij echt dat die tennist of golft?'

'Je hebt gelijk,' mopperde Marc. 'Maar waar ligt het dan aan? Shit! Gisteren was Rocco toch nog hartstikke aardig.'

'Klopt,' zei Willie ernstig. 'En daarom ligt het misschien helemaal niet aan Rocco of Ribaldo. Daarom ligt het misschien alleen maar aan jullie.'

'Wat zeg je? Wat bedoel je daarmee?' riep Leon woedend. We staarden Willie aan alsof hij het weer over de indianen had. Of over de Champions League of over Luke Skywalker. Maar Willie bleef ernstig, zo ernstig als we hem nog nooit hadden meegemaakt.

'Dat betekent dat jullie eindelijk eens merken wat er met jullie aan de hand is,' zei hij. 'En voor het geval jullie daarvoor te dom zijn, ga dan nu naar Rocco en zijn vader toe. Ik mag doodvallen als die twee het jullie niet ijskoud en zonder zich te schamen duidelijk maken.'

We keken hem niet-begrijpend aan.

'Naar zijn huis?' vroeg ik.

'Naar het huis van João Ribaldo?' vroeg Fabian. 'Meen je dat echt?'

'Waarom niet?' riep Willie grijnzend.

'Hou op, alsjeblieft,' kreunde Raban. 'Het huis wordt bewaakt. De bodyguards krioelen er rond als mieren.'

'En ze hebben allemaal een machinegeweer,' voegde Josje eraan toe. Toen schoot hij met een denkbeeldig wapen. 'Rattattattam!' en viel met een reutelend 'Ursgh!' getroffen in het gras.

'Snap je dat niet, Willie?' vroeg Marlon. 'João Ribaldo is een echte ster.'

'Precies,' bevestigde Willie. 'Hij is dat wat jullie allemaal een keer willen worden. Heb ik gelijk of niet? Dus waar zijn jullie dan bang voor?'

Aarzelend stonden we op. Een onweerswolk schoof voor de zon en ik keek naar Josje. Die lag nog steeds roerloos in het gras en deed of hij dood was. Hij speelde het alleen maar, maar het bezorgde me een raar, eng voorgevoel. Op de een of andere manier wist ik op dat moment dat we er binnenkort allemaal zo bij zouden liggen. Met in elk geval één verschil: voor ons was het dan niet voor de lol. Voor ons was het ernst.

De poort naar de hemel

De straat waar João Ribaldo woonde, heette 'Hemelpoort'. We waren nog nooit in die buurt geweest. En nu we er binnenslopen, verwachtten we niets minder dan vestingen die boven ons op de wolken zweefden. Maar op het moment dat we de straat in liepen, stortten de vestingen neer op aarde. Dat gevoel hadden we in elk geval. En ze ramden hun metershoge muren vóór ons de grond in. Huizen hadden ze hier blijkbaar niet, alleen maar muren met hoge hekken en poorten erin zonder naam erop. Alles zei tegen ons: wat doen jullie hier eigenlijk? Jullie hebben hier helemaal niets te zoeken!

Als je het mij vraagt, zeiden die hekken en poorten de waarheid. Maar helaas had Willie een andere mening en helaas wisten wij het nummer van de vesting waar Rocco woonde. Het stond op een donkere smeedijzeren poort. '14' stond daar, zoals het rugnummer van Johan Cruijff vroeger. Maar dat was dan ook alles wat ons met dit oord verbond.

We stonden voor het hek terwijl de onweerswolken zich boven ons opstapelden, en wisten niet wat we moesten doen. Toen begon Fabi te fluiten. 'Knocking on heaven's door' heette dat nummer. Zijn vader floot het altijd als hij iets moest doen waar hij bang voor was, had hij ooit verteld. En 'Knocking on heaven's door' floot Fabi ook nu weer terwijl hij op de bel drukte.

Een eeuwigheid gebeurde er helemaal niets. Toen meldde zich een mannenstem in het Portugees. Dat was de taal die in Brazilië gesproken wordt, wisten we. We verstonden er geen woord van.

'Eh... p-pardon,' stotterde Fabi en krabde verlegen op zijn hoofd. 'We w-willen graag Rocco spreken.'

De speaker kraakte geschrokken, alsof Fabian gevraagd had of hij met Rocco mocht trouwen. Daarna was het stil. We wachtten een paar minuten. We wilden al weggaan, toen er plotseling een gezoem klonk. Langzaam zwaaide een helft van het donkere, smeedijzeren hek open en nu zagen we ook een huis.

Wauw! Vergeleken bij dit huis was het deftige huis van Max hooguit een armzalig hutje. En de villa van Marc was misschien, heel misschien, een buitenhuisje. Dit huis was een kasteel en de tuin eromheen was geen tuin meer, maar een park.

Langzaam liepen we met knikkende knieën de poort door. De weg naar het huis leek eindeloos. Bliksemflitsen schoten uit de zwarte wolken, gevolgd door oorverdovende donderslagen. Opeens vielen onze vuile nagels ons op. We knaagden ze schoon en veegden met spuug de modder van ons gezicht.

'Wat willen jullie van Rocco?' begroette een tamelijk ijzige stem ons.

We schrokken en keken om ons heen. De lage zon brak voor de laatste keer door de donderwolken heen en verblindde ons. Maar toen zagen we ze. Ze stonden recht boven ons op het terras van de villa. Rocco en zijn vader, die op dat moment zijn arm om de schouders van zijn zoon sloeg.

'Eh... we eh... willen...' stotterde Fabian. 'Ja, we wilden... eh... We willen op geen enkele manier storen!' Hij probeerde

zijn onweerstaanbare glimlach, maar die mislukte deze keer totaal.

'Dat is goed,' knikte João Ribaldo. 'En wat willen jullie nog meer?' Met half dichtgeknepen ogen keek hij ons dreigend aan.

'We willen dat Rocco in onze voetbalploeg mee mag spelen,' antwoordde Marlon vlug. De ogen van de Braziliaanse voetbalheld werden spleetjes.

Daarom voegde ik er snel aan toe: 'Ja, en we willen dat hij onze vriend wordt.' Ik keek Rocco aan en riep: 'Dat wil jij toch ook?'

Maar Rocco wendde zijn blik af.

'Wil je dat echt, Rocco?' vroeg João aan zijn zoon. 'Kijk me aan!'

Rocco keek zijn vader recht in de ogen. Hij aarzelde, dat zag ik wel. Maar toen, en ik kan het nog steeds niet geloven, schudde hij zijn hoofd.

'Dat is duidelijk!' zei João Ribaldo tegen ons. 'Hebben jullie dat allemaal gezien?'

We knikten zwijgend, maar bleven staan.

'En hoe zit het met voetballen?' vroeg ik zachtjes.

De Braziliaanse voetbalheld lachte. 'Natuurlijk voetbalt

Rocco. Maar bij Ajax, net als ik. Ik verwacht veel van hem.'

'Maar wij worden ook profvoetballers,' waagde Leon te zeggen.

João Ribaldo keek hem aan en lachte nog harder.

'Dan is toch alles in orde. Dan spelen jullie als profs samen, als jullie tenminste het talent daarvoor hebben.'

Leon keek hem aan. 'Dat klinkt als een belediging.'

We krompen ineen. Zelfs Rocco hield zijn adem in bij Leons opmerking. Maar op João Ribaldo scheen het indruk te maken. In elk geval verdween de lach van zijn gezicht.

'Nee, zo is het niet bedoeld,' zei hij koel. 'Maar als je werkelijk van plan bent ooit profvoetballer te worden, moet je je tijd niet bij een ploeg als die van jullie verspillen.'

Hij keek van Leon over Raban heen naar mij, en ik kreeg weer last van ademnood. Maar Leon is anders, dat heb ik al gezegd. Hij neemt elke uitdaging aan.

'Dat doe ik ook niet,' zei hij. En zijn ogen werden nog smallere spleetjes dan die van Ribaldo. 'Ik kan mijn tijd bij deze ploeg helemaal niet verspillen. Dit is namelijk de beste ploeg van de wereld!'

Een moment lang was João Ribaldo sprakeloos.

Leon keek Rocco aan. 'Heb jij dat ook gehoord?' vroeg hij uitdagend en trots.

Rocco keek Leon ook aan. Ik dacht bijna dat hij knikte.

Toen klonk zijn vaders stem. 'Onzin,' zei hij koud. 'Jullie zijn helemaal geen ploeg. Jullie zijn een paar jongens die wat tegen een bal trappen. Meer niet. En jullie dromen zoals alle jongetjes dat jullie ooit zo worden als ik.'

Een bliksemflits schoot uit de wolken, meteen gevolgd door een rollende donderslag. Daarna was het stil. We stonden als aan de grond genageld, alsof een boze heks ons in steen had omgetoverd. Alleen Marlon kon zich nog bewegen.

Langzaam schudde hij zijn hoofd. 'Nee. Daar droom ik zeker niet van!' zei hij zachtjes maar vastbesloten, waarbij hij Rocco recht aankeek. 'En dat doet niemand van ons!'

Rocco keek Marlon aan. Toen duwde hij zijn vaders hand van zijn schouder en rende het huis in. Zijn vader keek hem verbaasd na.

'Zo is dat,' bevestigde Fabi. 'Niemand van ons!' En weer flitste de bliksem en opnieuw volgde er een donderslag.

João Ribaldo keek nog even op ons neer. Het was een afkeurende, vernietigende, minachtende blik, waar geen van ons tegen kon. Dus renden terug naar de straat. We renden en renden tot we bij de Duivelspot waren. Daar, hoopten we, zouden we die blik van ons af kunnen schudden. Maar helaas. Op het veldje wachtte Willie op ons.

Over en uit

Willie stond ongeveer op het punt zijn stalletje te sluiten. Hij droeg de grote afvalbak naar binnen.

'En, wat heeft hij gezegd?' vroeg hij terloops, alsof hij wilde weten of er regen op komst was.

Maar zo terloops was die vraag niet, want toen hij terugkwam keek hij ons aan alsof hij alles wist. Nee, het was nog

veel erger. Willies blik was als die van Ribaldo: meedogenloos minachtend.

We stonden daar, ademloos, woedend. De eerste koude
regendruppels spatten in ons gezicht en plotseling wisten
we allemaal: João Ribaldo had nog gelijk ook. We waren geen
voetbalelftal en niemand van ons had genoeg talent om ooit
profvoetballer te worden. Onze dromen spatten als zeepbel-
len uit elkaar, terwijl het steeds harder begon te regenen. En
ik zeg je: als je geen dromen meer hebt, ben je niets waard.
Dan ben je helemaal de weg kwijt en weet je niet meer hoe
het verder moet.

'En?' vroeg Willie. 'Wat gebeurt er nu?'

We keken hem aan, radeloos, wanhopig en woedend. Wat
moesten we met zo'n vraag? Daar was hij toch voor? Hij was
onze trainer. Hij moest zeggen wat we nu moesten doen.
Maar Willie peinsde er niet over. Hij hinkte naar het stalletje,
klapte de houten luiken dicht en deed de deur op slot.

Leon balde zijn vuisten. 'Oké. Dan spelen we dus tegen
Ajax!' riep hij. 'We zullen die Ribaldo eens wat laten zien! We
maken Ajax én Rocco helemaal in!'

Willie keek Leon verrast aan. 'Meen je dat echt?' vroeg hij.

'En óf ik dat meen!' riep Leon boos.

Willie knikte goedkeurend. 'Bravo Leon, dat is een goed
idee.' Maar toen slaakte hij een diepe zucht. 'Alleen jammer
dat Ajax deze uitnodiging niet zal aannemen. Ik denk dat ze
jullie alleen maar zullen uitlachen. Dat doen ze echt, neem
dat maar van mij aan...'

Hij dacht even na, maar schudde toen zijn hoofd. 'Nee, ik
geloof niet dat dat kan. Het is over en uit. Naar huis met jullie!'

Willie hompelde naar zijn gammele brommertje en maakte het slot open. 'Ah, ja, dat zou ik bijna vergeten. De training

is niet alleen voor vandaag voorbij. Vanaf nu is de Duivelspot voor jullie verboden. Ik wil jullie niet meer zien. Is dat duidelijk?'

Hij keek ons nog een laatste keer aan.

'En als jullie niet weten wat ik bedoel, kijk dan maar naar jezelf. De Wilde Voetbalbende bestaat niet meer.'

Hij gaf gas en ging er keihard vandoor.

We bleven in de regen achter en konden het niet geloven. De een na de ander liet zich zonder iets te zeggen in het gras zakken. Zo krijgen we allemaal longontsteking, dacht ik. Maar dat maakte niet meer uit. Ik dacht aan Josje en mijn voorgevoel toen hij voor mijn voeten in het gras lag en deed of hij dood was. Ik hoorde de Ribaldo's lachen en de woorden: 'Als je werkelijk van plan bent ooit profvoetballer te worden, moet je je tijd niet bij een ploeg als die van jullie verspillen.' Toen hoorde ik Willies stem: 'Ik wil jullie niet meer zien!' en: 'De Wilde Voetbalbende bestaat niet meer!'

En steeds weer zag ik in gedachten Rocco zijn hoofd schudden toen ik hem vroeg of hij onze vriend wilde zijn.

Ik kon het niet begrijpen en de anderen evenmin. Zelfs Leon wist het niet meer en beet op zijn lip. Steeds weer veegde hij waterdruppels van zijn wangen alsof het tranen waren. De Wilde Voetbalbende bestond niet meer.

Wat moesten we daartegen doen? We wisten het niet en daarom zaten we in de regen tot we blauw zagen van de kou. Toen gingen we langzaam en ieder voor zich, nog steeds zonder een woord te zeggen, naar huis.

In alle windrichtingen verspreid

Mijn moeder schrok zich dood toen ze me zag. Snotterend en druipend stond ik in de keuken van Valentijnstraat 11. Ik zei geen woord. Ik kon niets zeggen. Ik wachtte alleen maar op de donderpreek die ze zo dadelijk ging houden. *Mijn hemel, Felix, ben je van alle goede geesten verlaten? Wil je dood? Ik dacht dat je een verstandige jongen was, maar blijkbaar heb ik me vergist! Vanaf nu is die training voor jou afgelopen. Is dat duidelijk?*

Ja, daar wachtte ik op. Ik verlangde er zelfs naar. Mijn lichaam was verdoofd en mijn hoofd leek vol watten. Ik had het gevoel dat ik een nachtmerrie had waaruit ik maar niet wakker kon worden. Een donderpreek rukt je wakker uit elke droom.

Maar mijn moeder zei niets. Ze keek me alleen maar aan. Ze keek me aan alsof ik gescalpeerd was, gevierendeeld en alsof er minstens zeven pijlen uit mijn rug staken. Toen pakte ze me bij mijn arm en stopte me in bad. Ze zette thee en was superlief tegen me. Ze verpleegde me alsof ik een ridder was. Een dodelijk gewonde ridder die het toernooi in de laatste seconde toch nog had gewonnen.

Maar ik was niet gewond. En ik was ook geen ridder. Ik was een verliezer, een loser. Ik was overwonnen zonder te vechten. Ik was zonder daar zelf iets tegen te doen alles kwijtgeraakt wat ik belangrijk vond. Willie, de Duivelspot, mijn vrienden, de Wilde Bende, en natuurlijk het voetbal, dat alles voor me betekende en nog meer.

Daarom hielpen de goede zorgen van mijn moeder helemaal niets. Oké, ze zorgden ervoor dat ik geen longontsteking kreeg of verkouden werd. Maar eigenlijk was haar zorg alleen maar medelijden. Shit, medelijden. Wat een vernedering. Kun je dat begrijpen?

Op dit moment was medelijden het ergste wat me kon overkomen. Ik had iets heel anders nodig. Ik had iemand nodig die me een schop onder mijn kont gaf. Iemand die tegen me zei dat ik mijn kop uit het zand moest trekken. Iemand die me van mijn angst verloste en me mijn moed teruggaf. Iemand die me vertelde wat ik moest doen om mijn trots en mijn dromen terug te krijgen. Op dat moment had ik een vader nodig, maar die woonde al lang niet meer thuis. Ik had alleen mijn moeder en die had medelijden met me. Shit! En daarom zei ik die avond geen woord en ook de dagen daarna niet.

Met de andere leden van de Wilde Bende ging het niet veel beter. Van de ene dag op de andere was onze wereld totaal veranderd, alsof er een meteoriet tegenaan geknald was. Zelfs de seizoenen waren verschoven. Zo leek het tenminste voor ons. In plaats van zomer werd het herfst. De regen viel eindeloos uit donkere wolken die zwart en zwaar boven de boomtoppen hingen. Wij konden alleen nog maar naar de neuzen van onze schoenen staren. We hadden helemaal geen oog meer voor elkaar.

Zelfs op school liepen we langs elkaar heen zonder iets te zeggen. Zwijgend zat ik tussen Fabi en Leon. En zwijgend zaten Joeri en Raban schuin achter ons. We waren zo stil dat het zelfs de leraar opviel, en ook Rocco keek bezorgd naar ons. Maar tegen de leraar zeiden we niets en Rocco lieten we links liggen. Hij interesseerde ons niet. Zodra de school uitging, liepen we netjes maar zonder te groeten naar huis. We wilden elkaar niet zien. Marlon bekommerde zich niet om Leon, en Joeri zelfs niet om Josje.

Op de derde dag van ons zwijgen gooide Fabi op Fazantenhof 4 zijn technisch lego tegen de muur en ging zijn moeder helpen die stond te strijken. Zwijgend ruimde hij de gestreken was op in de kasten. Dat had hij nog nooit gedaan. Zijn moeder sloeg hem stomverbaasd gade. Ze reageerde zelfs niet toen de jurk op de strijkplank begon te smeulen.

'Mam! Mamááá!' schreeuwde Fabi. Hij tilde het strijkijzer van de jurk en gooide een glas water over de vlammen. 'Shit! Wat is er met jou aan de hand?'

'Kan ik dat niet beter aan jou vragen?' zei ze bezorgd. 'Waarom ben je niet op de Duivelspot?'

Fabi leunde van zijn ene been op het andere en probeerde zijn onweerstaanbare grijns. Die mislukte voor de tweede keer in zijn leven. Toen liep hij terug naar zijn kamer.

'Daar begrijp jij toch niets van!' riep hij boos en hij gooide de deur met een klap dicht.

In het huis schuin aan de overkant kwam de moeder van Joeri en Josje net thuis van haar werk. Ze stak de sleutel in het slot en zag de kleine plasjes water niet die onder de keukendeur door naar buiten stroomden. Maar toen ze de deur wilde opendoen, voelde ze een rare weerstand. Even later kwam haar een ware zondvloed tegemoet. In de keuken stond het water bijna vijftien centimeter hoog. En midden in deze overstroming stond Joeri met de schrobber in zijn hand.

'Hoi! Ben je nou al thuis?' vroeg hij verbaasd, maar zonder een spoor van een slecht geweten. 'We wilden je verrassen.'

Zijn moeder keek van haar zoon naar haar voeten. Ze

stond tot haar enkels in het water, dat bruisend naar buiten stroomde. Toen waadde ze naar de gang en daar zag ze de bron van de zondvloed.

Het water stroomde vanuit de badkamer, door de gang, de keuken in. Vastberaden liep ze naar de badkamerdeur, maar die zat op slot. Joeri gaf haar de sleutel.

'We hebben ruzie gehad,' grijnsde hij een beetje verlegen.

'En daarom heb je je broertje opgesloten in de badkamer?'

'Ja, toen hij moest plassen,' knikte Joeri. 'Maar nu is het weer goed. Josje maakt het bad schoon.'

Joeri's moeder draaide de sleutel om. Ze rukte de deur open en... staarde naar een reusachtige muur van badschuim die tot aan het plafond kwam.

'Josje!' riep ze, terwijl een tweede vloedgolf haar enkels omspoelde en de badkamer uit stroom-

de. De golf was zo sterk dat ze haar evenwicht verloor. Ze gleed uit en viel op haar achterste. Op hetzelfde ogenblik stortte de schuimwand over haar heen en pas toen zag ze haar jongste zoon. Die stond op zijn tenen op de wc-bril en poetste ijverig het raam erboven.

'Hoi, mam! We houden Grote Schoonmaak. Aardig van ons, hè?' Josje grijnsde als

een Verschrikkelijke Sneeuwman, want zo zag hij er op dat moment uit. Hij zat ónder het badschuim.

Maar zijn moeder was helemaal niet enthousiast.

'Grote...' zei ze alleen maar. Ze probeerde op te staan, gleed weer uit en belandde voor de tweede keer op haar achterste.

'... Schoonmaak!' zei ze. 'Laat die maar zitten!' Kreunend stond ze op.

Joeri rende bezorgd naar haar toe. 'Pijn gedaan, mam?' vroeg hij zachtjes. Hij wilde haar overeind helpen. Maar ze duwde hem weg.

'Wat is er met jullie aan de hand?' riep ze boos. 'Waarom zijn jullie eigenlijk hier? Naar de Duivelspot met jullie!'

Joeri en Josje verstijfden.

'Vooruit, weg jullie!' herhaalde ze, maar Josje en Joeri schudden hun hoofd.

'Wat... eh... zeg je, mam?' stotterde Joeri.

'Maar dat kan toch niet,' fluisterde Josje.

En Joeri liet teleurgesteld zijn hoofd hangen. 'Ik dacht echt dat we hiervoor minstens twee weken huisarrest kregen.'

De twee jongens keken hun moeder smekend aan.

'Kun je ons dan niet drie dagen huisarrest geven?' smeekte Joeri met een pruilend gezicht.

En Josje bedelde verder: 'Ja, drie dagen alsjeblieft, mam. Dat is toch niet te veel, of wel?'

In de Hubertusstraat liet Leon vrijwillig Sokke uit, alleen maar om de tijd te doden. Daarna ging hij vreselijk op zijn drumstel tekeer. Zelfs de geluiddichte wanden in de oefenruimte in de kelder konden zijn woede niet meer dempen. Hij hield pas op toen het vel van de laatste trom geknapt was.

Marlon, zijn broer van elf, zat intussen met oordopjes in in de speelkamer en bekeek de stapels boeken die hij uit de bieb had gehaald. *Wat kan ik later worden?*, *50 Wegen naar Succes*, *De 100 topberoepen van nu.* Zo ongeveer heetten die boeken. Marlon bladerde ze onverschillig door, op zoek naar een nieuw levensdoel. Zijn droom ooit profvoetballer te worden was uit elkaar gespat. Maar hoe kon het beroep van topmanager, beursmakelaar of online-tv-internetproducent het gevoel vervangen dat hij had als hij een duel won? Of een droompass gaf? Of zo'n handig doelpunt scoorde met de zijkant van zijn schoen? Daarom trok hij de dopjes uit zijn oren en pakte zijn saxofoon. Hij liep het bos in, waar hij onder een reusachtige treurwilg hartverscheurende blues de wereld in blies.

Flarden van zijn blues waaiden naar de Duivelspot. Daar zat Willie in zijn schommelstoel onder een paraplu die hij aan de leuning had vastgeklemd. Sinds zijn trainingsverbod was hij eenzaam en werkloos. Het stalletje hoefde hij niet eens open te doen. Er waren toch geen klanten meer. Maar hoe somber en wanhopig Marlons blues ook waren, Willie bleef spijkerhard en kwam niet van zijn plek. Waar wachtte hij op? Wat was hij van plan? Wat moesten wij, de Wilde Bende, eigenlijk doen?

We wisten het niet. Op Eikenlaan 1 speelde Max drie dagen met zijn jongere zusje vadertje en moedertje in het barbiehuis. Toen stond hij op en pakte zijn voetbalspullen bij elkaar. Hij maakte een lijst van die kostbare verzameling en mailde die naar www.marktplaats.nl. Waar had hij zijn voetbalschoenen, posters, shirtjes of kousen nog voor nodig? Ze herinnerden hem alleen maar pijnlijk aan iets wat nu niet meer bestond.

Raban, de held, had het er het moeilijkst mee. Hij was inderdaad een paar weken onze held geweest. In Rozenbottelsteeg 6 greep hij nu uit eigen beweging de telefoon. Hij belde de vriendinnen van zijn moeder en vroeg of hun dochters zin hadden om naar hem toe te komen. Tien minuten later stonden de drie monstertjes voor de deur met hun linten en strikjes. Het maakte Raban niets meer uit. Hij zat al op de stoel in de hal te wachten tot ze hem als proefkonijn gingen gebruiken voor hun make-upkoffertjes en elektrische krultangen.

Dat was op de derde dag na het begin van de eeuwige regen. Op de derde dag na ons bezoek aan Hemelpoort 14. Op de derde dag na João Ribaldo's vernietigende spot en Rocco's 'nee' tegen onze vriendschap. Op de derde dag na Willies mededeling dat hij ons niet meer wilde trainen. Op deze derde dag stond het vast: de Wilde Bende bestond niet meer. Datgene waarmee ik ook aan het begin van mijn verhaal gedreigd heb als het Begin van het Einde, had ons overrompeld. Het had ons platgewalst en in alle windrichtingen verspreid. We waren veel te lui geweest. We hadden te lang in de zon gelegen en alleen maar gedroomd. Maar niet één droom wordt werkelijkheid door hem alleen maar te dromen. Je moet willen vechten voor een droom. Maar daarvoor waren we nu heel bang. Natuurlijk wilden we voetballen en natuurlijk wilden we later niets anders worden dan profvoetballers. Maar nu waren we bang dat Ribaldo gelijk had.

Of nee, het was nog veel erger.

We wisten het allang. João Ribaldo hád gelijk. Zo was het!

Wij waren niets. We waren maar een stelletje onnozele jongens die tegen een balletje trapten. We waren niet goed genoeg en we zouden het daarom in het voetbal nooit ver schoppen. Punt. Uit. Dat stond nu voor iedereen vast.

Het duel van de appelmoes-revolverhelden

Op de vierde dag kwam ik als altijd na school thuis op Valentijnstraat 11. Ik liep langs mijn moeder heen en gooide mijn rugzak onder de kapstok in de gang. Terug in de keuken ging ik aan tafel zitten. Net als de afgelopen drie dagen staarde ik zonder iets te zeggen uit het raam. Het kon me niets schelen dat mijn moeder mijn lievelingseten, een hele berg pannenkoeken, op tafel zette.

En toen ze 'eet smakelijk' tegen me zei, rolde ik alleen maar met mijn ogen en schoof het bord met de pannenkoek van me af. Ik had het gevoel dat de pannenkoek veranderd was in een bord slijmerige havermoutprut.

'Wat is er toch aan de hand, Felix?' vroeg mijn moeder bezorgd. 'Wil je het me niet een keer vertellen?'

Ik rolde opnieuw met mijn ogen en kreunde. Nee, niet weer op die toer. Ze was alleen maar mijn moeder. Wanneer begreep ze dat nou eens? Ik had mijn vader nodig, maar die was sinds Die Dag niet meer thuis. Hij liet mij ook niets meer horen sinds Die Dag waarop hij gehoord had dat mijn moeder van een andere man houdt.

'Felix, ik praat tegen je!' hielp mijn moeder me eraan herinneren dat ze er nog steeds was.

'Maar ik niet tegen jou!' gooide ik eruit. 'En laat je medelijden alsjeblieft zitten!' Woedend veegde ik een traan van mijn

wang en keek weer langs haar heen door het raam naar buiten.

'Oké. Ik snap het, geen medelijden,' knikte ze en begon
doodkalm haar pannenkoek te eten. 'En ik hoef ook geen
medelijden met je te hebben, omdat je geen vrienden meer
hebt. Of omdat je nooit meer in je leven een voetbal zult aanraken. Heb ik dat goed begrepen?'

'Heel goed!' blafte ik. 'Want je hebt er absoluut geen verstand van.'

Ik was razend. Mijn moeder bleef me aankijken en ze zag
de tranen in mijn ogen. Maar dat deed haar niets. Ze bleef
genadeloos en koud. Ze kneep haar ogen half dicht. Toen
legde ze beide handen voor zich op tafel en haalde diep adem.

'Ohohoho!' zei ze met een zware stem alsof ze een revolverheld was en haar colt trok. 'Je wilt me toch niet beledigen,
jongen?' Met haar hand tastte ze naar de lepel, die ze beet-
greep. 'Oké. Dan moet je je beter bewapenen, hoor je!' dreun-
de ze met haar rauwe stem. 'Want waar ik vandaan kom,
blijft zoiets niet onbestraft. Daar wordt een lid van de Wilde
Voetbalbende niet beledigd.'

Ik keek haar aan alsof ze volslagen krankzinnig was geworden.

'Hou alsjeblieft op, mam!' riep ik ongeduldig, maar mijn
moeder peinsde er niet over. Ze was namelijk mijn moeder
niet meer. Ze was een revolverheld en die was meedogenloos.

'Hou alsjeblieft op, mam! Wat zullen we nou krijgen?'
spotte de revolverheld met een stem die zwaar klonk en
rauw was als schuurpapier. 'Je bent toch geen lafbek?'

Ik kromp ineen. Die zat! De tranen sprongen in mijn ogen.

'Hou op,' smeekte ik.

'Het spijt me, jochie, maar daarvoor is het nu te laat!' bul-
derde de revolverheld. 'Hier wordt niet teruggekrabbeld.'

'Ik krabbel niet terug!' protesteerde ik.

'Ohoho! Laat me niet lachen!' spotte hij. 'Je doet het in je broek van angst!'

'Hou op!' riep ik. 'Hou alsjeblieft...!'

'Hou je kop!' gooide hij eruit. 'Ik ruik het toch al? En ik ruik ook je zelfmedelijden. Gadver, walgelijk!'

'Hou op!' schreeuwde ik weer. 'Hou er alsjeblieft mee op!' Ik staarde de revolverheld aan en een moment lang geloofde ik echt dat ik die engerd het zwijgen had opgelegd.

'Krijg nou wat!' siste hij, omdat hij niets anders kon bedenken. Maar toen spuwde hij op de grond en in die beweging lag alle verachting van de wereld. 'Pff, wat ben jij een schijtluis!'

Mijn adem stokte. Zoiets hoor je niet graag van je eigen

moeder, zelfs als ze op dat moment je moeder niet meer is, maar een revolverheld.

'Nee. Dat ben ik niet,' zei ik zachtjes.

'Goed. Dan ben je gewoon een lafbek!' antwoordde hij.

'Dat ben ik niet!' zei ik al iets harder.

'Oké. Bewijs dat dan maar. Schiet of verbrand in de hel!'

Daarna was het stil. De blik van de revolverheld bezorgde me een heel benauwd gevoel in mijn borst. Ik kon me nauwelijks meer bewegen. Toch verzette ik me. Ik veegde de tranen van mijn wangen en haalde diep adem. Toen legde ik mijn rechterhand op de lepel voor me op tafel.

'Je hebt het niet anders gewild,' zei ik schor en ruw en de revolverheld knikte. Toen vuurde hij, dat wil zeggen: bliksemsnel schoot zijn lepel naar voren, regelrecht naar de schaal appelmoes. Maar dat was niet snel genoeg. Ik zat er al in met mijn lepel, trok hem er gevuld weer uit en stak hem in mijn mond. Shit! Dat smaakte goed!

De revolverheld was verbaasd. 'Petje af! Helemaal niet slecht!' fluisterde hij en deze keer was hij echt onder de indruk. 'Maar weet je, jongen, Samen met pannenkoek smaakt het nog beter! Hier! Vangen!'

De revolverheld trok het bord met pannenkoeken naar zich toe, pakte er eentje van de stapel en gooide hem naar me toe alsof het een frisbee was. Ik ving hem op, besmeerde hem met appelmoes en at hem op.

'Klopt!' grijnsde ik met volle mond en de revolverheld grijnsde terug.

'Goed! Eet dan je buik maar rond. Intussen vertel ik jou iets van man tot man.'

Ik slikte tot mijn mond eindelijk leeg was. Toen zei ik: 'Oké! Afgesproken!'

De revolverheld glimlachte en door die glimlach werd hij

opeens weer mijn moeder. Ik verslond zeven pannenkoeken met stroop. En daarna nog zeven met suiker en kaneel. Maar dat merkte ik nauwelijks. Ik hoorde alleen maar wat mijn moeder vertelde, en die vertelde me het spannendste verhaal van de wereld: het verhaal van de opstand van de Wilde Voetbalbende tegen Ajax. Ik kon het einde maar nauwelijks afwachten! Toen sprong ik op, liep naar de telefoon en belde alle leden van de bende achter elkaar op.

'We komen bij elkaar op Camelot. Ja, nu meteen!' zei ik alleen maar. 'Mijn moeder heeft een plan.'

Ontmoeting op Camelot

'Wat voor plan?' vroeg Leon minachtend. 'Je moeder heeft hier toch geen verstand van.'

'Ik dácht het wel!' antwoordde ik. 'Je zou haar eens als revolverheld moeten zien.'

'Als wát, zei je?' riep Leon en ik wist meteen dat ik me vergist had. Mijn vrienden begrepen niets van revolverhelden. Dat kon je ook alleen maar begrijpen als je het zelf beleefd had. Nu dachten ze allemaal dat ik knettergek was.

We zaten op Camelot. Dat is de boomhut van Joeri. De hut had zelfs drie verdiepingen in de boom en de afgelopen weken en maanden was het een soort ontmoetingsplaats voor ons geworden. Op Camelot kwamen we altijd bij elkaar als een probleem onoplosbaar leek, en op Camelot hadden we tot nu toe altijd een oplossing gevonden. Maar deze keer leek dat onmogelijk.

De Wilde Voetbalbende bestond niet meer en mijn moeder had me vandaag uitgelegd waarom: we hadden het opgegeven. Maar in plaats van dat toe te geven, staarden ze me nu allemaal aan alsof ik gek geworden was. Hoe kon ik daar iets aan veranderen?

Ik zat in een hoek van de onderste ruimte, waar we altijd vergaderden, en keek naar mijn vrienden.

Leon liep zenuwachtig heen en weer.

'Hebben jullie dat gehoord? De moeder van Felix is een

revolverheld!' riep hij, en hij sloeg daarna zo hard tegen de wand dat zijn vuist begon te bloeden. 'Shit! Ik kan het niet geloven. En daarom zijn wij nu hier!?'

Maar de anderen zwegen.

Fabian wipte nerveus met zijn voeten en Marlon trommelde op tafel. Joeri trok zijn knieën op en sloeg zijn armen eromheen alsof hij het koud had. Josje zat op zijn nagels te bijten tot hij bijna alleen nog maar de halve maantjes over had. Max beet op zijn lippen, Jojo kneep zich steeds harder in zijn eigen arm. Marc begon met een golfbal te spelen. Raban draaide zelfs een krulspeld in zijn haar.

Shit, wat zien ze er armzalig uit, dacht ik. Maar ze waren allemaal gekomen. Maar bij alle armzaligheid voelde ik hoe wanhopig ze waren. Ik moest het gewoon proberen, ook al zouden ze me uitlachen! Zelfs nu het een plan van mijn moeder was en ze dat met de revolverheld nooit van hun leven zouden begrijpen.

Ik haalde diep adem en schraapte mijn keel. 'Ahum! Eigenlijk is het heel eenvoudig. We spelen tegen Ajax.'

Ik zweeg even en keek vol verwachting om me heen. Mijn vrienden rolden met hun ogen en Leon verwoordde hun gedachten.

'Man, is dat alles?' riep hij spottend. 'Dat plan kennen we al!'

'Precies!' viel Fabian hem bij. 'En dat plan is onmogelijk. Ajax lacht ons uit. En weet je waarom? Dat zal ik je vertellen. Voor Ajax zijn wij namelijk niet méér dan mieren die de Mount Everest willen beklimmen, waar *zij* staan. Ze zien ons niet kruipen, hoor. Shit! Voor hen bestaan we echt niet!'

'Dan moeten we dat even veranderen!' counterde ik strijdlustig.

'Ach ja, en hoe zou je dat dan willen doen?'

Fabians ogen fonkelden van woede. 'Wil je ons misschien een slurf aanplakken en beweren dat we olifanten zijn?'

'Bravo, Fabi! Daarmee zit je er niet eens zo ver naast!' prees ik hem en nu vond iedereen me verschrikkelijk arrogant.

'Wat je zegt, slimbo,' schold Fabi. 'Vertel op dan!'

'Ja, precies,' viel Leon hem bij. 'Ik vind het allemaal heel spannend.'

'Goed,' zei ik. 'Mijn eerste voorstel is dat we vanaf nu niet meer huilen en jammeren.'

In één klap was het stil. Het was een vijandige stilte. Leon en Fabi balden hun vuisten en ik wist zeker dat ze zich bij het volgende foute woord op me zouden storten.

'Zeg dat nog eens!' siste Leon, maar ik schudde alleen mijn hoofd.

'Ik heb het ook over mezelf,' zei ik. 'Ik was het ergste. Ten eerste was ik bang dat Jojo en Marc me uit de ploeg zouden duwen. Toen was het Rocco, en tot gisteren deed ik het uit angst voor Ajax zowat in mijn broek. Ik was bang dat ik gewoon te slecht was en op het laatst hoopte ik alleen nog maar dat we nooit meer zouden spelen. En zo is het bij ons allemaal gegaan, denk ik.'

Ik zweeg even en keek om me heen. De vijandigheid was verdwenen als sneeuw voor de zon. Zelfs Leon en Fabian bogen hun hoofd.

'Ja, ik voel me precies zoals jullie,' ging ik verder. 'Helemaal afgelopen. Over en uit. Maar dat wil en kan ik niet laten gebeuren, en daarom zijn we nu hier.'

De anderen keken me vol verwachting aan. Maar niemand zei iets. Ik kon het gewoon niet begrijpen. Toen werd ik pas goed kwaad.

'Wat zullen we nou krijgen! Wat is er met jullie aan de hand? Jullie zijn mijn vrienden! En de Wilde Bende is de beste voetbalploeg van de wereld. Ja, zeker weten! Ook al heeft een Ribaldo ons uitgelachen. Shit! En dat zullen we hem nu eens even gaan bewijzen!'

'Shit, ja, dat doen we!' riepen Leon en Fabian en ook de anderen knikten instemmend.

Ik haalde opgelucht adem. Eindelijk waren ze wakker geworden. Eindelijk snapten ze het. Maar ik was nog niet klaar.

'Ho! Even wachten! Er is nog iets!'

Ik wachtte tot het enthousiasme van mijn vrienden wat was geluwd. Pas toen ging ik door: 'Goed. Bij de Ajax-Junioren spelen de beste jongens uit het land. En jullie geloven toch niet echt dat die ons serieus zullen nemen? Ja, Fabi heeft gelijk. Voor Ajax zijn wij hooguit mieren, misschien zelfs maar vlooien. En daarom moeten we ons goed presenteren, eh... ik bedoel een goed plan daarvoor maken!'

'Oké, schiet nou maar op!' riepen Leon en Fabi. 'Dat hebben we al gehoord. Kom nou eens met je plan!'

'Maar dat plan is van mijn moeder,' waarschuwde ik.

'Ja, maar die is een revolverheld!' riep Josje vlug en de glans in zijn ogen werkte aanstekelijk op de anderen.

Ik glimlachte trots. Toen stak ik van wal. Ik vertelde hun alles wat mijn moeder gezegd had. We moesten net zo worden als de jongens van Ajax. Een echt team. Daarvoor hadden we een naam nodig en een reglement. Elke speler moest een contract krijgen en ten slotte moesten we natuurlijk een shirt met een logo hebben. Daarvoor moesten we iemand vinden die dat wilde betalen. Een sponsor dus.

Ja, en dan zouden we niet meer die horde jongetjes zijn die wat tegen een bal trapten en grote dromen hadden. Dat was een ploeg waarmee een zekere Rocco niet wilde spelen en die was uitgelachen door een zekere João Ribaldo. Nee, dan zouden we een team worden dat door Ajax echt serieus genomen werd.

'Wat vinden jullie?' vroeg ik ten slotte. 'Denken jullie dat we dat voor elkaar krijgen?'

'En óf we dat voor elkaar krijgen!' riep Leon.

'Ja, maar waar trainen we dan?' vroeg Marlon. 'Felix is Willie vergeten.'

'Niet waar,' antwoordde ik. 'Ik denk dat Willie dat juist van ons wil. We hebben de strijdbijl opgegraven en gaan weer op buffeljacht!'

Marlon begon te grijnzen en Leon floot tussen zijn tanden.

'Ja, dat gaan we doen,' zei hij en stak me zijn hand toe voor een high five. 'Alles komt goed!'

'Nee. Alles is cool,' grijnsde ik en vulde aan: 'zolang je maar wild bent!'

De anderen volgden ons voorbeeld. En zo hadden we van deze dag af een eigen groet, waaraan de leden van de Wilde Bende elkaar onmiddellijk herkenden.

Geef nooit op!

De dagen daarna hadden we een heleboel te doen. Om te beginnen namen we een besluit over onze naam. Dat was het makkelijkste, dachten we. De Wilde Voetbalbende wilden we heten, dat was duidelijk. Maar zo heette geen enkele club ter wereld. Ze hadden allemaal een afkorting voor of achter de naam. Ze heetten FC van Football Club of SV van Sport Vereniging. Maar dat klonk allemaal vreselijk. Bij FC of SV De Wilde Bende gingen onze oren scheef staan en begon Sokke te janken. Ten slotte kwam iemand met O.G.V. Dat betekende Officieel Geregistreerde Vereniging. Maar zo heette hooguit een kegelclub. Wat nu? Zonder afkorting ging het niet.

Toen zei Marlon opeens: 'VW.'

'VW?' herhaalde Leon verbaasd.

'Ja. De Wilde Voetbalbende VW,' grijnsde Marlon listig.

'Ja, dat snap ik ook wel, slimbo!' riep Leon. 'Maar betekent het ook iets?'

'Natuurlijk!' zei Marlon. Hij vond het heerlijk om zijn broer op de kast te jagen. Vooral als die weer eens te dom was om ook maar íéts te begrijpen.

'Dat betekent doodgewoon: Verovert de Wereld.'

Leon floot tussen zijn tanden en mompelde: 'Wauw! De Wilde Voetbalbende Verovert de Wereld! Klinkt goed.' Maar toen fronste hij zijn wenkbrauwen. 'Is het niet een beetje opschepperig of zo?'

'Ja, maar alleen als je weet wat het betekent,' knikte Marlon. 'En tot nu toe ben *jij* er zelfs niet achter gekomen.'

Hij grijnsde breed naar Leon. Die wilde hem al een klap geven, maar Marlon was hem voor.

'Cool. De afkorting is ons geheim. Een geheime code die ons moed zal geven. Snap je me nou?'

'Slimbo!' antwoordde Leon, maar toen grijnsde hij. We namen het voorstel van zijn broer unaniem aan.

Daarna trok Marlon zich terug. Met tekenblok en viltstiften verdween hij naar de bovenste verdieping van de boomhut, de toren van Camelot. Daar ging hij de shirtjes, het clublogo en de spelerscontracten ontwerpen. Twee dagen lang hoorden we geen geluid meer van boven. Hij werkte zo hard, dat hij verhongerd was als Joeri's moeder hem niet af en toe iets te eten had gebracht.

Jojo, Marc, Fabian, Max, Josje, Joeri en Raban gingen op zoek naar een sponsor. In twee groepjes van twee en één van drie gingen ze alle garages en sportwinkels af. Ze liepen vastberaden en met opgeheven hoofd over straat. Geen van hen twijfelde eraan dat het zou lukken. Ze hadden hooguit ruzie over hoevéél sponsors ze konden krijgen en over of je ook de onderbroeken kon laten sponsoren.

Leon en ik bleven in de vergaderruimte achter om het reglement op te stellen. Twee dagen piekerden we ons suf, maar ten slotte hadden we het voor elkaar.

Op de derde dag kwamen we weer bij elkaar. We deden alle ramen en deuren van Camelot dicht en staken kaarsen aan. Toen liet Marlon ons zien wat hij bedacht had. Hij had maar één ontwerp, maar dat was fantastisch, vond ik. De shirts hadden de enige goede kleur. Ze waren zwart als de nacht, en op de borst prijkte als logo een wilde kop die net zo eenvou-

dig en strak was als wijzelf. De kousen waren lichtgevend
oranje.

We waren super-enthousiast, en nog enthousiaster over de
contracten. Die zagen eruit als schatkaarten: geheimzinnig
en indrukwekkend. Natuurlijk ondertekenden we ze met
ons eigen bloed. Dat hoorde zo, al prikte het even en deed het
een beetje pijn. Daarna lazen Leon en ik het reglement voor.

De eerste regel was: 'Wees Wild.' En de verklaring daarvoor stond in de tweede regel. Het was onze groet: 'Alles is
cool zolang je maar wild bent!'

De derde regel luidde: 'Geef nooit op!'

De vierde: 'Eén voor allen en allen voor één!'

En de vijfde en laatste regel luidde streng: 'Wie de Wilde
Voetbalbende ooit verlaat, is een verrader.'

Daarna bleef het muisstil. Het had heel ernstig geklonken. Maar het maakte ons ook tot een bende gezworen waarin iedereen even belangrijk was. Iedereen kon onvoorwaardelijk op iedereen rekenen, en wat was er belangrijker voor een team? Nee, met deze shirts, de contracten en ons reglement waren we zelfs nog meer. We waren nu een echte *gang*, zoals de drie Musketiers waren geweest. Of de mannen van Robin Hood. Maar er was één verschil: wij vochten niet met zwaard en pijl en boog. Nee, wij vochten op het voetbalveld met de bal.

Langzaam stonden we op. Het was nog altijd stil. In deze stilte zette de een na de ander zijn handtekening onder het reglement. Toen vormden we een kring. We sloegen de armen om elkaars schouders. En we zwoeren dat alles wat we nu hadden besloten, voor altijd gold. En we bezwoeren het met een oorverdovend: 'RRRRAAAAA!'

Nu hoefden we ons alleen nog maar druk te maken over een kleinigheid. We moesten de sponsor kiezen die onze shirts zou betalen. Vol verwachting keken we naar de zeven vrienden die dat geregeld hadden. Maar die werden opeens heel stil.

Er was geen sponsor te vinden, stotterden ze. En ze hadden echt alles geprobeerd. Ze waren bij elke garage geweest en in elke sportwinkel. En daarna hadden ze zelfs tankstations, sigarenwinkels en speelgoedwinkels geprobeerd. Maar overal waren ze uitgelachen. Soms beleefd en vriendelijk, maar vaak ook spottend en gemeen.

Eén sigarenboer, zo'n vieze dikke man met een schorre rokersstem, was het ergst geweest. Hij had hun grijnzend gevraagd of ze hem dan ook wilden sponsoren als hij mee ging doen aan de verkiezing van Mr. Universe. Nee, had Fabi meteen scherp geantwoord. Dat nooit van zijn leven. Maar als de sigarenboer de teer in zijn longen voor de wegenbouw ter beschikking zou stellen, zou Fabi meteen in hem investeren. Daarna waren ze allemaal ineengedoken. Zoiets zei je tegen niemand ongestraft. De sigarenboer lachte alleen maar heel hees. Het leek of hij bijna stikte. Maar helaas had hij het overleefd, want toen kwam de gemeenste van alle opmerkingen.

'Goed,' had hij boos gehijgd. 'Dat was niet slecht. Maar dan weten jullie ook wat ik van jullie voetbalclub denk.'

Leon, Marlon en ik konden onze oren niet geloven. Dat kon toch niet? We waren zo dicht bij ons doel! Raban schuifelde zenuwachtig met zijn voeten en stak zijn vinger op, alsof hij op school was.

'Ahum. Eh... er is m-m-misschien een sponsor!' stamelde hij.

Meteen hing iedereen aan zijn lippen.

'Mijn oom is slager,' ging Raban verder, 'en die zou ons graag steunen. Als we zijn logo op onze borst dragen, geeft hij ieder van ons een worst.'

Trots liet Raban ons het logo zien van zijn oom. Het was een worst op twee benen met een grijnzende varkenskop.

'Dat meen je niet hè, Raban!' riep Leon boos. Maar Raban bleef vol vertrouwen. 'We zouden de worsten kunnen verkopen,' zei hij ernstig.

'Ja, natuurlijk zou dat kunnen. En hoe heten we dan?' vroeg Leon. 'De Wilde Worsten?'

Nu begreep ook Raban het. Hij zag de schrik op onze gezichten en boog met vuurrode wangen zijn hoofd. Toen keek hij weer op en zei: 'Dan moeten we de shirtjes vergeten.'

Dat klonk vreselijk, maar hij had gelijk. Het plan van mijn moeder was dus mislukt. Zonder de shirts waren we geen echt team.

'Nee, dat kan niet,' protesteerde Fabi. 'Dat is tegen punt drie van ons reglement: Geef nooit op! Dat hebben we allemaal gezworen.'

Shit, hij had gelijk. Ik heb het in het begin al gezegd. Fabian heeft altijd een oplossing bij de hand. *We weten het even niet* bestaat niet voor hem. En natuurlijk had hij ook deze keer een plan.

'Ik heb een vriend,' zei hij, 'en bij hem ben ik al twee keer geweest met een probleem. Hij heeft het beide keren opgelost. We gaan morgen naar hem toe. We moeten alleen ons spaargeld meenemen, gel in ons haar en een zonnebril op.'

We snapten er geen bal van. Maar zo was Fabi nou eenmaal en wij vertrouwden hem blind.

Een aanbod dat je niet kunt afslaan

De volgende dag na school liepen we achter Fabian aan de stad in. We hadden allemaal gel in ons haar en een coole zwarte zonnebril op. Iedereen had zijn spaarvarken, zijn blikje met geld, zijn kussensloop, zijn uitgeholde knuffelbeest of waar hij zijn geld ook maar in opborg, onder zijn arm. Maar wij wisten nog steeds niet wat Fabi van plan was. Tot we voor de bank stonden. De bank van Max' vader. En die was even deftig en chique als de Eikenlaan.

Max bleef niet eens staan. Hij draaide zich abrupt om en liep vastbesloten dezelfde weg weer terug. Met de bank van zijn vader wilde hij niets te maken hebben. En als ik heel eerlijk ben, was hij niet de enige.

We dachten alleen maar aan het levenslange huisarrest dat je in de bank van Max' vader zou krijgen voor kapotte ruiten. Het liefst waren we allemaal met Max mee teruggegaan, maar dat had geen zin. Vluchten kon niet meer, en ook Max kwam niet zo heel ver.

'Ho, Max! Geen stap verder!' beval Fabi. Hij zei het op zo'n toon dat Max zich onmiddellijk omdraaide en als aan de grond genageld bleef staan. 'We hebben allemaal op het reglement gezworen. Daarom gelden voor ons allemaal de regels drie, vier en vijf. Of was je dat al vergeten?'

Max schudde zijn hoofd. Hij keek wanhopig. Maar hij kon

niet anders. Hij draaide zich opnieuw om en liep weer door. Fabi keek hem na, een paar eindeloze hartslagen lang.

Toen zei hij hard, maar heel kalm: 'Max, regel drie: Geef nooit op! Regel vier: Eén voor allen en allen voor één! En regel vijf: Wie de Wilde Voetbalbende ooit verlaat is een verrader!'

Max liep nog twee stappen door. Toen bleef hij staan. Hij draaide zich weer om en kwam ten slotte met hangende schouders terug. Fabi knikte glimlachend. Hij wachtte tot Max bij hem was en sloeg toen zijn arm om zijn schouder.

'Joh, Max, zo erg is het toch allemaal niet. En ik beloof je: we gaan de bank van je vader echt niet beroven.' Hij grijnsde listig. 'We doen je vader alleen maar een aanbod dat hij niet kan afslaan.'

Tegen ons zei hij: 'Zo, en van nu af aan doen jullie alleen nog maar wat jullie altijd doen als je net zo bang bent als ik. Er waanzinnig cool bij staan. De rest laten jullie aan mij over. Ik weet wat ik doe. Mijn vader zei zelf dat de Rolling Stones zo het beste platencontract uit de geschiedenis hebben gekregen.'

We begrepen er nog steeds niets van, maar ook dat hoorde bij Fabi's plan. Dat weet ik nu, maar toen was ik daar niet zo zeker van. Want toen Fabian even later de deur van de bank openduwde, floot hij weer dat nummer dat zijn vader altijd floot als hij bang was: 'Knock, knock, knocking on heaven's door.'

Maar wat moesten we anders? We hadden de shirts nodig!

Het bankpersoneel keek ons aan alsof we ze niet allemaal op een rijtje hadden. Ik keek naar Raban, met zijn gel, zijn jampotbril en zijn rood-wit-gestipte spaarkussen onder zijn arm, en ik kon die reactie best begrijpen. Zoiets hadden ze vast nog nooit meegemaakt.

Het werd plotseling doodstil in de bank. Het enige geluid was het gefluit van Fabian. Die keek het personeel een voor een aan. Hij fronste zijn wenkbrauwen en krabde zich achter zijn oor. Zijn gefluit sijpelde weg als een stroompje water in het zand.

De stilte begon pijnlijk te worden. Maar juist in pijnlijke situaties is Fabi op zijn best. En ook deze keer vond hij zijn onweerstaanbare grijns terug.

'Goedemorgen, dames en heren,' zei hij beleefd. 'U zult het niet geloven, maar wij wilden graag de directeur spreken.'

Een van de personeelsleden verslikte zich van schrik. Hij hoestte, proestte en slikte, en bracht ten slotte met moeite zijn antwoord uit. 'Sorry, maar de directeur heeft het heel druk.'

'Ja dat geloven we graag,' zei Fabi begripvol. 'Maar helaas hebben we een afspraak.'

'Geloof je het zelf?' zei de bankmedewerker nu spottend. Hij keek vluchtig naar zijn collega's en rolde met zijn ogen. 'Een afspraak met onze directeur?'

'Ja, inderdaad,' was Fabi's antwoord. Hij liet zich niet van zijn stuk brengen. 'We beginnen elkaar te begrijpen.'

De man verslikte zich opnieuw, hapte naar adem en wilde iets zeggen. Maar Fabian was hem voor.

'Zou u misschien tegen de directeur willen zeggen dat we er zijn?' grijnsde hij. 'Zegt u maar dat de heren van W.V.V.W. er zijn.'

De man stond paf, maar Fabians grijns en zijn vastbesloten blik duldden geen tegenspraak. De man gehoorzaamde en ging struikelend het kantoor van zijn directeur binnen, die tegelijkertijd Max' vader was. Wij stonden te trillen op onze benen.

'Ben je gek geworden!' fluisterde ik tegen Fabi. 'Wat klets je nou over een afspraak?'

'Ik heb het over de afspraak die we echt hebben,' grijnsde hij. 'Ik heb Max' vader gisteren gebeld dat we ons met onze firma in deze stad wilden vestigen.'

'Met welke firma dan?' vroeg ik.

'Met de Wilde Bende natuurlijk,' antwoordde Fabian. 'Ik heb alleen de afkorting van onze naam genoemd, de W.V.V.W. Oftewel: De Wilde Voetbalbende Verovert de Wereld. Snap je?'

'En dat geloofde hij zomaar?'

'Nou ja, ik heb natuurlijk mijn stem verdraaid. Ongeveer zo...' Fabi praatte nu met een zware stem. '...Weet u, meneer Van Maurik, er zijn een heleboel banken in deze stad, maar...'

'Ja, maar?' onderbrak ik hem ongeduldig.

'Hij heeft toen drie andere afspraken afgezegd, alleen maar om ons te spreken. Ik weet zeker dat hij heel erg happig is. Wacht maar af!' glimlachte Fabi.

Max' vader kwam achterstevoren zijn kantoor uit gelopen en botste tegen zijn personeel op.

'Uw gedrag is zeer schadelijk voor de bank! Meneer Wevers, knoopt u dat alstublieft in uw oren. Natuurlijk wil ik de heren van de W.V.V.W. ontmoeten.'

Maar een nanoseconde later had hij al spijt van deze preek, want hij draaide zich naar ons om en verstijfde.

'Wevers!' schreeuwde hij. 'Wat heeft dit te betekenen?'

Ook wij verstijfden. We waren het liefst onder de marmeren vloer gekropen. Josje plukte zenuwachtig aan zijn uitgeholde knuffeldier en Raban zoog aan een punt van zijn spaarkussensloop. Alleen Fabi had het allemaal in zijn hoofd zitten.

'Goedemorgen, meneer Van Maurik!' zei hij met zijn te diepe stem. Hij grijnsde even en praatte toen weer normaal. 'Het is erg vriendelijk dat u even tijd voor ons maakt. Kom, mannen!' zei hij en liep langs de stomverbaasde bankdirecteur diens kantoor binnen.

We volgden hem met knikkende knieën. Als laatste haastte Max' vader zich zijn kantoor in en gooide de deur met een klap achter zich dicht.

'Wat heeft dit te betekenen?' fluisterde hij woedend. 'Wie denken jullie wel dat ik ben? Wat moet mijn personeel nu van me denken?'

Wij krompen ineen, maar Fabian bleef cool.

'Daarom zijn we ook hier,' glimlachte hij. 'Maar eerst moet ik u iets uitleggen. Waarom gaat u niet zitten, meneer Van Maurik? We hebben maar tien minuten nodig. En ik verzeker u nu al dat we het eens gaan worden.'

Max' vader hapte naar lucht. Ik was ervan overtuigd dat hij vuur zou gaan spuwen om ons met een steekvlam te vernietigen. Maar Max' vader werd door het onweerstaanbare grijnzen van Fabian gehypnotiseerd. Hij ging braaf achter zijn bureau zitten.

'Goed dan, tien minuten. Ik wacht!' zei hij. Fabi verloor geen seconde. Hij vertelde hem het hele verhaal. Over Rocco en Ribaldo, en over Willie, die ons verwenst had. En dat de wedstrijd tegen Ajax daarom onvermijdelijk was. Hij vertelde hem over onze club. Over de contracten, het reglement en de noodzaak van de shirtjes. Alleen dan zou Ajax ons serieus nemen. Maar voor de shirts hadden we sponsors nodig, en de sponsors zouden willen dat we wonnen, waar de shirts weer noodzakelijk voor waren. En daarom waren we hier.

Fabi zweeg. De stilte was zwaar en veelbetekenend. Max' vader leunde achter zijn monumentale bureau achterover in zijn grote bureaustoel. Even dachten we dat Fabi grote indruk op hem had gemaakt, maar dat bleek een volkomen verkeerde inschatting.

Max' vader keek alleen maar op zijn horloge en zei: 'Dat waren er acht. Jullie hebben nog precies twee minuten.'

Fabi haalde diep adem. Toen zei hij zachtjes: 'Oké. U hebt gelijk. Laten we eindelijk ter zake komen. Ik heb drie offertes voor shirts en de middelste lijkt de beste. Tweehonderd euro. Honderd komen van ons. Kom op, mannen, leg jullie spaargeld op tafel. De rest komt van u, eh... Ik bedoel van uw bank. Tot de wedstrijd is gespeeld. Voor die wedstrijd nodigen we alle sponsors uit die ons nu nog niet vertrouwen. Maar na onze overwinning zullen we onze schulden maar al te graag aflossen.'

Fabi wachtte, overtuigd van zijn succes. Maar Max' vader keek alleen maar naar de berg spaarvarkens, spaarblikjes, uitgeholde knuffeldieren en het gestipte hoofdkussen op zijn bureau.

'En als jullie verliezen?' vroeg hij koel.

'Dat is het risico!' zei Fabi grijnzend. 'Je doet tegenwoordig geen zaken meer zonder risico's.'

Max' vader grijnsde terug. 'Jullie hebben nog een minuut en ik zeg het maar meteen: dit risico is geen risico meer. Dat is een levensgevaarlijke opdracht.'

Fabi knikte afwezig. 'Dat begrijp ik,' zei hij. 'Dat begrijp ik heel goed.' Maar toen zuchtte hij diep. 'Jammer dat we het tóch eens moeten worden. Weet u, we willen niet lastig zijn, maar we hebben geen keus. We hebben de shirts nodig. En daarom herinner ik u even aan uw personeel. Die roddelen vast en zeker nu al over u, omdat u zo lang met ons praat. En wat zouden ze zeggen als ze hoorden dat uw zoon twee ruiten op één dag kapot mag schieten en daarvoor niet één dag huisarrest krijgt, alleen omdat uw dochter als een gek geworden cheerleader rondspringt? Denkt u echt dat deze informatie goed is voor uw gezag op de bank?'

Dit was het aanbod dat Max' vader niet kon afslaan waar Fabi het over gehad had. De directeur leunde heel cool in zijn stoel achterover. Maar aan de zweetdruppels op zijn bovenlip konden we zien dat hij blufte.

'Dat zouden jullie doen?' vroeg hij, en keek ons een voor een aan.

'Dat zou jij doen?' vroeg hij aan Max, zijn eigen zoon.

Maar Max zei niets en wij ook niet. We deden wat Fabian gezegd had en zagen nu ook de zin in van zijn plan. Met de gel in ons haar en de zonnebrillen zagen we er meedogenloos uit. En daarom nam Max' vader ons aanbod aan.

'Nou goed,' zei hij met een zucht. 'Jullie hebben gewonnen. Maar als jullie van Ajax verliezen en geen sponsor krijgen, neem ik hoogstpersoonlijk de shirts in beslag. Is dat duidelijk?'

We knikten en wisten niet hoe gauw we weer op straat moesten komen. Nu hadden we alles wat we nodig hadden. Nu konden we Ajax overwinnen. Of, stop! Nee! Eén iemand misten we nog: onze trainer. Inderdaad, Willie! Zou hij ons echt weer willen trainen, zoals ik voorspeld had? Of zou hij ons opnieuw wegsturen, omdat hij ook nu nog niet in ons geloofde?

In dat geval – dat wisten we allemaal – hadden we ook de shirts niet meer nodig. Dan zouden we nooit meer voetballen. Dan zouden we elkaar de gezworen eed kwijtschelden en op een knutselcursus gaan. Ja, dat zouden we doen en we waren er bang voor, want dat wilde natuurlijk niemand.

En daarom klopte ons hart als dat van een gek geworden konijntje, toen we na ons succes bij de bank regelrecht naar de Duivelspot liepen om Willie te vragen.

Alles ingezet op één kaart

'Hé! Ben je wel helemaal wakker?' vroeg Leon cool alsof er helemaal niets op het spel stond.

Willie zat doodkalm in zijn schommelstoel voor het stalletje en bekeek wat we voor hem hadden meegebracht: de ontwerpen voor de shirts, het reglement en de spelerscontracten.

'Kom op Willie, neem een besluit. We blijven niet eeuwig wachten!' zei Leon uitdagend. Ik dacht op dat moment geen seconde dat hij blufte.

Ook Willie dacht dat niet. Hij keek ons aan. Gelukkig hadden we nog steeds onze zonnebrillen op, anders had hij onze smekende ogen gezien. Peinzend schoof hij zijn baseballpet naar achteren en krabde op zijn voorhoofd.

'Jullie zijn nogal veranderd,' mompelde hij. Toen keek hij opnieuw naar het reglement en de contracten. 'En dit klinkt allemaal tamelijk serieus, vind ik. Zoiets als: *Ik zet alles in op één kaart.*' Hij krabde nog een keer op zijn voorhoofd. 'Als jullie van Ajax verliezen, zitten jullie de komende twee jaar volledig aan de grond, wat zakgeld betreft.'

Hij keek ons aan, maar wij trokken ons in ijzig stilzwijgen achter onze zonnebrillen terug.

'En ik heb de indruk,' ging Willie verder, 'dat die zonnebrillen een soort oorlogskleuren zijn. Heb ik gelijk of niet?'

Nu moesten we glimlachen. Zelfs Leon kon van opluchting een glimlach niet meer onderdrukken. Alleen Willie bleef ernstig.

'Jammer,' zuchtte hij. 'Het is echt doodzonde dat ik jullie zo niet kan trainen.'

De lach bevroor op ons gezicht. Onze knieën knikten en we wankelden geschrokken een paar stappen naar achteren. Maar Willie was nog niet klaar.

'Ik bedoel, dat moeten jullie toch begrijpen. Ik zie hier uitsluitend spelerscontracten, maar géén trainerscontract. Hoe zou ik zo kunnen werken? Ik weet toch dat zo'n trainersstoel tegenwoordig een schietstoel is. Dat red ik niet zonder contract!'

Shit! Was dat alles? Een hele lawine rotsblokken viel van mijn borst en Marlon rommelde wild in zijn rugzak.

'Wacht even, Willie!' riep hij met een stralend gezicht. 'Hier is het. Je contract.'

Hij gaf het aan Willie. Die rolde het uit en las het hardop voor.

'Trainerscontract voor de beste trainer van de wereld. Als kleine lettertjes geldt ons reglement. Daarom is er geen reden om op te zeggen. Want dan word je een verrader of je bent niet wild meer en geeft je vrijwillig op bij de knutselclub.'

Willie dacht na en krabde voor de zoveelste keer op zijn hoofd.

'Nou, nou, dit is heftig, jongens. Ik weet het niet hoor,' mompelde hij. Hij gaf Marlon het contract weer terug. 'Ik weet echt niet waar mijn mes is. Wat zullen we nou krijgen! Waar heb ik dat ding toch?' mopperde hij. Hij zocht in al zijn zakken en vond het eindelijk. Toen klapte hij het open, maakte een sneetje in zijn duim en drukte die bij onze eed op zijn contract.

'Alles is cool,' zei hij plechtig. En bij het tweede deel van de spreuk vielen we hem enthousiast bij: '... zolang je maar wild bent!'

Toen schreven we samen een brief aan Ajax. Zondag over drie weken wilden we tegen ze spelen. Dat hadden we bedacht, want over drie weken zouden we onze shirts krijgen. En drie weken zou ook genoeg tijd zijn om te trainen. Daar gingen we met onze nieuwe strijdlust en ons zelfvertrouwen tenminste van uit. En gelukkig vermoedde niemand van ons hoe goed Ajax eigenlijk is.

De uitdaging

De volgende morgen namen we de brief mee naar school. Niemand anders dan Rocco mocht onze uitdaging aan Ajax overhandigen. Daarover hoefden we het niet eens te hebben. Dat was een kwestie van eer en trots. Rocco en zijn verwaande vader moesten als eersten horen dat we het niet opgaven.

We zagen elkaar op de trap van het schoolplein naar het schoolgebouw.

'Alles is cool!' begroetten we de anderen die er al waren, en het antwoord kwam meteen. 'Zolang je maar wild bent!'

We gingen op de trap zitten. De eerste bel ging en hordes kinderen stroomden langs ons de school in. Het schoolplein werd een spooktuin. Het weer was nog steeds in de war. Halverwege juni was het even koud en grijs als op de vroegste ochtend in november. Windstoten waaiden het stof uit de hoeken en bliezen dat als een mistsluier over het ruwe asfalt. We konden de ingang van het schoolplein nauwelijks meer zien. En daarom zag Rocco ons ook niet toen hij eindelijk verscheen.

Zoals elke dag kwam hij op het nippertje op tijd. Wij wisten waarom. Sinds ons bezoek aan Hemelpoort 14 ging hij ons uit de weg. Ook wij hadden sindsdien gedaan of we hem niet zagen. Daarom rekende Rocco er beslist niet op dat wij op hem zaten te wachten.

Langzaam, zijn blik op zijn schoenen gericht, kwam hij de

trap op. Hij keek op, zag ons en heel even was hij oprecht verbaasd. Zoals Rocco op ons afkwam, leek hij totaal niet meer op de stralende jongen die we op de eerste dag na de vakantie hadden leren kennen. Misschien lag het alleen maar aan het troosteloze weer. Maar de Rocco die nu de trap op klom, zag er treurig, eenzaam en ongelukkig uit. Even vergat ik wat hij ons had aangedaan en dat hij onze vijand was. Even geloofde ik bijna dat hij ons miste.

Een glimlach gleed over zijn gezicht. Maar toen drong het blijkbaar tot hem door dat we daar niet zomaar zaten. De glimlach verdween en de eenzaamheid en treurigheid maakten plaats voor een ijzige trots. Ja, Rocco was zeker niet minder wild dan wij. Hij zou perfect in ons team passen, maar dat was nu helaas niet aan de orde. Nu was hij onze tegenstander en vijand. Kaarsrecht en trots kwam hij op ons af. En hij kromp ook niet ineen toen we op een teken van Leon allemaal opstonden. Als een donkere, dreigende muur versperden we hem de weg. Een ogenblik lang hoorde je alleen het fluiten van de wind. Toen deed Leon een stap naar voren. Hun neuzen raakten elkaar bijna.

'Hoi, Leon,' begroette Rocco hem toonloos. Maar Leon had geen zin in dat soort formaliteiten.

'Je weet waarom we hier op je wachten?' vroeg hij aan Rocco, zoals je dat een vijand kunt vragen.

Rocco knikte, maar dat zag je alleen aan zijn ogen.

'Oké,' knikte Leon terug. 'Breng deze brief naar Ajax.'

Hij drukte Rocco onze brief tegen de borst. Rocco pakte hem aan en bekeek hem. De envelop was zo zwart als de nacht en verzegeld met ons embleem als lakzegel. Weer trok er een glimlach over Rocco's gezicht. Was het blijdschap, vroeg ik me voor de tweede keer af. Of was het alleen maar spot? Leon besloot in elk geval dat het spot was.

'En nog iets. Zeg tegen je vader en iedereen die er net zo over denkt als hij: we laten niet meer over ons heen lopen.'

Leons blik was een en al vijandigheid, maar hij bleef cool. Nonchalant deed hij een stap opzij en liet Rocco langs. Maar die aarzelde nog. Hij keek ons een voor een aan. Op het laatst keek hij mij zo strak aan dat ik een slecht geweten kreeg. Pas toen ging hij zwijgend verder de trap op en de school in.

Leon keek hem na en balde zijn vuist. 'Ja!' riep hij. En hij stak zijn hand omhoog voor een high five. 'Alles is cool!'

'Zolang je maar wild bent!' antwoordde Fabi en hij sloeg tegen Leons hand. Toen liepen we achter Rocco naar onze klas.

Het gras wordt rood

De volgende twee weken vlogen voorbij. We trainden elke dag en mét ons enthousiasme kwam ook de zomer terug. Willie pakte ons keihard aan. Maar niemand protesteerde. Dat was wel anders geweest bij de training voor de wedstrijd tegen de Onoverwinnelijke Winnaars, in het van muggen vergeven moeras aan de rivier. We waren bereid alles te geven. En zonder mopperen herhaalden we elke oefening tot Willie tevreden was.

Urenlang speelden we man tegen man en vochten om de bal alsof het een kostbare schat was. We ramden onze schouders tegen elkaar. We sprongen omhoog om elkaar op het laatste moment de bal af te pakken. En als we vielen, bleven we geen nanoseconde op de grond liggen, maar sprongen meteen weer op om door te vechten.

We stopten de bal van elke denkbare hoogte met onze voet, bovenbeen, buik, borst of hoofd. Toen stopten we hem niet meer, maar speelden hem direct door. Of we legden de bal zelfs onder het lopen klaar voor het schot.

Felheid, snelheid en speloverzicht, dat was wat Willie van ons eiste. En verdediging. We moesten overal tegelijk zijn. Zelfs Leon, onze topscorer, moest bij elke tegenaanval mee terug in de verdediging. We renden en renden en renden, tot onze tong zo ver uit onze mond hing dat we er bijna op konden trappen. En ondanks dat renden we door. We renden en renden tot onze benen het gewoon opgaven.

Midden in de spurt, in de sprong, bij het schot op het doel, vielen we in het gras, alsof iemand ons neergesabeld had. Maar het was alleen maar totale uitputting. We lagen voor dood en we zouden nooit meer overeind kunnen komen, dachten we op dat moment. Maar toen kwam Willie met sinas. En hij zag hoe de frisdrank al op onze lippen verdampte vóór hij onze tong bereikte. Willie wachtte rustig tot we weer konden ademhalen en sprak ons moed in.

'Was dit het al?' vroeg hij droog. We keken hem met grote, glazige ogen aan. 'Als dat zo is, kunnen jullie het tegen Ajax wel vergeten. Is dat duidelijk? Ajax is niet alleen een van de beste voetbalclubs ter wereld voor volwassenen. Nee, ook de jeugdteams van Ajax zijn niet te overwinnen. Dat zullen jullie wel merken. Zo gauw het beginsignaal klinkt, verandert het gras meteen van kleur. Van groen wordt het rood. Ze hebben namelijk niet maar één Joeri 'Huckleberry' Fort Knox. Ze hebben er zeven. Jullie zullen het gevoel krijgen dat *zij* met 28 man zijn en *jullie* helemaal alleen op het veld. Dus, waar wachten jullie nog op? Overeind, mannen!'

Maar we bleven liggen. We konden niet meer en we dachten alleen maar: wat heeft dit eigenlijk voor zin? Toen kwam Willie naar mij toe. Uitgerekend naar mij, en niet naar Leon of Fabian.

Hij ging voor me op zijn hurken zitten en vroeg: 'Wat is er eigenlijk met je astma aan de hand, Felix? Ik bedoel, als ik te veel van je vraag, begin je toch meteen te piepen?'

Ik keek hem verbaasd aan. Toen haalde ik voorzichtig adem. Ik verwachtte het gewone gepiep en de pijn in mijn borst, maar daar was op dit moment niets van te bespeuren. Wauw! En toen besefte ik het opeens. Sinds het duel van de appelmoes-revolverhelden met mijn moeder had ik geen hoestaanval meer gehad. Ik keek Willie aan.

'Je vraagt heus niet te veel van me,' zei ik glimlachend.

Willie glimlachte ook. 'Jullie worden elke dag beter. Ik ben razend trots op jullie, weten jullie dat?'

217

Toen stond ik op. Ik kon niet anders. Ik moest het doen om de prop in mijn keel voor hem te verbergen. Maar ik had nog een andere reden: ik was opeens helemaal niet moe meer.

'Hé, Willie heeft gelijk! We worden elke dag beter!' riep ik tegen de anderen. Mijn energie stak hen aan. We gingen door met trainen en 's avonds hadden we het gevoel dat we op een wolk naar huis zweefden.

Ken je dat gevoel als je lichaam totaal uitgeput is en je je toch zo licht voelt als een veertje? Wauw, wat voelt dat goed! We liepen samen naar huis en elke keer zei degene die thuiskwam met een ernstig gezicht: 'Alles is cool!'

En de anderen antwoordden: 'Zolang je maar wild bent!'

En ze meenden het allemaal even serieus.

De pinguïn helpt

Op de vijftiende ochtend sinds onze uitdaging stond Rocco óns bij school op te wachten. Net als wij twee weken geleden, zat hij op de trap. Maar hij stond niet op toen we kwamen. Hij bleef zitten, trok de brief uit zijn zak en hield hem ons voor zonder iets te zeggen. Hij keek ons aan en ik dacht: hoe kun je zo ongelukkig zijn? Maar misschien was hij gewoon alleen maar cool en vreselijk arrogant, en dat paste wel bij hem.

We durfden Rocco's brief niet ter plekke open te maken. Maar we waren natuurlijk stinkend nieuwsgierig. We konden amper wachten tot de school uitging en we naar Willie konden.

Op de Duivelspot pakte Willie zijn zakmes en ritste de envelop open. Toen vouwde hij de brief open en las hem tweemaal zachtjes mompelend door. Hij schoof zijn pet naar achteren en krabde op zijn voorhoofd. Pas toen begon hij ons de brief voor te lezen.

'Beste Wilde Voetbalbende!' We zuchtten en kreunden al bij voorbaat, en rolden met onze ogen. Wat was dat voor een aanhef? 'Beste' en 'wild'. Dat paste toch niet bij elkaar?

'Beste Wilde Voetbalbende,' herhaalde Willie. Ook hij kon zijn boosheid nauwelijks verbergen. 'Beste Wilde Voetbal-bende! We danken jullie hartelijk voor jullie "uitdaging". Uitdaging tussen aanhalingstekens,' riep Willie nog bozer. 'Maar helaas is het E-jeugdteam van onze vereniging geheel volgeboekt wat vriendschappelijke wedstrijden betreft. Met vriendelijke groeten, Ajax, de Jeugdleiding.'

Willie liet de brief zakken en keek ons aan.

'Maar dat is nog niet alles,' ging hij verder. 'Hier staat nog een PS: Willen jullie, Wilde Voetbalbende, er alsjeblieft begrip voor hebben dat Ajax zelf zijn tegenstanders uitkiest? Daarom zullen verdere aanvragen niet meer beantwoord worden.'

Het was stil. Zo stil, dat je onze woede kon voelen en ruiken. Ze broeide als een onweer achter de horizon, stapelde zich op en barstte toen uit als een vulkaan.

'Dit kan niet wáár zijn!' riep Marlon.

'Arrogante watjes!' verwenste Leon heel Ajax.

'Ze kunnen me wat!' schold Fabi.

En ik voegde er razend aan toe: 'Ze nemen ons gewoon niet serieus. Ze willen niet tegen ons spelen. Ze peinzen er niet eens over!'

Na deze opmerkingen waren we sprakeloos. Wat konden we tegen zo'n nederlaag doen? Het was net zoiets als het weerbericht. Morgen regent het. En daarmee basta! Tegen zoiets ben je totaal machteloos. Woedend hakte Leon met zijn hiel in het gras.

'Wat een stelletje sukkels!' schold hij. 'Ze verdienen het niet eens om tegen ons te spelen!'

Hij keek alsof dat een troost was, maar dat was het niet. Zwijgend, teleurgesteld en voor de tweede keer tot op het bot vernederd, lieten we ons in het gras zakken. Als een kudde domme schapen trokken we grassprietjes uit. Zelfs Willie deed dat. En het hielp ook niet toen hij zijn pet naar achteren schoof en over zijn gegroefde voorhoofd krabde. Hij kon niets bedenken.

Toen verbrak Marc de stilte. 'Leon heeft gelijk. Ze verdienen ons helemaal niet. En ik denk dat we ze zo wél krijgen. Kom mee!' Marc sprong overeind. 'Kom op! We hebben geen tijd te verliezen. Het is al half twee en we moeten met Edouard hebben gesproken voordat mijn moeder de salade van haar gezicht haalt.'

We begrepen er geen klap van. Maar Marc rende al weg en wij konden weinig anders doen dan achter hem aan gaan.

'Mijn moeder is actrice,' legde hij onder het rennen uit. 'Elke avond wordt ze geschminkt en daarom doet ze 's morgens bijna altijd een laag kwark met schijfjes komkommer op haar gezicht. Elke dag tot een uur of twee. En dan komt meestal de pers. Die zetten de kwark en de komkommer dan in de krant.' Hij grinnikte even. 'En Edouard is degene die dat allemaal coördineert.'

'Kordiwat?' vroeg Josje.

'Coördineert,' herhaalde Marc. 'Edouard zoekt de journalisten uit en let erop wat ze schrijven. In de politiek heet dat propaganda, geloof ik, of censuur.'

'Propanogwat, kordineert en centuur. Ik snap het,' zei Josje gewichtig. Hij kroop tussen ons door naar voren en belde voor Marc aan. De voordeur van de villa was net een kasteelpoort.

Een seconde later deed Edouard de pinguïn open. Eh... ik bedoel Edouard de butler. Zijn rare pak leek op de veren van een pinguïn. Zijn gezicht was strak alsof het uit hout was gesneden en zijn neus stak omhoog. Dat deed hij altijd om de mensen die hier niets te zoeken hadden, dat even duidelijk te maken.

Maar bij ons was hij anders. Bij ons veranderde zijn houten gezicht in handwarm deeg. Hij glimlachte.

'Hoi, Edouard. Welke krant komt er vandaag?' vroeg Marc, die geen tijd wilde verliezen.

Maar Edouard werd weer van hout, stak zijn neus in de lucht en zei vormelijk: 'Olala. Zo gaat dit niet, mijne eren. Eerst graag het vachtvoord.'

We schuifelden zenuwachtig met onze voeten. Het wachtwoord? Hoe moesten we dat nou weten?

'Ach natuurlijk,' fluisterde Marc. Toen riep hij: 'Alles is cool!'

'Zolang je maar vield bent. Exactement,' glimlachte Edouard. Zijn gezicht was weer zacht als deeg. 'En nu, mijne eren, vat kan iek voor juulie doen?'

'Dat heb ik toch al gevraagd, Edouard,' zei Marc ongeduldig. 'Welke krant komt er vandaag? We willen een interview.'

'We hebben Propanogwat, kordineert en centuur,' onderstreepte Josje.

'Ja, en een foto van ons! Zeg nou welke krant, Edouard!'

'De Algemene Courant. O, mon Dieu. Maar die is zo, zo vol sensation.'

'Dat is juist super!' riep Marc enthousiast. 'Dat hebben we nodig. Luister! Krijg jij het voor elkaar dat De Algemene Courant iets over ons schrijft? En hou je mijn moeder alsjeblieft zolang weg?'

Marc keek Edouard met grote E.T.-ogen aan en de pinguïn smolt als sneeuw voor de zon.

'Olala, monsieur Junior. Mar dat ies niet zo netjus. En Edouard doet niets voor niets. Dat kost een contract. Een contrat als Erelied van de Vielde Voetbalbande.'

Dat was geregeld. Tien minuten later zaten we in de garage te praten met twee journalisten, terwijl een fotograaf om ons heen sprong en foto's maakte. De journalisten gedroegen zich in het begin net als Ajax. Ze waren verschrikkelijk arrogant. Maar ze veranderden door ons. Na een half uur stonden ze aan onze kant en toen we afscheid namen en ze bedankten, gaven ze ons een vette knipoog.

'Alles is cool!' zeiden ze.

'Zolang je maar wild bent!' vulden we grijnzend aan.

Willie grijnsde precies zo toen we hem de volgende morgen voor school in zijn stalletje zagen. Hij sloeg de krant open en liet ons de foto zien. Maar dat was nog niet alles! Erboven stond in vette letters:

AJAX NIET WILD GENOEG VOOR WILDE
VOETBALBENDE!

Wauw! Die zat! Dat was een klap in het gezicht van Ajax. Zo'n belediging kon zélfs Ajax niet over zijn kant laten gaan. En ja hoor, twee dagen later al bracht Rocco weer een brief mee naar school. Daarin stond deze keer heel bescheiden: 'We nemen jullie uitdaging aan. Aanstaande zondag om half tien op onze trainingsvelden.'

Nu stond niets ons meer in de weg. We belden alle sponsors die ons geweigerd hadden en nodigden hen uit voor de wedstrijd. Ja, zelfs de dikke sigarenboer moest komen. We waren zo trots! Daarna trainden we nóg harder. We barstten van de energie. Ons lukte alles, wat we ook deden, en het woord uitputting kenden we niet. Alleen de school en de nacht onderbraken onze training en de nacht werd elke dag korter. Als het zo donker werd dat we echt niets meer konden zien, haalde Max zijn speciale voetbal tevoorschijn. Een lichtgevende bal die in het donker oranje oplichtte. En met die bal speelden we net zo lang door tot onze ouders hoofdschuddend bij de Duivelspot verschenen om ons op te halen.

We waren niet meer te stuiten. Vrijdag voor de wedstrijd, toen de ondergaande zon achter de boomtoppen zakte, kregen we eindelijk onze beloning. Willie riep ons bij elkaar, haalde een grote kartonnen doos uit zijn stalletje en zette die in ons midden neer. De een na de ander riep hij bij zich, en overhandigde hem een pakje. Het voelde alsof je tot ridder geslagen werd. Toen mochten we de pakjes openmaken. Voor het eerst sinds een week waren we ademloos, knockout, perplex. Zwart als de nacht waren onze shirtjes, met op de borst het logo van de Wilde Voetbalbende. Onze kousen waren feloranje.

Willie grijnsde verlegen en krabde op zijn voorhoofd om zijn ontroering te verbergen.

'Nou, komt er nog wat van? Dit zijn geen tafelkleedjes. Trek aan!' zei hij schor.

Dat hoefde hij geen twee keer te zeggen. Drie minuten later stonden we elkaar met fonkelende ogen te bekijken. We voelden ongelovig aan het logo van de Wilde Voetbalbende op onze borst.

Man! Dit was het moment waarop we allemaal gewacht hadden!

Willie pakte zijn camera en nam een foto van ons. 'Jullie stralen zo dat jullie licht geven,' grinnikte hij. 'Ik hoef niet eens te flitsen!'

En toen werd hij opeens heel ernstig. 'Ik ben trots op jullie,' zei hij ernstig. 'Jullie zijn een hechte ploeg geworden. Ik hoop dat jullie dat voor altijd zullen blijven, ook als jullie zondag niet winnen.'

We vielen allemaal van onze wolk. Shit, waarom zei hij dat nou? Waarom moest hij ons nou juist op dit moment ontmoedigen? Wist hij niet wat er op het spel stond? Een nederlaag was gewoon niet mogelijk. Dan zouden we alles weer

verliezen. We zouden heel lang blut zijn en Max' vader zou de shirts in beslag nemen. Maar Willie veegde onze protesten van tafel.

'Nee. Hou daar alsjeblieft ook rekening mee. Dat is belangrijk. Even belangrijk als de training. Geloof me, die angst komt vannacht op een of ander moment. De angst dat je ondanks alles verliest. Als jullie met die angst zondag tegen Ajax aantreden, winnen jullie nooit. En als jullie met die angst verliezen, is na de wedstrijd alles afgelopen. Dan zou alles voor niks zijn geweest en houdt de Wilde Voetbalbende op te bestaan.'

We begrepen het niet. Maar Willie veegde zijn zweethanden aan zijn broek af.

'En nu naar huis, jullie! Morgen is er geen training. We zien elkaar zondag, en ga morgenavond niet te laat naar bed.'

Bewijs van moed

Op die vrijdagavond slopen we stilletjes naar huis. En wat de nacht betrof, kreeg Willie gelijk. De angst kwam. In het begin namen we die angst niet zo ernstig. We dachten dat het door Willie kwam. Hij had hem ons aangepraat en morgen zou hij vast en zeker verdwenen zijn. Maar hij bleef en de volgende dag was niemand van ons aanspreekbaar.

Marlon praatte zelfs niet meer tegen Leon, maar las liever een boek, iets wat hij anders nooit van zijn leven vrijwillig deed. Maar in werkelijkheid las hij geen letter. In werkelijkheid staarde hij maar naar de bladzijden en merkte niet eens dat hij het boek ondersteboven hield.

Later belden we allemaal wel iemand van de Wilde Bende op, maar geen van ons wilde aan de telefoon komen. Niemand was bereid zijn angst toe te geven en iedereen dacht alleen maar: Waarom heeft Willie gelijk? Zo zullen we nooit winnen.

Ik had de hele dag op mijn kamer gezeten, tot mijn moeder me riep voor het eten. Ze had weer pannenkoeken en toen kreeg ik een idee.

'Mam, zou je nog een keer revolverheld willen zijn?' vroeg ik.

Mijn moeder keek me verbaasd aan. Toen haalde ze haar schouders op, pakte de lepel beet en zei met een zware, schorre stem: 'Wat wil je nu dan weer, jongen? Heb je nog niet genoeg?'

Ik schudde mijn hoofd. 'Nee. Niet zo, mam. We hoeven dit niet nog een keer te spelen. Ik wil met je praten. Ik bedoel echt praten, begrijp je. Van man tot man!'

Een moment was het stil. Mijn moeder slikte zelfs, maar daarna was ze absoluut de beste moeder van de wereld. Ze begreep het en ik kon haar alles vertellen. Over de angst en dat we die moesten zien kwijt te raken. En toen we zo van man tot man zaten te praten, kreeg mijn moeder een idee.

'Jullie hebben voor jezelf een bewijs van moed nodig,' zei ze. 'Herinner je je nog de oude houten brug over het kanaal? Waar je vorig jaar met je vader vanaf wilde springen? Daar moeten jullie heen en wel onmiddellijk.'

'Maar... het wordt zo donker,' antwoordde ik geschrokken. De brug die mijn moeder bedoelde lag, shit-o-shit, minstens drie meter boven het kanaal. 'We moeten vroeg naar bed van Willie. En bovendien was je vorig jaar zo boos, hoewel ik helemaal niet van de brug ben gesprongen.'

'Ja, vorig jaar was ik ook je móéder,' zei ze glimlachend. 'En ik was dolblij dat je niet durfde. Maar nu praten we als mannen onder elkaar en ik weet niet wat Willie liever heeft. Dat jullie een beetje minder slapen of dat jullie het van angst in je broek doen.'

Ik keek haar niet-begrijpend aan. Wat dit echt mijn moeder die daar tegenover me zat? Wauw! Bij de gedachte aan de brug werd ik al duizelig. En ik voelde weer de angst, die me toen als koud water langs mijn rug liep. Als we daarboven op de brug stonden en niet zouden durven springen, konden we de wedstrijd tegen Ajax onmiddellijk vergeten.

Maar mijn moeder was de revolverheld en revolverhelden zijn gewoon meedogenloos, zoals je weet. Ze stond op.

'Ga je handdoek en zwembroek pakken,' zei ze, 'dan maak ik intussen een thermoskan thee. Je stopt het allemaal in je rugzak, springt op je fiets en haalt de anderen op.'

Ik slikte, maar ik had geen keus. Ik haalde mijn zwemspullen en propte ze in de rugzak. Toen ik de keuken weer binnenkwam, stond de thermoskan met thee al klaar op het aanrecht. Ik liet de kan in de rugzak glijden en kreeg van mijn moeder nog wat plastic bekertjes mee. Ik haalde mijn fiets uit de kelder en reed weg. Ik ging eerst naar Marlon en Leon, en met hen naar Fabian, Joeri en Josje. Daarna haalden we Raban, Max en Jojo op. En ten slotte sluisden we Marc met de hulp van Jojo en Edouard, de pinguïn, langs zijn vader de villa uit.

'De revolverheld heeft een idee hoe we van die afgrijselijke angst af kunnen komen,' zei ik alleen maar, en de anderen knikten. Ze pakten hun zwemspullen en volgden me blind. Over de brug zei ik niets. Ik was bang dat er dan niemand mee zou gaan. Van de oude houten brug in het kanaal springen was ongeveer gelijk aan de Mount Everest beklimmen zonder zuurstoffles. Het enige wat ik kon doen, was ze allemaal meenemen naar de brug en dan maar hopen dat niemand 'm zou smeren.

Midden op de brug bleef ik staan en zette mijn fiets tegen de leuning. Ik draaide me om naar de anderen. Het was donker geworden en de maan gaf de gezichten van mijn vrienden de kleur van de angst. Asgrauw en ontzet klampten ze zich vast aan het stuur van hun fiets en keken me aan.

'Jij bent gek!' zei Leon die als eerste begreep wat de revolverheld van ons wilde.

'Onmogelijk!' riep Fabi.

'Eh... wat mij betreft,' zei Raban, 'ik peins er niet over om naar beneden te springen. Ik doe het niet.'

'Oké, wat jullie willen!' zei ik. 'Maar ik ga het doen. Ik heb geen trek meer in angst. Ik heb me al veel te vaak voor de angst verstopt.'

Met deze woorden trok ik mijn kleren uit en mijn zwembroek aan en ging op de brugleuning zitten. Daar draaide ik
me nog een keer om. Ademhalen ging moeilijk. Ik begon
weer te piepen.

'Weet je, steeds als ik bang was, kreeg ik astma. Net zoals
nu. Eigenlijk mis ik alleen maar zelfvertrouwen.'

Ik stond op en keek naar het zwarte water in de diepte. De
maan en de wolken die door het water weerspiegeld werden,
veranderden het kanaal in de diepste hel van de wereld. Shit!
Ik dacht als Raban. Ik wilde niet springen. Ik stelde me voor
hoe ik voor altijd in het zwarte water zou zinken, dieper,
steeds dieper. Mijn knieën trilden. Mijn hart klopte in mijn
keel. Weer liepen de rillingen van angst over mijn rug. Maar
ik kon nu niet meer terug.

'NEE!' schreeuwde ik wanhopig... en sprong. De anderen

gooiden hun fiets op de grond, stormden naar de brugleuning en zagen me in het zwarte water verdwijnen.

De plons was gigantisch en het water was koud, maar toen ging alles ineens heel soepel. Ik werd licht als een vogel en zweefde terug naar het wateroppervlak. Daar haalde ik opgelucht adem. Ik was helemaal niet bang. De astma was weg. Ik voelde me fantastisch en grijnsde van oor tot oor.

'Wauw! Man! Ik leef nog! Hé, schijtluizen, waar wachten jullie nog op? Dit is pas echt wild!'

Maar de anderen keken me aan alsof ze niet konden geloven dat ik de sprong overleefd had.

Ik zwom naar de oever, kroop uit het water en liep de brug weer op.

'En nu springen we allemaal samen. Kom op, trek je zwembroek aan, anders zullen jullie je leven lang denken dat je een lafaard bent. Leon, jij ook!'

Ik keek Leon recht in zijn ogen en al beet hij zijn onderlip stuk van angst en woede, hij knikte.

'Felix heeft gelijk.'

Twee minuten later zaten we allemaal op de brugleuning en staarden in de zwarte diepte. Ik kon de angst van de anderen voelen en Raban, die naast me zat, greep mijn hand vast.

'Alles is cool,' zei ik.

'Zolang je maar wild bent,' antwoordde Raban zachtjes, maar vastbesloten.

Toen sprongen we allemaal in de diepte, en iedereen verwenste mompelend zijn angst. Het water van het kanaal sloot zich boven onze hoofden en maakte alles zwart. Maar zwart is onze kleur en zonder angst voel je je heel licht. We zweefden koninklijk als roggen door het water en toen we weer bovenkwamen, schreeuwden we, gilden, joelden we tegen de sterren.

De dag van de waarheid

De volgende dag begon rustig. Het was zondag. Vandaag was de dag van de waarheid, maar toch waren we helemaal niet zenuwachtig. Om negen uur ontmoetten we Willie bij de Duivelspot. Hoewel we niets vertelden over ons bewijs van moed op de brug, leek hij te weten wat er gebeurd was. Hij zag het aan onze stralende ogen.

'Goed gedaan,' zei hij alleen maar. Toen reed hij met zijn brommer voorop en wij reden op onze fietsen achter hem aan.

We kwamen bij de trainingsvelden van Ajax. Het was een reusachtig groot terrein, en omdat het zondagochtend was, leeg en verlaten. Eerst wisten we helemaal niet waar we heen moesten, maar toen ontdekten we onze tegenstander.

Het E-jeugdteam wachtte ons voor de kleedkamers op. Zwijgend zaten ze op hun sporttassen naar ons te kijken. Ze zeiden geen woord, zelfs toen we langs hen heen naar onze kleedkamer liepen. Maar hun blikken zeiden genoeg. Het artikel in de krant had ze beledigd en ze waren absoluut van plan dat recht te zetten. Alleen Rocco ontweek onze blik en staarde naar zijn voeten.

In de kleedkamer was het muisstil. Je hoorde alleen maar het ritselen van de kleren, toen we onze shirts en broeken aantrokken. En ook dat deden we alsof we het al duizend keer hadden gedaan. Toen riep Willie ons bij elkaar en gaf ons de opstelling door.

Marc, de onbedwingbare, stond natuurlijk in het doel. Voor hem stond in het centrum van de verdediging Joeri 'Huckleberry' Fort Knox. Links en rechts naast hem speelden Max en Marlon, de man met het hardste schot van de wereld en de nummer 10. Voor liep Fabi, de snelste rechtsbuiten ter wereld. Jojo, die met de zon danst, werd linksbuiten. En Leon was natuurlijk de spits.

Toen keek Willie Raban en mij aan. 'Niet bang zijn,' zei hij. 'Vandaag komt niemand iets tekort. Zo gauw Fabi en Jojo buiten adem raken, zijn jullie aan de beurt.'

'En ik?' vroeg Josje teleurgesteld.

Willie keek hem verbaasd aan. Josje was vier jaar jonger dan wij en twee koppen kleiner. Hij maakte tegen Ajax geen schijn van kans. Toch wilde hij maar al te graag meedoen.

'Jij bent mijn assistent,' zei Willie, maar dat kon Josje niet troosten. Daarom voegde Willie er glimlachend aan toe: 'Ja, en wie weet? Misschien ben je ook wel onze mascotte?'

'Wat is dat, een mascotte?' wilde Josje nu weten.

'Zoiets als een geluksbrenger, een geheim wapen,' zei Willie.

En daarmee was Josje niet alleen tevreden, hij marcheerde trots voorop het veld op.

Daar was de wereld intussen een beetje veranderd. Het veld was allang niet leeg meer. Alle ouders waren gekomen. Zelfs Jojo's moeder en Edouard de pinguïn waren er. Maar dat was nog niet alles. Marc wreef zijn ogen uit en vroeg of ik hem wilde knijpen. Naast de butler stond zijn moeder en naast haar stond zijn vader, die een bloedhekel aan voetbal had.

'Shit,' siste Marc. 'Als we vandaag verliezen, moet ik later toch profgolfer worden.'

Max voelde zijn vaders blik. Hij stond tussen de sponsors,

de autoverkopers, eigenaars van benzinestations en compu-terdeskundigen, en maakte zich zorgen om zijn geld. Het geld dat wij van zijn bank geleend hadden om onze shirts te betalen.

Maar Leon boeide dat niet. Hij keek over de toeschouwers heen en boorde zijn blik in de ogen van onze echte tegen-standers. João Ribaldo, de Braziliaanse voetbalheld, liep zich naast het veld warm. En toen hij Leons blik zag, bleef hij heel cool en deed alsof hij er maar toevallig was.

Toen liepen wij het veld op, vlak langs de dikke sigaren-boer. Zijn spottende blik ketste op ons af als een tennisbal op een lokomotief.

We liepen over van zelfvertrouwen en bij de warming-up en het inschieten ging bijna alles goed. Na een omhaal van Leon onderbraken de Ajaxieden zelfs hun warming-up. Of kwam dat alleen maar door het fluitje van de scheidsrechter dat ons naar de aftrap riep?

De begroeting was onderkoeld en de aftrap was voor Ajax. Ze begonnen nonchalant. En al even nonchalant stopte Rocco de bal. Langzaam rende hij vanuit het middenveld naar ons doel. Toen, plotseling en bliksemsnel, kwam de pass in de ruimte. De spits van Ajax rende naar het strafschopge-bied. Zelfs Joeri hield hem niet meer bij en daarom verkortte Marc de hoek. Hij hield rekening met een schot, en dat had hij zeker gehouden. Maar de spits speelde naar links en daar kwam Rocco regelrecht uit het niets, haalde uit en scoorde in de hoek.

Daarna was het stil. Eén-nul tegen en dat in de eerste minuut. De sigarenboer grijnsde, de vaders van Max en Marc fronsten hun wenkbrauwen en João Ribaldo draafde tevre-den rond op het veld naast het onze.

Even waren we aangeslagen. Maar toen dachten we aan

ons bewijs van moed bij de oude houten brug. We liepen naar het midden en maakten ons op voor de aftrap.

Bliksemsnel passte Leon naar Marlon. Die schoot de bal ver naar rechtsvoor. Daar was Fabi. Hij nam de bal met zijn knie mee en stormde schuin op het doel van Ajax af. Blind passte hij in de ruimte. Hij hoefde niet te kijken waar Leon nu stond. Hij voelde en wist het uit de training en inderdaad kwam de bal aan. Nog in de draai bracht Leon de bal onder controle. Hij maakte een kapbeweging en had – dat dacht hij tenminste – vrij baan om op het doel te schieten. Maar in plaats daarvan zaten hem onmiddellijk drie verdedigers van Ajax op de hielen. Het gras was niet groen meer. Overal waar hij keek, zag hij de rood-witte shirts van de tegenstander. Geen van zijn medespelers stond vrij. Het was zoals Willie voorspeld had. Ajax was met 28 man op het veld. En vóór Leon het allemaal begreep, was hij de bal al kwijt en begon Ajax te counteren.

Weer liep de bal over Rocco. Die speelde deze keer naar rechts. Wij dachten dat hij vanaf de zijlijn een voorzet zou geven, recht voor het doel. Maar in plaats daarvan vloog de bal hoog over ons heen naar de andere kant. Daar speelde de linksbuiten van Ajax de bal met zijn hoofd terug naar Rocco, die niet aarzelde. Hij schoot volley, nam de bal uit de lucht direct op de schoen en schoot deze keer de bal rechts onder naast de paal in het doel.

Twee-nul en nog geen drie minuten gespeeld. We keken elkaar aan. Dit ging veel slechter dan tegen Dikke Michiel en zijn Onoverwinnelijke Winnaars... En in die wedstrijd hadden we alléén maar angst gevoeld. Een angst die we sinds onze sprong van de brug helemaal niet meer kenden. Nee, deze keer had onze achterstand een andere reden. Ajax was gewoon beter. Ze waren absoluut een uitstekend team en het hoofd, het hart en de motor van dat team heette Rocco.

Heimelijk zocht ik hem en schrok. Rocco keek ook naar mij. Langzaam draafde hij naar zijn eigen speelhelft terug en verloor me geen moment uit het oog. Maar in zijn blik lag geen boosheid of spot. Ik had wel iets in zijn ogen gezien dat me duidelijk maakte dat hij zich geen raad wist. Hij begon te rennen en opeens sloeg zijn linkervoet om. Rocco schreeuwde, zakte even door zijn knieën en strompelde toen zonder iets te zeggen het veld af.

Dit is onze kans, dachten we onmiddellijk. Leon zette onze nieuwe vastberadenheid om in daden. In plaats van terug te passen naar Marlon, stormde hij na de aftrap zelf met de bal weg, regelrecht naar het centrum van de tegenstander. Drie jongens van Ajax liepen om hem heen. Hij maakte een hoek en passte naar Fabian op rechts. Die vloog als een pijl richting het doel van Ajax en schoot. Van 22 meter afstand vloog de bal netjes naar het doel. Hij raakte met een klap de linkerpaal, en schoot het doel in.

Twee-één, en dat gaf ons weer moed. Daarna hield Marc de bal tweemaal als Edwin van der Sar, en toen kwam ik op het

veld. Ik rende op rechts naar voren, wervelde langs twee tegenstanders en gaf een pass naar Leon. Die stuurde de bal met zijn hiel naar Raban, die hem met zijn linkervoet aannam. En net als tegen de Onoverwinnelijke Winnaars schoot hij de bal onder de lat in het net.

'Twee-twee. Wauw! Nu maken we ze in!' zei Fabi terwijl hij ons terugdreef naar onze helft. Maar in plaats daarvan ging Ajax aan de leiding, en dat bleef zo tot kort voor de rust.

Toen werd Leon voor het strafschopgebied onderuitgehaald. Natuurlijk kwam Max naar voren, de man met het hardste schot van de wereld. Hij schopte de bal regelrecht over de hoofden van het muurtje naar de linkerbovenhoek. Maar de keeper van de tegenstander stond niet voor niets bij Ajax in het doel. Hij sprong, vloog en ving de bal...

Maar dat was een vergissing! Een bal van Max hou je niet, die kun je beter met je vuisten wegstompen. En omdat Leon dat wist, stond hij al klaar. Hij sprong op en trapte de bal, die inderdaad tegen de handen van de keeper was afgeketst, alsnog in het net.

Drie-drie! Ja, dit was leuk. In elk geval voor ons en onze ouders. Zelfs de vader van Marc ging helemaal op in de wedstrijd. De sponsors liepen al met Max' vader mee naar Willie om met hem te onderhandelen. Er waren maar twee mensen die chagrijning werden. De dikke sigarenboer, die al op zijn derde monstersigaar kauwde, en João Ribaldo, die bij elke goal bozer keek. Na het signaal voor de rust kon hij zich niet meer beheersen. Hij brak zijn looptraining af en liep naar zijn zoon.

Rocco's ware gezicht

We zaten in de rust om Willie heen en dronken sinas. Er was niet veel te bespreken. Het liep allemaal gesmeerd. We hadden geen fouten gemaakt en daarom hadden we tijd om het gesprek tussen Rocco en zijn vader een beetje te volgen.

Ze waren wel ver weg en we konden het niet allemaal verstaan, maar we wisten dat ze een stevige ruzie hadden.

'Waarom doet hij zo?' vroeg Fabi. 'Rocco heeft toch een blessure?'

'Hij is bang dat Ajax gaat verliezen,' grijnsde Leon.

Maar Willie schoof zijn pet naar achteren en krabde op zijn voorhoofd. 'Ik weet het niet. Dat geloof ik niet. Toen Leon het drie-drie maakte, stond Rocco te springen van blijdschap en ik geloof niet dat je lekker springt als je een blessure aan je voet hebt, toch? Wat denken jullie?'

'Ik denk dat we moeten winnen!' zei Leon en we gaven hem allemaal gelijk. Tenslotte hingen onze shirts en onze toekomst van deze overwinning af. Als we vandaag verloren, zou Max' vader de shirts en kousen in beslag nemen en we zouden het komende halfjaar druk bezig zijn met schulden afbetalen. Dan zou het winter zijn en konden we het voetballen tot het voorjaar vergeten. Dat wilde niemand van ons. Ik ook niet, maar ondanks dat kwam ik in opstand tegen wat hier waarschijnlijk gebeurde.

'Leon heeft gelijk,' zei ik daarom. 'We moeten winnen.

Maar niet omdat iemand ons láát winnen!'

Toen liep ik weg. Ik deed of ik de protesten van de anderen niet hoorde en ging regelrecht naar Rocco en zijn vader. Die trok zijn zoon net zijn voetbalschoen uit en betastte de enkel die blijkbaar niet verzwikt was.

'Wat is hier aan de hand?' vroeg ik zonder te groeten.

Rocco keek van mij naar zijn vader en deze keer liet hij zich niet meer bang maken.

'Ik wil dat de Wilde Voetbalbende wint,' zei hij vastberaden. 'Dan mag ik bij jullie spelen, dat heeft mijn vader gezegd, en dat wilde ik al vanaf de eerste dag. Maar het mocht niet. Hij zei dat ik bij jullie niets te zoeken heb.'

Ik keek van Rocco naar zijn vader.

'Is dat waar?' vroeg ik. Maar João Ribaldo, de Braziliaanse ster-spits, vond het niet nodig mijn vraag te beantwoorden. In plaats daarvan trok hij zijn zoon zijn voetbalschoen weer aan.

'Zo, en nu luister je even heel goed naar mij. Ik verwacht van je dat je speelt, en wel zo goed als je kunt. Is dat duidelijk?'

Rocco keek mij hulpzoekend aan.

'Is dat duidelijk?' herhaalde zijn vader.

Ik antwoordde nu voor de vriend die ik teruggevonden had. 'Volkomen duidelijk,' zei ik, en ik bleef Rocco aankijken. 'We hoeven niks cadeau te krijgen. Maar ik heb ook nog nooit een vader gezien die zijn zoon zijn vrienden afpakt.'

Ik keek nu Ribaldo recht aan. 'En vanaf nu is Rocco mijn vriend. Vanaf nu kunt u niets meer tegen ons doen.'

Na een laatste vernietigende blik liep ik terug naar mijn ploeg, waar ik door Leon woedend ontvangen werd.

'Waarom zei je dat nou?' viel hij me aan. 'Als Rocco speelt, verliezen we zeker.'

'Misschien,' zei ik. 'Maar we hebben nu ook iets gewonnen. Marc had gelijk. Rocco's vader zat erachter. Hij was de hele tijd tegen ons. Rocco is onze vriend.'

Leon staarde me aan en werd nog bozer. Maar niet meer op mij. Hij was boos op Rocco's vader. En toen ik de kring rondkeek, zag ik dat iedereen hetzelfde voelde als Leon. Toen riep de scheidsrechter ons voor de tweede helft op het veld.

Het einde van het einde

Wij namen de aftrap. Onze woede was onze motor. Zelfs Rocco, die nu weer meespeelde, kon Jojo niet bijhouden.

De jongen die met de zon danst sprong over hem heen en passte naar Leon. Die schoot wild in het strafschopgebied naar drie mannen van Ajax toe. Heel even dacht ik dat zijn woede hem weer net zo koppig maakte als vroeger. Hij zou zeker in de zes benen van zijn tegenstanders verward raken, maar toen kwam de pass met de hiel terug, en daar stond Marlon. Alsof hij een mantel aanhad die hem onzichtbaar maakte, zo plotseling was hij er. Nonchalant schoot hij de bal over de keeper van Ajax heen in het net.

Drie-vier. Nu leidden wij, en we zouden nog harder gejuicht hebben als we hadden geweten dat het de laatste keer in deze wedstrijd was.

Want nu kwam Ajax opzetten. Ook zij kenden woede. Ze waren dat stuk in de krant nog niet vergeten, én ze hadden Rocco. En Rocco had net in de rust tien nieuwe vrienden gemaakt. Daarom speelde hij de sterren van de hemel. En ook al was Joeri overal tegelijk, en vocht iedereen tot hij erbij neerviel, toch kropen we na een omhaal, één gewone kopbal en twee uit volle vlucht, drie volleys en een vernietigend doelpunt met de hiel, het veld af met een nederlaag van vier-elf.

João Ribaldo droeg zijn zoon op zijn schouders en feliciteerde hem en zijn team hartelijk. Maar wij slopen langs de sigarenboer. De andere sponsors waren allang weg. Ook Marcs vader was voor de blamage gevlucht.

In de kleedkamer waren we eindelijk alleen.

Zonder een woord te zeggen gingen we onder de douche. Het warme water deed ons goed. Maar toen we weer in de kleedkamer kwamen, stond Max' vader daar op ons te wachten. Hij had de koffer met de shirtjes al in zijn hand.

'Ik vind het heel erg,' zei hij. 'Jullie hebben er hard voor gevochten!' En met grote stappen liep hij de kleedkamer uit.

Alles is cool zolang je maar wild bent!

's Middags likten we onze wonden. We lagen voor Willies stalletje in het gras. We overlegden hoe we onze schulden konden afbetalen. We mochten nu een half jaar niet voetballen. Dat was verschrikkelijk, ellendig, maar het was onze eigen beslissing geweest en die was niet voor niets genomen.

We hadden de vriendschap van Rocco gewonnen. We hadden gemerkt hoe eenzaam hij was en dat dat door zijn vader kwam. Maar dat zou nu veranderen, en we konden nauwelijks wachten tot het maandag werd. Dan zouden we hem op school zien. We konden altijd in de pauze nog een balletje met hem trappen, ook al wilde zijn vader dat niet.

Maar die maandag kwam Rocco niet op school. Hij was zonder bericht weggebleven. Misschien kwam hij helemaal niet meer. Misschien had zijn vader een andere school voor hem gevonden, zodat hij geen contact meer met ons kon hebben.

Teleurgesteld sloften we dan ook die dag naar huis. Fabi om zijn moeder te helpen met schoonmaken. Daar kreeg hij twee euro vijftig voor. Max moest voor een euro per uur op zijn zusje passen. Dat betekende vier uur achter elkaar vadertje en moedertje spelen in het barbiehuis. Leon en Marlon moesten tegen hetzelfde uurloon hun kamer uitmesten. Raban hielp zijn moeder op kantoor. Hij moest oude aktes in de papiervernietiger aan reepjes snijden voor twintig cent per kilo. Joeri en Josje schilderden met hun moeder de keuken en de badkamer, die van hun laatste 'schoonmaak' nog redelijk nat waren. Maar ze kregen er helaas geen geld voor. Jojo ook niet. Het opvanghuis had geen geld weg te geven en zijn moeder al helemaal niet. En de rijkste van ons, Marc, moest zoals hij al voorspeld had in zijn vrije tijd naar de golfbaan.

Maar toen werd opeens alles anders. Want een week later viel bij iedereen een uitnodiging in de bus. Behalve bij Marc. Die stond met zijn vader op de golfbaan zijn afslag te oefenen. Marcs vader kreeg een telefoontje op zijn mobiel.

Op zaterdagavond stonden we allemaal met Willie en onze ouders voor een reusachtig hek in een straat die Hemelpoort heette en waarin huizen als vestingen stonden.

Elegant opende zich één kant van de poort met huisnummer 14. We zagen... een tuinfeest! Overal hingen lampionnen, en er stonden tafeltjes en stoelen. We zagen sterren zitten als Maarten Stekelenburg, Markus Rosenberg, Mauro Rosales en Ryan Babel. Ze wachtten allemaal op ons en begonnen te klappen toen we eindelijk door de poort kwamen. Ten slotte verschenen Rocco en zijn vader op het bordes. Toen werd het stil.

João Ribaldo schraapte zijn keel en krabde, net als Willie, op zijn voorhoofd.

'Ik vind het leuk dat jullie zijn gekomen,' zei hij, 'hoewel ik de laatste keer zeer onvriendelijk tegen jullie was. Daar heb ik spijt van. En ik hoop dat ik dat met dit feest weer goed kan maken. Er is echter nog iets anders te vieren. Mijn zoon was lang alleen, maar nu heeft hij tien goede vrienden gevonden. En wat ons allebei nog gelukkiger maakt: deze tien vrienden spelen ook nog in de beste voetbalploeg van de wereld.'

Hij keek ons aan en zijn ogen zochten vooral Leon.

'Ja. Jij had gelijk. Zelfs zonder Rocco en zonder overwinning tegen Ajax hebben jullie dat bewezen. Ik had het moeten weten. Thuis in Brazilië heb ik zelf in zo'n ploeg gevoetbald. Daarom bied ik jullie nogmaals mijn excuses aan. En ik hoop dat mijn zoon Rocco weer in de Wilde Voetbalbende mee mag spelen.'

We begonnen allemaal te schreeuwen en te juichen. Rocco zette stralend de koffer met shirts op de brede leuning van het bordes.

'En mijn vader is onze sponsor geworden, zodat we ook kunnen spelen,' zei hij.

Hij maakte de koffer open en trok er een paar shirtjes uit. We stonden paf. Rocco hield ze omhoog. Ze waren nóg mooier geworden. Want toen hij ze omdraaide, zagen we dat op elk shirt een rugnummer stond en een naam. We fluisterden met elkaar en floten. En toen João Ribaldo ons een voor een bij zich riep om plechtig de shirts te overhandigen, klonk er een daverend applaus.

Leon kreeg natuurlijk nummer 14. Daarmee toonde João Ribaldo hem zijn respect. Marlon kreeg 10, Marc 1 en Joeri 8. Max kreeg 11 en Fabian 4, omdat dat zijn lievelingsgetal was. Jojo straalde boven zijn nummer 12. Rocco zelf had nummer 19 gekozen. Raban kreeg 99, omdat hij zo onberekenbaar is. En Josje kreeg als mascotte een X.

Ten slotte kwam ik aan de beurt. Voordat João Ribaldo me mijn shirt gaf, vroeg hij nog een keer om stilte.

'Voor Felix heb ik nummer 7 gekozen,' zei hij. 'Dat is een magisch getal. Misschien komt het doordat ik uit Zuid-Amerika kom, maar na wat hij voor Rocco en mij, en voor de Wilde Bende gedaan heeft, geloof ik echt dat hij toverkracht heeft.'

Het applaus was oorverdovend. Ik werd vuurrood, maar dat duurde gelukkig niet zo lang. Het eten was klaar en de obers riepen de ouders aan tafel. De ouders, maar ons niet. Want wij gingen voetballen. In onze nieuwe shirts speelden we eindelijk met Rocco. En dit geloof je natuurlijk niet: we speelden tegen Markus Rosenberg, Mauro Rosales, Ryan Babel en Maarten Stekelenburg! Ja, daar speelden we tegen! En omdat er overal lampions hingen, speelden we tot laat in de avond.

Vanessa de onverschrokkene

Ik haat meisjes!

Hoi! Ik ben het, Vanessa. En sorry, maar ik heb even helemaal geen tijd voor je. Krijg nou wat! Amelie. Wat was dat voor een flodderpass! Niet te filmen! Amelie Dessert. Ze speelt precies zoals ze heet. Als een toetje, denk aan drilpudding. En zo ziet ze er ook uit. Volgens mij is ze alleen maar bij een voetbalclub gegaan omdat ze geen rok aan kan!

Ik was woedend, maar dat hielp me niet verder. De bal was bij de tegenstander en de Valkenburgse Voetbalspetters vielen ons aan. Voetbalspetters... Ja, ik weet het, maar daar moet je nou eenmaal tegen kunnen als je met meisjesvoetbal te maken krijgt. Wij waren de Maastrichtse Zwaluwen. Die naam was ook niet supercool, maar hij paste bij ons als het krulstaartje bij een varken, want zo speelden we ook. Dat wil zeggen, zo speelden de meiden op het veld. Ik had daar gelukkig niets mee te maken. Ik zat namelijk al sinds de derde minuut mokkend op de bank. Mevrouw Preuts, onze trainster, had me na mijn eerste woedeaanval meteen van het veld gehaald. En nu waggelde Amelie daar in mijn plaats rond.

De Valkenburgse Voetbalspetters vielen ons aan. Hun drie

spitsen huppelden in formatie op ons strafschopgebied af. In tegenstelling tot veel andere teams wisten ze wel wat spelpositie is. Maar dat betekent niet dat ze de bal ook afgaven. Mijn oma noemde dat meisjeskattigheid, en zij heeft er verstand van.

'Kom op, aanvallen! Passen doen ze toch niet!' schreeuwde ik tegen onze verdedigsters. Ik deed of ik de verwijtende blik van mevrouw Preuts niet zag.

Maar mijn lieftallige medespeelsters negeerden mij ook. Even braaf als op de training dekten ze de twee andere Voetbalspetters en lieten de derde alleen met de bal. Die speelster zou wel passen, zeiden ze tegen zichzelf. Met open mond keken ze naar mevrouw Preuts, toen die speelster dat natuurlijk niet deed en de bal in het doel trapte.

Negen-nul voor Valkenburg. Nu was het genoeg. Ik sprong op, balde mijn vuisten en haalde diep adem... Maar veel verder kwam ik niet.

'Vanessa!' riep mevrouw Preuts waarschuwend tegen me. 'Nog één woord en je komt het veld helemáál niet meer op!'

De blik die ik haar toewierp was minstens dodelijk, maar ik beet op mijn tong en zei geen woord. Ik wilde absoluut spelen. Aan de andere kant van het veld stopte op dat moment namelijk de teambus van onze club. Het E-jeugdteam van de jongens keerde zoals altijd zegevierend terug. Dit team was het neusje van de zalm onder de tienjarige voetballers. Ze hadden zelfs al tegen Utrecht en Hilversum gespeeld, maar beide wedstrijden bleven onbeslist.

Man! Deze jongens waren mijn droom. En iedereen die dit ook maar héél even verkeerd begrijpt, krab ik de ogen uit. Ik word binnenkort tien, en dan heb je als meisje natuurlijk helemaal niks met jongens. Punt. Uit. Mijn oma zegt dat dát ooit zal veranderen, maar dat hou ik op een belachelijk gerucht. Duidelijk?

Goed! Deze jongens waren dus mijn grootste droom. Sinds een jaar of twee wilde ik niets liever dan bij hen horen. En op zaterdagen als deze had ik misschien een kansje. Op zaterdagen als deze kon ik laten zien hoe goed ik was. Ja, en wie weet zouden ze dan hun vooroordelen over meisjes wel vergeten. Wie weet ontdekten ze me en zouden ze me vragen in hun team mee te spelen...

Maar mevrouw Preuts peinsde er niet over mij weer te laten meespelen. Intussen gingen de Valkenburgse Voetbalspetters met dertien-nul aan de leiding. De jongens aan de overkant van het veld vielen over elkaar heen van het lachen. Ze bonden strikken van gras in hun haar en deden na hoe Amelie hijgend en kreunend achter de bal aanwaggelde.

Drie minuten voor het einde, bij een score van zeventien-nul, had mevrouw Preuts eindelijk medelijden: 'Oké! Vanessa, jij bent nu spits, samen met Amelie. Maar ik waarschuw je, één verkeerd woord...'

'Daar hoeft u niet bang voor te zijn, mevrouw Preuts!' riep ik, terwijl ik opsprong. 'Ik zal niet tegen Amelie zeggen dat ze als een drilpudding over het veld waggelt!'

Mevrouw Preuts verslikte zich van de schrik, maar dat kon me eerlijk gezegd geen klap schelen. Ik had alweer een nieuw probleem. De jongens aan de andere kant floten enthousiast toen ik het veld opliep.

'Wauw, moet je zien!' riepen ze. 'Ze hebben zelfs een reserve!'

'Ja! En wel drie minuten voor het einde mag ze op het veld!'

'Wedden dat zij het absolute supertalent is!'

'Ja, vast. Ha ha, was dat even lachen daarnet!'

Ik werd vuurrood en gloeide als de remlichten van een Ferrari waarvan de chauffeur bij 350 kilometer vol in de rem-

men gaat. Maar ik peinsde er niet over om te remmen. Die etters moesten hun wonder krijgen. Daarom rende ik regelrecht naar Amelie toe, die zwabberend en kreunend probeerde de bal bij te houden. Ik nam de bal over en stormde ermee op het doel van Valkenburg af. Een voor een kwam ik de Spetters tegen, maar daar slalomde ik tussendoor. De een na de ander liet ik achter me en toen schoot ik de bal regelrecht in de hoek. De keeper van Valkenburg, die een proefwedstrijd speelde, viel in de modder.

Mevrouw Preuts sprong als een kip omhoog en kukelde: 'Goal! Goal! Goal!'

Maar ik was niet blij. Ik werd nog bozer, woest eigenlijk. Shit, Valkenburg leidde met zeventien-één, en alleen maar omdat ik de hele tijd op de bank had moeten zitten. Maar ik had nog twee minuten de tijd. Daarom sprong ik over de keeper van Valkenburg heen, haalde de bal zelf uit het doel en rende ermee terug naar het midden.

De aftrap daarna was het enige moment dat de tegenstander nog aan de bal was. Al bij het fluitje van de scheidsrechter vloog ik de middencirkel weer uit. Ik duwde met mijn schouder de middenspits van de tegenstander hard opzij en stormde opnieuw richting doel. Twintig seconden later was het zeventien-twee en ook zeventien-drie haalde ik nog. Toen blies de scheidsrechter af, en pas toen keek ik naar de jongens.

Wat zouden ze nu denken? Hadden ze eindelijk begrepen dat ik goed genoeg voor ze was? Maar mijn hoop werd de bodem in geslagen. Het leek of ik alles gedroomd had en nu met bed en al onder een ijskoude douche stond.

De jongens waren verdwenen. Ze waren gewoon weggegaan. Ze hadden het niet nodig gevonden te blijven om te zien wat ik kon. Ik trilde van woede en teleurstelling. En terwijl mijn teamleden de Spetters ook nog met piepende stemmetjes gingen bedanken voor de zeventien-drie, vluchtte ik naar de douche.

Het warme water deed me goed en maakte me rustiger. Ik werd weer cool en deed of ik het geklets van mijn medespeelsters niet hoorde. Ik gooide mijn tas over mijn schouder, trok de capuchon van mijn sweatshirt over mijn lange roodbruine, warrige piekhaar en liep naar buiten, naar het fietsenrek. Daar stond mijn fiets. Op mijn voetbalspullen na was die fiets het beste dat ik had. Het was een originele mountainbike van Giant. Pikzwart, en het achterwiel had een dikkere band. Ik wist dat het weer goed met me zou gaan zodra ik wegfietste en de wind langs mijn slapen zou voelen. Maar dat veranderde niets aan het feit dat ik de laatste tijd steeds vaker wou dat ik een jongen was. Ik bukte me naar mijn slot en drukte de juiste cijfercombinatie in. Het was de geboortedatum van mijn moeder. Vandaag een jaar en een halve week geleden was ze gestorven.

Toen hoorde ik een stem achter me: 'Jij hebt echt de coolste fiets van de hele club!'

Ik draaide me om. Het bleek de stem te zijn van Alex, de aanvoerder van het legendarische E-jeugdteam.

Ik probeerde iets te zeggen, maar mijn mond en mijn tong wisten niet meer hoe dat moest.

Alex grijnsde en even dacht ik dat hij me uitlachte. Maar toen had ook hij moeite met praten: 'Eh... wat zou je ervan v-vinden,' stotterde hij, 'o-om een keer bij ons m-mee te doen met de t-t-training?'

Ik staarde hem aan. Mijn tong lag nog steeds verlamd in mijn mond en ik stond als aan de grond genageld. Ik kon niet eens knikken.

'Pfff,' kreunde Alex. 'Jij bent echt cool. En dat snap ik ook wel. We waren niet zo aardig tegen je. Maar misschien spring je morgen gewoon op je fiets en misschien vindt jouw fiets wel de weg naar ons.'

Hij keek me hoopvol aan. En eerlijk waar: ik zou hem het liefst gezoend hebben, zo blij was ik. Maar in plaats daarvan sprong ik op mijn fiets en reed hard weg.

'Hé, dat vergat ik nog bijna: we trainen op veld 3, daarginds! Van half vijf tot half zeven! Heb je me verstaan?' riep Alex me achterna. En óf ik hem verstaan had! Eindelijk was het me gelukt. Na drie lange jaren! Na drie jaar van gemartel en ellendige vernederingen bij de Maastrichtse Zwaluwen, mocht ik eindelijk met het jongensteam trainen. Ik liet de pedalen rondvliegen. Ik barstte opeens van de energie. Dit was de eerste stap op de weg naar de vervulling van mijn grootste droom. En ik had die stap zojuist gezet. Ja, ik, Vanessa Boets, wil de eerste vrouw zijn die in het Nederlands elftal speelt. Ja, je hebt het goed gehoord, en zeg nou niet dat dat nooit lukt. Ik zal het je wel bewijzen. Daar was ik op deze dag vast van overtuigd. Ik racete op mijn fiets langs de voetbalvelden. Pas toen ik op de brug over de Maas was, stopte ik en schreeuwde mijn geluk uit in de wind. Wat was dit een supergave dag! En morgen werd ik tien!

NEE!

Het portier aan de bestuurderskant viel in het slot. Je hoorde alleen maar heel zachtjes: 'Sss-klak!' Het was het portier van een Mercedes. Maar dat zachte 'Sss-klak!' was het machtigste en somberste geluid van mijn leven. Met dat 'Sss-klak!' stierf de wereld om me heen weg, alsof iemand hem met een tip-toets had uitgezet.

Daarna was het stil. Doodstil. Maar binnen in mij schreeuwden woede en wanhoop. En ze schreeuwden zo hard, dat ik mijn vingers in mijn oren moest stoppen. Ze schreeuwden: NEE!

Maar niemand hoorde het.

Ik zat voor in de auto en drukte mijn voorhoofd tegen het koude zijraam. Ik zat daar en zag – als in een droom – mijn eigen begrafenis.

De auto trilde even toen mijn vader de motor startte. We reden weg. Geruisloos, alsof ik mijn lichaam verliet, zweefde ik nog één keer door de straat. Hier had ik vanaf mijn geboorte gewoond. Geruisloos en zonder iets te zeggen zweefde ik de stad uit. Af en toe voelde ik, warm en koud, de blik van mijn vader in mijn nek.

'Hé, alles goed?' vroeg hij op de oprit naar de snelweg. Ik ademde een tekstballonnetje op het glas als in een stripver-haal. Maar het ballonnetje bleef leeg.

'Ik begrijp het wel,' zei mijn vader en op elke andere dag

zou ik dat ook hebben geloofd. Toen gaf hij gas.

Ik staarde door het raam naar buiten en zag niets. Vanaf vandaag woonde ik op Beukenlaan 7, in een dure buitenwijk van Amsterdam. Meer dan tweehonderd kilometer van Maastricht. En daardoor ook van Alex en het neusje van de zalm onder de E-jeugdteams.

Ik was het gewoon vergeten. En het was al meer dan twee jaar zo gepland. Twee jaar geleden was de bouw begonnen van het huis. Het huis van mijn ouders. Hun droomhuis in een droombuurt van hun droomstad met een droombaan. En naar deze droombaan en dit droomhuis waren we nu onderweg.

De wedstrijd van vanmorgen tegen de Valkenburgse Voetbalspetters was mijn afscheidswedstrijd geweest. Vóór de aankomst van de bus met E-teamjongens en vóór het gesprek met Alex vond ik dat ook prima. Erger dan bij de Zwaluwen kon het ook in Amsterdam niet zijn. Daar heetten de meisjesteams misschien De Voetbal-sterretjes of De Voetbal-babes. Dat maakte ook niets uit.

Maar na het gesprek met Alex was alles plotseling helemaal anders geworden. Na het gesprek met Alex was meisjesvoetbal voor mij opeens ondenkbaar. Ik hoorde nu bij het jongensteam. Daar had ik drie jaar lang voor gevochten. Daar had ik drie jaar lang alles voor doorstaan en verdragen, van Amelie Dessert tot en met Mevrouw Preuts. Drie jaar lang had ik me door de jongens laten uitlachen, maar ik had altijd geweten dat het me op een gegeven moment zou lukken. Ik wist dat ik zeker zo goed was als een jongen, of zelfs beter. Een ochtend lang was ik er vast van overtuigd dat ik dat aan iedereen zou bewijzen. En op een dag zou ik in het Nederlands elftal spelen, dat wist ik heel zeker.

Maar nu raakte ik met elke kilometer verder weg van mijn

droom. En met elke kilometer besefte ik sterker dat ik niet nóg een keer van voren af aan kon beginnen. Ik kon er niet meer tegen in een meisjeselftal te spelen – en ik wilde het ook niet meer. O, shit! Ik voelde me alsof ik vlak voor het doel mijn benen had moeten inleveren. Waarom bleven we niet gewoon in Maastricht? Mijn moeder was ruim een jaar dood. Voor haar betekende dat droomhuis niets meer. En wat had mijn vader eraan in een droomhuis te wonen, in een droombuurt van een droomstad, waarin ik doodongelukkig was? Zo veel geld kon hij met zijn droombaan helemaal niet verdienen. En een auto van de zaak als deze super-Mercedes hielp ook niets. Want één ding had ik de laatste paar jaar geleerd: dromen kun je niet kopen. Voor een droom moet je je dood vechten. Maar daar had ik vanaf vandaag de moed en de kracht niet meer voor. Daarom had ik al mijn voetbal-spullen vlak vóór ons vertrek in de vuilnisbak gegooid.

Spookbuurt en spookhuis

Eerst werd het donker en toen kwam de mist. Van Amsterdam zag ik bijna niets, alleen maar koplampen, stoplichten en straatlantaarns. Pas in de buitenwijken scheurde de dichte mistbank aan flarden. Als slangen met een drakenkop kronkelden ze door de luxe buurt waar ons nieuwe huis stond. Ik zag niet veel anders dan grote tuinen afgesloten met hoge hekken en geen enkele voetganger of fietser op straat. Ik had het gevoel dat we door een doolhof bij een gevangenis reden. Zijn hier ergens kinderen, vroeg ik me in gedachten af.

Mijn vader reed langs een eindeloze muur, die een bocht maakte. We reden een straat in die smaller en nog rustiger was. Daar stopte hij. Uit de flarden mist voor ons doemde een houten poort op. Er hing een bordje op: Beukenlaan 7. Voor het eerst sinds we vertrokken waren, keek ik naar mijn vader. Die beet bezorgd op zijn onderlip. Toen voelde hij mijn blik en keek me nadenkend aan.

'Mama was er vast van overtuigd dat jij het hier leuk zou vinden.'

De tranen sprongen in mijn ogen. Tranen van woede. Hoe kon hij nu over mama praten? Mama was dood en ze zou me beslist niet gedwongen hebben naar Amsterdam te verhuizen. Het was mijn vader die hier zijn droombaan kreeg, en dat nam ik hem kwalijk. Ja, ik nam het hem heel erg, ongelooflijk en verschrikkelijk kwalijk, omdat hij eigenlijk mijn beste vriend was. Na de dood van mijn moeder was hij de enige mens op de wereld die me begreep. En als hij me niet begreep, liet hij me in elk geval mezelf zijn. Ik wist dat dat niet altijd zo gemakkelijk was.

De houten poort werd als door een spookhand opengemaakt, en langzaam rolde de Mercedes de donkere oprit op. De banden reden zachtjes ratelend over de kinderkopjes. Buiten de lichtbundels van de koplampen was het donker. Maar toen zag ik het huis. Het leek op een heksenhuis: een beetje krom en scheefgezakt, terwijl het pas gebouwd was en dus gloednieuw moest zijn. Het dak boog door alsof het huis vijfhonderd jaar oud was. Aan één kant reikte het dak zelfs

tot op de grond alsof het daar steun zocht. Vakwerkbalken zaten kriskras verspreid als aders tussen het pleisterwerk. Er zaten veel ramen in het huis. Sommige ramen leken op ogen, grote en kleine, met halfgesloten oogleden. Niet één raam was hetzelfde. Ja, dit was het droomhuis van mijn moeder. Een heksenhuis. En onwillekeurig keek ik naar de lucht alsof ik verwachtte dat ze daar op een bezem zou rondvliegen.

Maar mijn moeder was dood en de wind huilde toen we uit de auto stapten. Dit jaar was het al vroeg herfst. De bladeren van de bomen vlogen als vleermuizen of reuzenmotten door het donker. De maan had zich achter de dikke wolken verscholen. Heksen en spoken bestaan natuurlijk niet, maar toch rende ik snel achter mijn vader aan het huis in, en sloeg de deur vlug met een klap achter me dicht.

KLABAMMM!

Mijn vader keek verbaasd om. Het huis dat vanbuiten tamelijk klein had geleken, bleek vanbinnen reusachtig. En het was leeg. Helemaal leeg. Geen vloerbedekking, geen meubels. Er hing helemaal niets aan de muren.

'Mama vond dat we het samen moeten inrichten,' zei mijn vader. 'Een huis moet mee groeien met de mensen die erin wonen. Wat denk jij?'

Ik zweeg. Hoe zou ik bij de inrichting van dit huis kunnen meehelpen? Ik haatte het.

'Het enige wat mama uitgekozen heeft, is de keuken. De rest moeten wij doen. Redden we dat?' vroeg mijn vader en hij glimlachte op een manier die ik niet alleen bij hem, maar bij alle volwassenen haatte. Het was zo'n paardenbloemen-zeepbellen-glimlach. Met zo'n glimlach willen ze kinderen wijsmaken dat onze problemen in werkelijkheid helemaal geen echte problemen zijn. Wij zijn daar alleen nog niet achter. Maar dat zal gauw genoeg veranderen en dan zullen onze problemen verdwijnen, zoals je de pluizen van een paardenbloem wegblaast of zoals je met je vinger een zeepbel uit elkaar laat spatten.

'Ik ben moe,' zei ik alleen maar. 'Wil je me alsjeblieft mijn kamer laten zien?'

De paardenbloemen-zeepbellen-glimlach verdween van mijn vaders gezicht. Hij knikte, pakte mijn tas en liep dwars door de grote, hoge kamer naar een lage, heel oude deur. Die bleek even later helemaal niet zo laag. Je moest alleen drie treden af tot je ervoor stond. Op die treden bleef mijn vader nog eens staan.

'Alles wat achter deze deur ligt is van jou,' zei hij. 'Daar gelden jouw wetten en regels.'

Ik haalde mijn schouders op. De deur leek voor mij eerder op de deur naar een kerker en deze kerkerdeur gooide mijn vader nu open. Geruisloos en onherroepelijk.

De kamer die achter de kerkerdeur lag was fan-tas-tisch. He-le-maal te gek! Hij had vijf of zes scheef gezakte hoeken, en muren met een heleboel nissen die tot in de hemel reikten.

Zo leek het op het eerste gezicht, maar toen wist ik het opeens. De kamer lag in dat deel van het huis waarvan het dak tot op de grond kwam, en boven me vertakten de balken van het dak zich als de kruin van een stokoude boom. In die balken kun je een boomhut bouwen, dacht ik. Een paar dagen geleden zou ik daar zeker de volgende ochtend al mee begonnen zijn. Maar nu maakte het me allemaal niets uit. Ik liep naar de matras die midden in de kamer op de grond lag en liet me erop zakken.

Mijn vader had vast meer blijdschap verwacht, maar hij zei er niets over. 'Dit is heel moeilijk voor je, hè?'

Ik keek als antwoord naar mijn voeten.

'Weet je Vanessa, het is voor mij ook heel moeilijk. Wij beginnen allebei opnieuw en we kunnen elkaar niet helpen. Als jij de bal hebt, ben je op jezelf aangewezen. Dan ben je helemaal alleen. Dat weet je net zo goed als ik. Maar de anderen kunnen zich vrijlopen en je steunen. Ik kan me vrijlopen en dat kun jij ook.'

Mijn vader ging uit respect een eindje bij me vandaan op zijn hurken zitten en keek me aan.

'Wat denk je, Vanessa, lukt ons dat? Zijn we een team?'

Ik tilde langzaam mijn hoofd op en keek hem aan.

'Ik heb geen team meer,' zei ik. De tranen rolden over mijn wangen. 'Snap je dat nou eindelijk? Ik heb geen team meer!'

Ik begroef mijn gezicht in het kussen. Een moment lang bleef het stil. Toen hoorde ik de voetstappen van mijn vader en even later viel de kamerdeur in het slot.

Verjaardags-griezelnacht

Twee uur later lag ik nog steeds wakker. Het was kort voor middernacht en de wind huilde en floot om het huis alsof er een vloek op rustte.

Ik ga je geen griezelverhaal vertellen. Ik ben Vanessa de onverschrokkene. Maar wat heb je aan je onverschrokkenheid als alles uitzichtloos is? Ja, opgeven is erger dan bang zijn. Opgeven is onmacht. Dan heb je het gevoel dat je heel klein bent, en volledig lamgeslagen. En als je je klein voelt en lamgeslagen, dan komt de angst ook weer. En die angst is dan gegroeid. Die angst is zo groot als een monster!

De wind floot en huilde nu nog griezeliger. Het was een halve minuut voor twaalf. Een halve minuut voor mijn tiende verjaardag. Ik kneep mijn ogen dicht en wenste dat er een gruwelijk monster zou verschijnen om me op te vreten. Dan was ik eindelijk bevrijd. Weet je, vaak gaan wensen inderdaad in vervulling.

De wind huilde en floot, de luiken klapperden en de balken in mijn kamer kraakten en kreunden. Toen sprong de grote wijzer op twaalf. Ergens, heel ver weg, sloeg een kerkklok, maar die kon me ook niet meer beschermen. Ik hoorde sluipende voetstappen die bij mijn deur bleven staan... Rode rook drong door het sleutelgat en door de spleet onder de deur naar binnen. Toen drukte iemand of iets de klink naar beneden. Ik hield niet alleen mijn adem in, ik deed of ik dood was. Een nanoseconde later vloog de deur open. Vurige rook en fonkelend licht stroomden mijn kamer binnen. Daarna klonk er een gebrul waarvan mijn hart bijna stilstond. En toen zag ik het monster in de deuropening staan: twee hoorns op een reusachtige kop met gifgroene ogen. Aan de traag bewegende poten zaten klauwen in de vorm van kurkentrekkers.

Blijf kalm! Dit kan toch helemaal niet, dacht ik. Maar het monster begon alleen maar harder te brullen. Het brulde en brulde en ten slotte stapte het mijn kamer binnen.

Plofff... Plofff... sloegen de voeten van het monster op de houten vloer. Plofff... Plofff... Het monster kwam regelrecht op me af. Plofff! Plofff... Plofff! Plofff! Hooguit nog tien stappen en dan was het enge beest bij me. Het monster stak spottend zijn voorpoten in de lucht en rammelde onder het lopen ritmisch met zijn klauwen: Plofff! Klak! Plofff! Klak! Plofff! Klak! Plofff!

Ik zag nu zijn tanden en die waren vreselijk groot. En groot bleven ze, ook toen het monster begon te zingen.

'Hey-Hey-Hey,' zong het op het griezelige ritme. 'Hey-hey-Hey! Hey! Hey-hey-hey!' Plofff! Klak! Plofff! 'Hey-hey-hey en Happy Birthday!' Plofff! Klak! 'Happy Birthday! Happy Birthday! Happyyyyyy! GRRRRR!'

Het monster trok zijn bek open. Het stond over me heen gebogen. Het zou zo zijn reusachtige tanden in me zetten en me vermalen met zijn scheurkiezen. Toen zag ik het gezicht van mijn vader. Hij grijnsde naar me van achter de griezelig grote tanden. Het monster haalde zijn linkerhand achter zijn rug vandaan en hield iets voor mijn neus. Het leek op een pikzwarte voetbal die in brand stond: een chocoladetaart met tien brandende kaarsjes erop.

'Hartelijk gefeliciteerd met je verjaardag, schat,' zei mijn vader glimlachend, maar ik pakte de taart niet aan. Ik peinsde er niet over.

'Wat is dit voor een ongein?' etterde ik. 'Wil je me voor de gek houden?'

Ik draaide me om en kroop weg onder mijn dekbed. Mijn vader zuchtte. Toen zette hij zijn monsterkop af en kwam bij me op de matras zitten.

'Ik snap je niet,' zei hij. 'Op dit moment begint het spannendste jaar van je leven en jij doet of het je geen klap interesseert.'

Ik rolde met mijn ogen. 'Bedoel je de taart en die monsterkop daar? Wat zouden die dan moeten veranderen?'

Ik lag nog steeds met mijn rug naar mijn vader toe.

'Nee, die bedoel ik niet,' zei hij. 'Ik bedoel je nieuwe team waarmee je vanmiddag al moet trainen.'

'En hoe heet dat team? De Voetbaldolls? Nee, dank je! Dat hoeft van mij niet!' Ik balde mijn vuisten van woede. Wat was dit vergeleken bij het jongenselftal uit Maastricht?

Mijn vader lachte. 'Voetbaldolls. Verzin iets beters, Vanessa! Maar mag ik je een raad geven? Spreek de jongens die ik bedoel liever met hun juiste naam aan. Anders krijg je daar gedonder mee.'

'Wacht eens even!' riep ik en ging rechtop zitten. 'Hoor ik dat goed? Zei jij "de *jongens* die ik bedoel"?'

Mijn vader knikte grijnzend. 'En dat is nog niet alles. De jongens die ik bedoel noemen zich de Wilde Voetbalbende. Het is een echt straatelftal. Als ik de verhalen mag geloven die over hen de ronde doen, dan is die naam nog een koosnaampje.'

'En morgenmiddag trainen ze?'

'Nee, vandaag. Over precies 15 uur en 58 minuten! En vanaf nu elke dag, behalve zaterdag en zondag.'

'Cool, pap!' Ik hád het niet meer! Een echt jongenselftal en dan ook nog vandaag om vier uur. 'Waarom heb je dat niet eerder gezegd?'

Maar voor mijn vader antwoord kon geven, schoot me plotseling iets anders te binnen. 'Jeetje! Ik heb niets om aan te trekken!'

Mijn vader fronste zijn wenkbrauwen: 'Hè? We gaan niet naar een theater of zo. Vanessa...'

'Ja, dat weet ik wel! Maar ik heb niets om aan te trekken!' schreeuwde ik. 'Ik heb mijn voetbalspullen allemaal in de vuilnisbak gegooid!'

Mijn vader haalde diep adem. 'Dat méén je niet!'

'Ik meen het wel,' zei ik op een toon die mijn vader waarschuwde dat hij met zijn verdere kritiek voorzichtig moest zijn. 'Of heb jij gezien dat ik een of andere koffer mee naar Amsterdam heb genomen?'

'Vanessa!' zei mijn vader hoofdschuddend. Hij kon het niet geloven. 'Je garderobe bestond voor 99 procent uit voetbalspullen. Je deed die kleren zelfs naar school aan.'

'Weet ik,' zei ik boos. 'Daarom zit de vuilnisbak van de buren ook tot aan de rand toe vol. Jij zou ze moeten bellen en daarvoor je excuses aanbieden.'

'Pardon?' Mijn vader lachte, maar die lach waarschuwde mij. 'Kom alsjeblieft ter zake!'

'Mooi niet!' riep ik onverschrokken terug. 'Weet je, als je mij in Maastricht gezegd had dat ik vandaag met een jongenselftal zou trainen, had ik natuurlijk helemaal niets in de vuilnisbak gegooid. Waar of niet?'

Ik schonk mijn vader een triomfantelijk lachje. Hij zat een beetje sip naast me. 'Shit,' zei hij, terwijl hij aan zijn neus krabde. 'Je hebt gelijk. Daar kan ik niets tegenin brengen.'

Mijn glimlach werd nog breder en mijn vader krabde zich

even achter zijn oor. 'Maar helaas verandert dat helemaal niets aan het feit dat je niks hebt om aan te trekken. Toch?' Hij keek me aan en mijn gezicht verstrakte. 'Mmm,' bromde hij. 'Dan gaat de training van vandaag dus niet door... Tenzij je eindelijk bereid bent niet meer zo bedroefd te zijn en je verjaardag te vieren.'

Met deze woorden toverde hij een cadeau uit de monsterkop. 'Nou? Wil je het in elk geval proberen?'

Ik dacht na. Dat wil zeggen: ik deed alsof ik nog steeds nadacht. In werkelijkheid kon ik me nauwelijks nog inhouden. Toen riep ik: 'Oké!' en ik griste mijn vader het pakje uit zijn hand. Het was slap en plat en het cadeaupapier vloog in flarden door de lucht. Toen hield ik het in mijn handen: een spiksplinternieuw Ajax-shirtje voor het volgende seizoen met mijn nummer 5 op de rug en natuurlijk ook mijn naam.

'O, wat cool, pap!' riep ik terwijl ik het shirt aantrok. 'Waar heb je dat vandaan? Die kun je toch nergens kopen?'

'Daar heb je gelijk in, maar het shirtje hoorde bij mijn arbeidsvoorwaarden, net als de Mercedes.'

'Dat geloof ik niet. Opschepper!' lachte ik, terwijl ik het voetbalshirtje aantrok.

'Nou, misschien een beetje,' grijnsde mijn vader. 'Dit staat je trouwens wel héél stoer. Maar naar voetbalschoenen zul je zelf moeten zoeken. En dat wordt helemaal niet zo eenvoudig. Mama's moeder komt morgenochtend.'

'Oma Verschrikkelijk?!' riep ik hevig geschrokken. 'Dat meen je toch niet echt?'

'Ik meen het echt,' zei mijn vader zuchtend. 'Ze stond erop ons te helpen in de eerste moeilijke dagen in het troosteloze Amsterdam, zoals zij de stad noemde.'

'Nee hè.' Ook ik zuchtte diep. 'En tegen Oma Verschrikkelijk kunnen we niet op, pap. Elk verzet is zinloos.'

'Daar heb je gelijk in.' Mijn vader zuchtte weer diep.

'Ja, en voetballen is voor Oma Verschrikkelijk hetzelfde als avondjurken en hoge hakken voor mij.'

'Ook daar heb je gelijk in,' mompelde mijn vader. 'Maar weet je, ik heb mijn leven gewaagd door haar heel precies te vertellen wat jij nodig hebt.'

'Heb je dat voor mij gedaan?' vroeg ik verrast.

'Inderdaad,' antwoordde mijn vader.

'Nee, dat geloof ik niet,' sputterde ik tegen. 'Heb je dat erge woord echt tegen haar gezegd? Zei je echt "voetbalschoenen"?'

'Ja, met de hand op mijn hart,' zei mijn vader, 'ook als dat hart vandaag voor de laatste keer klopt.'

'O, man!' riep ik. 'Ik hou van je, pap!' Ik sloeg mijn armen om zijn hals. 'En weet je, ik zal elke dag aan je denken als ze jou heeft opgegeten.'

Ik glimlachte naar papa en hij glimlachte terug. 'Dank je, schat, maar ik heb nu liever een stuk taart.'

En dat had hij natuurlijk verdiend. Maar eerst moest ik nog een wens doen. Ik deed mijn ogen dicht en stelde me voor dat mijn moeder hier was. Ik pakte haar bij haar hand, zoals ik in werkelijkheid ook de hand van mijn vader pakte, en wenste dat ik altijd zo gelukkig kon blijven als op dit moment.

Toen blies ik de kaarsjes uit, alle tien in één keer, en in dezelfde seconde begonnen we met onze handen aan de taart! We zaten te smullen, en moesten lachen toen we bedachten dat Oma Verschrikkelijk uit haar vel zou springen als ze ons zo zag eten. Toen poetste ik mijn tanden, gaf mijn vader nog een kus, draaide me in mijn shirtje om en luisterde naar het fluiten, kreunen en steunen van het huis, wat nu helemaal niet meer griezelig klonk. Het klonk als een echt, wild verjaardags-slaapliedje en algauw droomde ik dat ik in een boomhut woonde tussen de balken van het dak in mijn kamer.

Oma-ojee-ojee, Oma-o-néé!

De volgende morgen sliep ik uit. Zo moe was ik van de vorige dag en zo goed ging het met me na de verjaardags-griezelnacht met mijn vader. Pas tegen half elf liep ik nog een beetje slaapdronken en warrig de keuken in. Op zoek naar de koelkast hoorde ik een stem die ik maar al te goed kende.

'Gottegot, wat zie jij eruit!'

Maar in tegenstelling tot haar hield ik me in. Ik was de vriendelijkheid zelf.

'Hoi, oma! Lief dat je me met mijn verjaardag feliciteert,' zei ik met een suikerzoet stemmetje. Ik was net een slang in een laagje chocolade.

Oma Verschrikkelijk trok een gezicht alsof ze net in een citroen gebeten had. 'Je maakt het iemand toch onmogelijk je te feliciteren als je de halve dag in bed blijft,' antwoordde ze snibbig. Ze keek naar mijn verwarde haar. Haar blik zakte naar het voetbalshirt en toen verder omlaag naar de slippers van mijn vader die ik bij gebrek aan pantoffels aan had gedaan.

'Ik ben inderdaad gekomen om mijn kleindochter te feliciteren en niet een of andere enge trol!' Oma Verschrikkelijk trok haar neus op. Ze zat met mijn vader te ontbijten en keek hem verwijtend aan. 'Of vind jij dat het wezen dat hier voor ons staat er nog uitziet als een echt meisje? Nee, Lars, het is al bijna een jongen! Je zult haar nog helemaal verknoeien als je

273

niet eindelijk een vrouw in huis haalt. En voor het geval je dat niet zo gauw lukt, stel ik me graag ter beschikking.'

Mijn vader verslikte zich in zijn broodje. 'Bedankt, moeder, dat is heel aardig van je. Maar ik denk dat we het met zijn tweetjes wel redden. Weet je, Marion zou trots geweest zijn op haar dochter. Daar ben ik van overtuigd.'

'Marion! Altijd alleen maar Marion,' mopperde oma als een jaloerse kat. 'Marion is al meer dan een jaar dood, Lars, daar is niets aan te doen! En jij zult moeten kiezen, Vanessa. Een jongen blijft een jongen en een meisje een meisje. Dat is nu eenmaal zo. Punt. Uit!' Oma Verschrikkelijk veegde een traan van haar wang. 'Ik ben toch ook geen zwaargewichtbokser geworden.'

'Nou, oma, dan heeft Mohammed Ali heel veel geluk gehad!' grijnsde ik. Ik brak het vijfde ei boven de blender en zette hem aan. Oma Verschrikkelijk sprong geschrokken op.

'Gottegottegot! Wat maak jij daar nou?' riep ze.

'Ontbijt, oma,' antwoordde ik rustig.

'Maar alles staat al op tafel, Vanessa!' mopperde Oma Verschrikkelijk. Ik keek naar de roze verjaardagstaart die ze had meegebracht.

'Huuu!' kreunde ik. 'Die ziet er hetzelfde uit als je hoed!' Toen zette ik de blender uit en tilde de glazen beker eraf. Ik dronk hem in één teug leeg, liet een boer en zei: 'Sorry! Maar weet je, ik ben niet zo van de zoete barbieroze marsepein. Dat is nu eenmaal zo. Punt. Uit.'

Ik zei dat heel rustig en aardig met het onschuldige gezicht van een engel. En Oma Verschrikkelijk had minstens vijftien seconden nodig om een antwoord te bedenken. In haar geval was dat een nieuw record.

'Tja, wat je wilt!' zei ze terwijl ze met een beledigd gezicht haar hoofd in haar nek gooide. 'Maar jij zult aan me denken.

Dat voorspel ik je. En het cadeautje zul je ook niet leuk vinden. Het is namelijk rood!'

'Nou, dan is het gelukkig niet roze!' zei ik opgelucht en
liep naar het pak dat op tafel lag. Als ik al schoenen met hakjes moest krijgen, dan in elk geval geen roze. Ik trok het
cadeaupapier eraf, zag de verwachte schoenendoos en haalde
de deksel eraf.

Even was ik sprakeloos.

'Ik zei toch dat ze rood waren!' mopperde Oma Verschrikkelijk. 'En ik ga ze niet ruilen. Gottegot. Het kopen alleen
was al pijnlijk genoeg.'

Ik keek mijn vader aan: 'En ze heeft je echt niet om zeep
geholpen?'

Mijn vader grijnsde en schudde zijn hoofd. 'Nee, ook niet gemarteld. Hooguit een beetje vervloekt!'

'Bedankt!' zei ik glimlachend tegen hem. 'En jij ook heel hartelijk bedankt, oma!' riep ik. Ik trok de voetbalschoenen uit de doos en vloog mijn oma om de hals. 'Oma, heel vaak ben je de liefste oma van de wereld. Wat cool, omaatje! Ik heb altijd al rode voetbalschoenen willen hebben!'

Ik drukte me tegen mijn oma aan en overlaadde haar gezicht met zoenen. Oma keek mijn vader verbijsterd aan.

'En, hoe voelt het als je door een trol gezoend wordt?' vroeg hij plagend.

Mijn oma trok haar neus op, en ik lachte: 'Wie bedoel je, pap? Wie van ons tweeën is nou de trol?'

'Nu moet je ophouden! Ik waarschuw je!' riep mijn oma en drukte me zo stevig tegen zich aan dat ik bijna geen lucht meer kreeg.

Een andere ontmoeting

Na de regen en mist van de verjaardagsnacht gaf Amsterdam me de volgende ochtend een mooie nazomerdag voor mijn verjaardag. Ik voelde me fantastisch en ik kon nauwelijks wachten tot de training met de Wilde Voetbalbende begon.

Eindelijk was het kwart voor vier en stapte ik bij mijn vader in de auto. Ik had mijn nieuwe shirtje en knalrode voetbalschoenen aan en ik was doodzenuwachtig.

Oma Verschrikkelijk stond ons uit te zwaaien alsof ik regelrecht mijn ondergang tegemoet reed. Maar dat vond ik niet erg. Ik wist wel beter. We reden naar mijn eerste training bij een jongenselftal. Wauw! Daar had ik al meer dan twee jaar op gewacht. En eindelijk gebeurde het. Ik wist absoluut niet wat me te wachten stond. En daarom wilde ik niet eens meer uit de auto stappen, toen we bij sportveld 'De Duivelspot' kwamen. Ik staarde alleen maar naar de schutting waarachter de Wilde Voetbalbende zich verborg.

'Hé! Alles goed?' vroeg mijn vader om kwart over vier, maar ik ging alleen maar door met nagelbijten. Ik beet op mijn nagels tot vijf voor half vijf. Toen hield mijn vader het niet langer uit. Hij greep naar het ultieme middel om druk uit te oefenen. 'Ik zou natuurlijk met je mee kunnen lopen. Maar dat doe ik alleen als het echt noodzakelijk is. Ik bedoel, ik begrijp wel dat je opgewonden bent en dat je vast ook een beetje...'

'Helemaal niet. Ik ben niet bang! Echt niet, hoor!' viel ik hem woedend in de rede. Ik bleef roerloos zitten. 'Bang? Belachelijk!'

'Oké,' zei mijn vader. 'Oké!' Hij boog zich voor me langs en deed het portier aan mijn kant open. 'Toch ga ik met je mee als je niet binnen twintig seconden door dat gat het veld op loopt.'

'Ay-ay, captain!' zei ik en keek naar de secondenwijzer van de klok op het dashboard. Na vijftien seconden stak ik mijn rechterbeen naar buiten. 'En ze weten echt dat ik vandaag kom?'

'Ja, ik heb zelf met hun trainer gebeld,' verzekerde mijn vader me. 'Hij heet Willie.'

'Willie, en hoe nog meer?' vroeg ik om tijd te winnen.

'Willie, verder niets. Hij heet niet Willie Preuts en ook niet Willie Monster,' glimlachte mijn vader en ik was dol op die glimlach. Het was die ik-ben-altijd-bij-je-wat-er-ook-gebeurt-glimlach. En met die glimlach in mijn rug stapte ik eindelijk uit de auto en liep met kloppend hart door de opening in de schutting, mijn lot tegemoet.

Toen zag ik een ogenblik lang elf jongens trainen op het veld. Elf jongens helemaal in het zwart met feloranje kousen. En in dat ene ogenblik zag ik wat voor een fantastisch elftal het was. Maar na dit ene ogenblik was het stil. Doodstil. Niemand bewoog zich meer op het veld, alsof iemand de tijd tegenhield. Het leek zelfs of de bal ergens hoog in de lucht bleef zweven.

Ik had het gevoel of ik in een dierentuin was. Iedereen staarde me aan, alsof ik een kruising was tussen een kangoeroe en een krokodil. Maar dat was ik gewend. Mijn hele leven lang had iedereen zo naar mij gekeken. Daarom herstelde ik me het eerst van allemaal. Ik schraapte mijn keel en vroeg

moedig naar Willie. Maar voor de anderen stond de tijd nog steeds stil. Het leek of ze voor altijd verstard en verstomd waren.

'Hoi, ik ben Vanessa,' deed ik een tweede poging. 'Mijn vader heeft met Willie gebeld en die heeft gezegd dat ik met jullie mocht trainen.'

Weer wachtte ik. Opeens sprong de tijd ongeveer een driekwart seconde naar voren en in die driekwart seconde draaiden alle spelers van de Wilde Voetbalbende hun hoofd naar links. Ik volgde hun blik en zag Willie. Hij zat in kleermakerszit op het gras en keek me met een vriendelijke grijns aan.

'Hoi, Vanessa,' begroette hij me. 'Je bent te laat!'

Op dat moment was de tijd er weer. De bal in de lucht kreeg zijn zwaartekracht terug, viel suizend naar beneden en kwam met een klap op het hoofd van een jongen terecht. Benggg! De jongen had rugnummer 13.

Nummer 13 kwam geschrokken tot leven. 'Ho, wacht eens even, Willie! Jij kent dat eh... ik bedoel die daar?'

'Ja, dat is Vanessa. Dat heb ik toch net gezegd!' antwoordde Willie onschuldig lachend. Hij stond op en kwam naar me toe.

'Dat heb ik gehoord, ja!' De jongen snoof verontwaardigd. 'Maar snappen doe ik het niet. Dit is duidelijk een meisje.'

'Wauw! Bingo, Leon!' prees Willie hem. 'Hoe ben je daar zo snel achter gekomen?'

'Zoiets ruik je toch vijftien kilometer tegen de wind in!' riep Leon boos terug. 'Fabi, man, zeg eens iets. Willie wil een meisje in ons elftal halen.'

Maar Fabi, de jongen met rugnummer 4, zei niets. Voor

hem stond de tijd nog steeds stil. Hij stond naast Leon en staarde mij aan alsof ik de kerstman en de paashaas in één persoon was. En eerlijk gezegd zag hij er op dat moment niet al te slim uit.

'Fabi, man!' riep Leon. 'Dat is net zoiets als wanneer een vrouw aanmonstert op een walvisvaarder. Shit! Dat brengt ongeluk en ruzie!'

'Vind je dat echt?' vroeg Fabi met een glimlach waarmee niemand vrij zou mogen rondlopen, als ik het voor het zeggen had.

'Ja, dat vind ik echt,' riep Leon. 'Krijg nou wat! Is hier niemand meer goed bij zijn verstand?'

'Wat voor een verstand?' vroeg Fabi met een grijns.

Een jongen met rode krullen en een bril met jampotglazen sprong naar voren. 'Leon heeft gelijk! Dit kan ook niet. Zoiets is nog nooit gebeurd.'

'Nee nooit!' riep de kleinste van hen. 'Nooit sinds ik lid van de Wilde Bende ben! En dat ben ik mijn hele leven al!'

'Precies!' riepen de anderen en ten slotte voegde nog iemand iets toe: 'Willie! Ik waarschuw je! Als zij erbij komt, ben ik verdwenen!'

Deze zin kwam er zo duidelijk en vastbesloten uit dat hij me trof als een messteek. Ik keek de jongen die dat gezegd had recht in zijn ogen. Hij was de oudste en de grootste van de groep. Misschien had hij het moeilijk gevonden om te zeggen, maar hij meende het uit de grond van zijn hart.

'Ja, mijn broer Marlon heeft gelijk!' riep Leon. 'Als zij bij ons komt, zijn we allemaal weg.'

Voor de tweede keer was het stil. Het enige geluid dat ik hoorde was het kloppen van mijn eigen hart. Willie schoof zijn pet naar achteren. En dat hoorde ik ook. Hij heeft vast jeuk op zijn voorhoofd, dacht ik, maar hij krabde niet. Hij keek mij met half dichtgeknepen ogen aan. Toen zuchtte hij diep.

'Oké, oké! Ik heb het begrepen en het spijt me oprecht. Ja, ik had het jullie eerst moeten vragen. Dat weet ik, sorry, maar dat heb ik nu eenmaal niet gedaan. En daarom zit ik nu in de puree. Goeiedág! Ik heb Vanessa's vader beloofd dat zijn dochter bij ons mag trainen. Was dat dan zo erg? In elk geval een keer op proef. En ik vraag jullie nu of ik alsjeblieft woord mag houden.'

De Wilde Bende keek Willie verbaasd aan.

'Kom, geef haar een kans,' zei Willie. 'En als ze niet kan voetballen, sturen we haar gewoon weer weg.'

'En als ze het wel kan?' vroeg Leon. 'Wat gebeurt er dan?'

'Wat er dan gebeurt?' vroeg Willie. Hij haalde zijn schouders op. 'Dan verliezen we een voetballer, alleen maar omdat hij een meisje is. Verder niets.'

Leon knikte tevreden en keek mij aan. Ik beet op mijn onderlip en hoopte dat die niet opensprong. Leon voelde mijn onzekerheid. Dat wist ik en daarom wist ik ook precies wat er nu ging gebeuren.

'Oké, afgesproken,' glimlachte Leon als prins John die het doodsvonnis voor Robin Hood tekende. 'Een proeftraining.'

Toen begon hij aan de opstelling.

Jongens haat ik nog meer!

Ik werd natuurlijk bij Leon en Marlon ingedeeld. Dus bij de twee die me het vriendelijkst gezind waren, maar niet heus. En de andere leden van het elftal waren geen haar beter. Dat kun je rustig van me aannemen.

Dan had je nog Raban. Dat was die jongen met rode krullen en die bril met jampotglazen. Hij scheen een paar traumatische ervaringen met drie kleuterschoolkapsters gehad te hebben. Hij had een bloedhekel aan mij.

Josje, de kleinste van de Wilde Bende, was een boze gifdwerg. En Rocco, ah, die mooie Rocco was een echte macho. Die telde mij eerst helemaal niet mee.

'We spelen vijf tegen zes,' zei hij zakelijk tegen Willie. 'Dus hebben wij de aftrap!'

Willie knikte alleen maar. Hij zei niets en ook daaraan moest ik nog wennen. Mevrouw Preuts zou Rocco wegens onsportief gedrag meteen op de bank hebben gezet. Maar hier was ik niet bij de aardige, keurige Maastrichtse Zwaluwen. Hier was ik in de echte, rauwe, keiharde en wilde wereld waarnaar ik mijn leven lang verlangd had. En in deze wereld schenen er geen fatsoensregels te bestaan. Nee, Willie veegde alleen met de rug van zijn hand het snot van zijn neus en gaf Rocco de bal.

'Oké! We beginnen!' riep Leon. 'Drie balcontacten per speler, meer niet. Snap je wat dat betekent?' vroeg hij aan mij.

'Ik mag de bal maar drie keer aanraken, inclusief het aannemen en doorspelen van de bal, hè?'

Een moment stond Leon paf. Toen fluisterde hij met opeengeklemde kiezen: 'Wauw, dat komt regelrecht uit het leerboek over voetbal. Heb je alles uit je hoofd geleerd?' Hij grijnsde naar me en had alweer gewonnen. Ik had deze oefening inderdaad nog nooit gedaan. Ik had ze alleen maar altijd bij de jongens gezien. In mijn elftal in Maastricht mochten we al blij zijn als er een combinatie lukte.

'Oké, Vanella, of hoe je ook heet. Je gaat met Rocco en mij in de voorhoede, jij speelt op links.'

Natuurlijk op links, dacht ik alleen maar. Waarom binden ze niet meteen mijn benen bij elkaar? Maar ik was ook Vanessa, de onverschrokkene. Daarom ging ik gehoorzaam op mijn plaats staan en dacht woedend: Maken jullie je borst maar nat! Ik zal jullie eens even wat laten zien!

Maar zo ver zou het niet één keer komen. Na het startsein speelden Leon, Marlon, Raban, Josje en Rocco echt vijf tegen zes. Dat wil zeggen, ze speelden alsof ik er helemaal niet was. Ik stond regelmatig helemaal alleen vrij voor het doel. Ik schreeuwde de longen uit mijn lijf om hun aandacht te trekken, maar ze speelden gewoon om me heen. En wat nog veel erger was: ze maakten ook elke keer alleen het doelpunt. Beter en indrukwekkender hadden ze me niet kunnen laten zien hoe overbodig ik was. Maar ik bleef Vanessa de onverschrokkene, en ik gaf niet op.

'Bravo!' klapte ik nadat het vijf-nul was geworden voor ons team. 'Jullie zijn echt cool, weten jullie dat? Zo cool dat jullie niet eens merken dat je het in je broek doet van angst.'

Ze keken me verbluft aan. Toen begonnen ze hard te lachen.

'Horen jullie dat, mannen?' riepen Leon en Marlon.

Ik kapte hun lach meteen weer af. 'Dat hoop ik wel, en anders zeg ik het graag nog een keer, mannen, of hoe jullie elkaar ook noemen. Jullie zijn schijtluizen. Jullie doen het al in je broek bij de gedachte dat ik iets zou kunnen.'

Leon lachte nog een keer. Tenminste, hij probeerde het, maar dat liet ik niet toe.

'En nog iets,' ging ik verder. 'Waarom spelen jullie nooit naar mij?'

Nu was het stil.

Ik keek naar Willie. Die amuseerde zich kostelijk, en dat gaf me moed. Ik kon zelfs een grijns niet meer onderdrukken. Ik had Leon en de Wilde Bende echt op hun gevoeligste plek geraakt en ze kookten van woede.

'Oké. Zoals je wilt,' nam Leon de uitdaging aan. 'We zullen zien wie van ons het laatst lacht.'

Onmiddellijk schoot hij de bal scherp naar mij toe. Zo scherp dat ik hem met de beste wil van de wereld niet kon stoppen. Hij versprong en belandde natuurlijk bij de tegenstander. Die scoorde in aansluiting op deze fout meteen een prachtig doelpunt en hun eer was gered. De grijns op Leons gezicht háátte ik. Hetzelfde gebeurde me nog twee keer. En

hoewel het nooit mijn schuld was, omdat Leon, Marlon of Rocco mijn fouten uitlokten, werd ik steeds onzekerder. En toen Marlon de geniale pass in de ruimte voor me schoot, verprutste ik die.

De tegenstander had zijn eer dubbel en dwars gered, want het stond intussen vijf-vier. Ik kreeg de bal voor het eigen strafschopgebied in zo'n lastige situatie, dat ik hem onmogelijk kon doorspelen. Jojo, Felix en Joeri waren om me heen. Ik probeerde me uit hun omsingeling te bevrijden. De anderen telden alleen maar hardop mee. Het was de beste dribbel van mijn tienjarige leven, echt waar. Maar dat interesseerde hier niemand. Toen ik de bal voor de vierde keer achter elkaar aanraakte floot Willie af en gaf een vrije schop voor het andere team. Op hetzelfde ogenblik draafde Max naar voren en hij is volgens Josje de man met het hardste schot ter wereld. Nou, daar liet Max ook geen twijfel over bestaan. Hij schoot de bal zo hard in het net, dat het losschoot en toen stond het vijf-vijf. Onbeslist.

'Bravo!' riep Leon nu en klapte in zijn handen. 'Dat was een absolute topprestatie van Nellie, vinden jullie niet?' voegde hij er spottend aan toe. 'Van vijf-nul naar vijf-vijf onbeslist. En dat binnen nog geen vijf minuten.'

De anderen lachten en joelden en in mijn hoofd dook voor het eerst deze gedachte op, die maar uit één woord bestond: Wegwezen! Dat fluisterde de gedachte, en de stem kwam recht uit mijn hart.

Maar Leon was nog niet klaar met me. 'Wat maakt het uit, mannen! Zij kan er niets aan doen. Zij is maar een

286

meisje. We geven haar nog een kans. We besluiten dit spelletje met strafschoppen. Voor ons worden ze alle vijf door Nellie of Nessie of hoe ze ook heet, genomen. Ik denk dat dan zelfs Willie tevreden is.'

Na deze toespraak strafte Leon Willie met zo'n boze blik dat het lachje opeens van Willies gezicht verdween. Woedend was Leon op de trainer die hen met een meisje had opgezadeld. En Willie, dat zag ik nu, zou zeker niets meer voor me doen. Ik wou dat er opeens een fee zou verschijnen om me te helpen. Maar ik had het nu zelf in de hand. Ik kon het mezelf en de jongens bewijzen. Ja, dat kon ik nu, als ik maar niet meer zo onzeker was. Als ik maar niet zo zenuwachtig zou zijn. En als die vervloekte gedachte maar niet in mijn hoofd zou rondspoken en me zonder ophouden toefluisterde: Ga weg! Ga toch weg!

Maar daarvoor was het te laat. Jojo zette de eerste strafschop om in een doelpunt voor het team van de tegenstander en Leon legde de bal al voor me klaar op de stip. Dat kon ik natuurlijk niet goedvinden. Ik liep langs hem heen, pakte de bal op en legde hem zelf klaar. De anderen begonnen geheimzinnig te fluisteren en met dat gefluister trilde de onzekerheid door mijn benen. Toch probeerde ik me zo goed mogelijk te concentreren. Een aanloop met een boog, zodat alleen een schot met rechts in de linkerhoek van de goal mogelijk was. Maar dan met de buitenkant van mijn schoen in plaats van met de binnenkant in de rechterhoek rakelings langs de paal. Dat was ik van plan. Maar precies op het moment dat ik voor het schot wilde uithalen, leek de aarde te beven. Ik aarzelde misschien een honderdste seconde te lang. Ik raakte de bal verkeerd en hij knalde tegen de paal.

Felix scoorde als altijd trefzeker voor de tegenpartij. Mijn tweede strafschop ging over de lat. En daarmee werd het nul-

twee tegen ons, of liever gezegd, tegen mij, want ik geloof niet dat er nog één jongen op het veld was die aan mijn kant stond.

Of toch...? Nu legde Fabi de bal klaar en om de een of andere reden had hij een vuurrood hoofd. Hij durfde helemaal niet in mijn richting te kijken. Hij nam een rare aanloop en schoot de bal – net als ik – huizenhoog over de lat.

'Hé, wat krijgen we nou?' riep Leon geschrokken, maar Fabi haalde alleen maar zijn schouders op. Toen pakte Leon hem bij zijn arm. 'Ben je soms verliefd op Nessie?' wilde hij weten. Hij kreeg onmiddellijk een stomp in zijn maag.

'Heb niet het lef dat nog één keer te zeggen,' siste Fabi woedend tegen hem. 'Ik heb hem met opzet ernaast geschoten. Dan wordt het spannender. Snap je?'

Een grijns verspreidde zich over Leons gezicht. 'Dan wordt het spannender. Die is goed. Heb je dat gehoord, Marc?' riep hij tegen de keeper. 'Laat rustig eentje van haar binnen! Anders heeft ze helemaal geen kans.'

'Heel graag,' was Marcs antwoord. 'Maar dan moet ze de bal natuurlijk wel een keer góéd raken!'

De Wilde Bende viel óm van het lachen en ik werd nog zenuwachtiger. Wegwezen! Ga weg! zeurde het in mijn hoofd en de eerste tranen sprongen in mijn ogen. Nee! Dat al helemáál niet, dacht ik en ik zette geschrokken mijn tanden op elkaar. Nee! In geen geval janken. Dat plezier gunde ik de Bende niet.

Toen nam ik een aanloop, schoot en – wauw! – de bal vloog regelrecht naar de keeper. Voor Marc was het een makkie geweest om hem gewoon te vangen. Maar in plaats daarvan sprong hij geschrokken opzij, alsof het om een kanonskogel ging.

'Hé! Wat heb ik gezegd? Twee-één! Zag je dat? De strafschop van de eeuw!' Het gejubel van de Wilde Bende klonk spottend en in mijn hart verwenste ik de jongens stuk voor stuk voor deze vernedering. Vlug veegde ik zo onopvallend mogelijk de eerste tranen van mijn wangen.

De volgende strafschop schoot Joeri zo overduidelijk vijf meter rechts naast het doel dat hij zijn buik moest vasthouden van het lachen. Ik daarentegen scoorde deze keer zo goed, dat Marc, de onbedwingbare, zoals hij zich blijkbaar noemde, niets hoefde te doen om me te helpen.

Maar Leon was nog steeds niet onder de indruk. Hij liep naar Max en fluisterde iets in zijn oor. Max glimlachte, maar er zat een snufje boosaardigheid doorheen. Toen mat hij het aantal stappen. Hij nam een aanloop en schoot de bal in een lijnrechte streep tegen het kruis, in de rechter bovenhoek van het doel.

'Ooo!' en 'Aaaah!' kreunden de leden van de Wilde Bende en ze lachten zich een bult. Dat had Max met opzet gedaan en hiermee was ook mijn laatste restje zelfvertrouwen verdwenen. Hoe kon ik ooit in een team spelen waarin iemand op verzoek een van de bovenhoeken van de lat kon raken?

Maar ik had geen keus. Leon stond voor me en hield de voetbal recht voor mijn neus.

'Zo, en wie is er nu bang, en wie lacht het laatst en dus het best?' vroeg hij. Hij keek me strak aan. Als antwoord sprongen liters tranen in mijn ogen.

'Je hebt het zelf in de hand,' ging Leon verder. Hij genoot van zijn macht. 'Maar misschien ga je liever een potje staan janken?'

Zo, die zat, dat kan ik je wel vertellen. Ik deed mijn ogen dicht om de tranen terug te dringen. Nee, alsjeblieft niet! Raap jezelf bij elkaar! spoorde ik mezelf nog een keer aan. Je bent Vanessa, de onverschrokkene. Zo heeft je moeder je altijd genoemd. Waar wacht je nog op?

Ik deed mijn ogen open, pakte de bal uit Leons handen en legde hem op de stip. Maar toen ik terugliep om een aanloop te nemen, voelde ik hoe onder me de grond zacht werd. Toen ik daarop de aanloop nam, begon hij te golven. Daarbij kwamen de bruisende aanvurende kreten en schreeuwen van de Wilde Bende, waarvan er niet eentje eerlijk gemeend was. Ik wilde uithalen met mijn rechtervoet, maar toen stortte alles, de golvende grond, het geschreeuw en ten slotte mijn hele leven met een hels lawaai in elkaar. Ik verloor mijn evenwicht, miste de bal en gleed uit. Een seconde later lag ik languit op mijn rug in de modder.

Daarna was het weer helemaal stil.

Ik lag daar maar en wilde me niet meer bewegen. De tranen spatten bijna uit mijn ogen. Ik kon ze nauwelijks meer tegenhouden. Laat ze maar denken dat ik een huilebalk ben, dacht ik.

Leon kwam in mijn blikveld en bleef vlak voor me staan.

Hij keek me vernietigend en koud aan. Toen spuugde hij op de grond, zoals jongens dat soms doen als ze denken dat ze al mannen zijn. En daarna verbrak hij eindelijk het zwijgen. 'Nou, wat denk je, Nessie? Heb je de proef doorstaan?'

Even redde ik het nog. Ik staarde hem aan alsof ik me binnen een seconde op hem wilde storten. Maar toen stroomde een zondvloed uit mijn ogen. Ik sprong op en stormde het veld af.

Een duel van dromen

Ik zette het op een lopen. En na eindeloos zoeken in deze vreselijke nieuwe stad vond ik ook eindelijk het huis. Het huis dat sinds gisteren mijn nieuwe thuis moest zijn, en dat nu voor mij het tegenovergestelde van een thuis was. Ik haatte het. Ja, op dit moment haatte ik alles. Mijn vader bofte echt dat hij niet de eerste was die ik in het huis tegenkwam. Nee, het was Oma Verschrikkelijk. En die noem ik in gedachten soms het hulpje van de duivel. Leon en zijn vrienden zijn voor mij eerder echte duivels, en het voetbalveldje mijn persoonlijke hel. In dat laatste gaf Oma Verschrikkelijk me in elk geval gelijk.

Natuurlijk was ze ons gesprek van vanmorgen allang vergeten en hield ze zich bezig met de dingen die écht belangrijk zijn in het leven. Ze had bij wijze van harnas een plastic schort voor om haar roze mantelpak te beschermen. Als helm had ze een sjaal om haar roze hoed gebonden. En met een tuinschaar als zwaard had ze het onkruid in de tuin de oorlog verklaard. Krijgshaftig stond ze op het terras. Alleen al haar verschijning was voor elke paardenbloem genoeg om stilletjes te verschrompelen. Ze hoefde zich zelfs niet één keer te bukken. Alleen ik speelde het klaar om niet voor mijn oma opzij te gaan. Ik rende natuurlijk regelrecht op haar af.

'Gottegot, wat zie jij eruit,' snaterde ze als een geschrok-

ken eend. 'Gottegot! Bij alle hemelse machten! Kindje, je komt regelrecht uit de hel. Kom hier, schat, zodat ik je aan mijn borst kan drukken!' zei ze en ze spreidde haar armen alsof het engelenvleugels waren. Ik slikte en nam het aanbod aan. Maar dat was een vergissing. Oma Verschrikkelijk was geen engel. Ze was een stokoude, roze eend met een hoofddoek om en een plastic schort voor.

Oma begreep niet al te veel van mij. 'Gottegot, kindje. Heb ik het niet tegen je gezegd? Je moet een keuze maken,' snaterde ze. 'Hopelijk heb je dat nu gesnapt. Jeetje toch! In elk geval zullen we dat afschuwelijke shirt en die verschrikkelijke schoenen morgen meegeven als ze oude kleren komen inzamelen.'

Nee! Dit was te veel. Ik kreeg geen lucht meer. Plotseling zag ik alleen nog maar roze om me heen. Overal. Zelfs ik begon al te verkleuren. Nee! Dit wilde ik niet! Ik was Vanessa de onverschrokkene. Ik wilde voetballen! Daarom trok ik me los, rende naar mijn kamer, knalde de deur achter me dicht en ging als een fakir op de matras zitten. En zo bleef ik naar de muur zitten staren tot mijn vader thuiskwam.

Buiten was het allang donker geworden. Mijn vader kwam mijn kamer binnen en liet zich naast me op de matras zakken.

'Hai. Ik weet alles,' zei hij. 'Willie heeft me gebeld. Hij vindt dat je je tamelijk dapper geweerd hebt.'

'Ja vast!' mokte ik alleen maar.

'Ja, en je dribbelde fantastisch. Jammer dat hij toen net moest affluiten. Dat moest ik van hem zeggen. Je dribbelde beter dan Leon, en die is de slalomkampioen.'

'Poeh, Leon!' Van die jongen wilde ik al helemaal niets meer weten. Toen voelde ik de tranen per ongeluk weer in mijn ogen springen en ik veegde ze boos weg. 'Ik ga daar nooit meer heen, pap. Dan weet je dat, nooit meer!'

Mijn vader keek me alleen maar aan.

'En ik wil weer terug naar Maastricht!' Mijn stem trilde nu al een beetje. 'Dit huis is niet mijn droom. Het is de droom van mama.' Ik probeerde nog een keer mijn tranen weg te vegen. Dat lukte niet meer. Toen sloeg mijn vader zijn armen om me heen en ik snotterde er lekker op los. 'Waarom zijn we dan hier? Papa, waarom moet ik haar droom leven? Ik heb toch ook een droom?'

'Ja, eentje die je nu wilt opgeven,' antwoordde mijn vader en ik kreeg van schrik bijna een hartstilstand. Was mijn vader nu niet meer mijn vader, maar mijn vijand? Shit, ik wilde toch alleen maar terug naar Maastricht om te voetballen? Daar werd ik geaccepteerd en gewaardeerd. Wat was daar mis mee?

'Wat denk je?' vroeg mijn vader. 'Als we nu onmiddellijk

naar Maastricht zouden rijden, zou je dan kunnen vergeten wat er vandaag gebeurd is?'

Ik keek hem aan. Natuurlijk zou ik dat niet kunnen. Dit zou ik nooit meer vergeten. Maar daarom wilde ik ook terug naar Maastricht. Shit, wat was papa van plan, vroeg ik me af. Toen wist ik het opeens. Hij wilde in Amsterdam blijven en ik deed er voor hem niet toe, absoluut niet. Maar zo gemakkelijk liet ik me niet uitschakelen.

'Ik wil even iets duidelijk zeggen,' zei ik en ik ging rechtop en vastbesloten voor hem zitten. 'Of we gaan terug naar Maastricht, of ik stop met voetballen.'

Mijn vader sloeg zijn ogen neer. Hij werd heel treurig. 'Dat is zo jammer, weet je dat?' zei hij toen en hij keek me weer aan. 'Dromen zijn heel kostbaar. Die mag je nooit opgeven. Als jij je dromen opgeeft, verlies je jezelf. Dan ben je er niet meer. Weg! Verdwenen! Als een zeepbel uit elkaar gespat. Mama wist dat. Daarom heeft ze dat huis hier laten bouwen. Hoewel ze dood zou gaan. Hoewel ze wist dat ze de verhuizing nooit mee zou maken, was het haar droom dat wij hier ooit zouden wonen. Kijk om je heen. Dit is mama's huis. Voel je dat niet? Vanessa, voel je de kracht? Met die kracht zal het je lukken. Geloof dat alsjeblieft!'

'Ja, maar wat moet ik dan doen?' vroeg ik, helemaal in de war.

'Wat jij moet doen, is die Wilde Voetbalbende eens even een poepie laten ruiken,' zei mijn vader. 'Dát moet je doen. Daag de jongens allemaal uit. Nodig hen uit voor een voetbaltoernooi omdat je jarig bent!'

'Maar ze komen toch niet. Geen haar op hun hoofd die daar zelfs maar over na zou denken!' riep ik terug.

'Natuurlijk wel. Maak je daar maar geen zorgen over,' grijnsde mijn vader. 'Het ligt er gewoon aan hoe je het vraagt.'

Ik veegde de tranen van mijn wangen. 'Oké.' gaf ik toe. 'Maar daarna praten we nog eens over Maastricht. Afgesproken?'

'Afgesproken,' knikte mijn vader. 'Als je dan tenminste nog weet waar dat ligt!'

Lastig en supergemeen

De volgende dag ging ik op pad. Ik had elf uitnodigingen bij me en ik had een goede bui. Daarom ging ik ook niet naar het veldje, waar ik alle uitnodigingen ineens had kunnen uitdelen, maar een voor een langs alle huizen van de Wilde Bende-leden. Dat vond ik leuk en ik had goed nagedacht over de volgorde waarin ik mijn bezoekjes zou afleggen.

Het eerst was Raban aan de beurt. Raban de held. Maar toen hij de voordeur van Rozenbottelsteeg 6 opendeed, zag Raban er helemaal niet meer uit als een held. Hij was ver-bijsterd, want meisjes zijn natuurlijk puur vergif. En met een suikerzoete glimlach hield ik hem de uitnodiging voor mijn verjaardag voor zijn neus.

'En?' vroeg ik hem met diezelfde glimlach. 'Denk je dat je genoeg fut bij elkaar kunt schrapen om te komen?'

Raban staarde naar de envelop die ik hem voorhield. Toen keek hij mij aan en gooide de deur met een klap voor mijn neus dicht. Ik haalde mijn schouders op, stopte de brief in de brievenbus en liep weg.

Alles ging volgens plan. Raban was de man die ik nodig had. In de volgende dertig seconden zou hij alle jongens van het team bellen en vertellen dat ik onderweg was. Daarna zou-den ze – dat wist ik ook – allemaal bij het raam op me gaan staan wachten. Ik voelde me net pacman op een gigantisch computerscherm en sjouwde tevreden door de straten, op weg naar mijn volgende slachtoffer.

Op Eikenlaan 1 trok Max de deur open nog voor ik de bel had aangeraakt. Hij griste de brief uit mijn hand. Toen gooide hij de deur weer dicht met een hoofd dat zo rood was als een supernova op het punt van ontploffen.

Daarna liep ik naar de villa van Marc. Die lag naast het kinderopvanghuis waar Jojo door de week woont. Hij moet daar naartoe omdat zijn moeder te veel drinkt en geen tijd voor hem heeft. Ik wilde net aanbellen toen Marc en zijn vader in hun pikzwarte limousine voor de deur stopten. Marc stapte uit en belde mobiel met Raban. Hij werd waarschijnlijk net over mij ingelicht. In elk geval keek hij niet naar me. Hij deed of ik lucht was. Dwars door me heen praatte hij tegen de butler die op dat moment de voordeur opendeed.

'O, Edouard, ik heb verschrikkelijk veel haast. Kun jij de post voor me aannemen?'

Hij verdween het huis in, maar na een halve seconde verscheen zijn hoofd weer achter Edouard.

Hij riep: 'Ja, en de brief voor Jojo moet ze ook maar aan mij geven. Hoorde je dat? Hij staat namelijk al achter het hek te wachten.'

Edouard keek Marc hoofdschuddend na. Hij wachtte of de jongen misschien nog een keer zou terugkomen, draaide zich vervolgens om en glimlachte naar me.

'Olala, mademoiselle. Wat ebt u nu met de Wielde Bande gedaan?'

'Niets,' zei ik en ik glimlachte terug. '*Nog* niets!' Toen gaf ik hem de twee brieven en liep weg, met mijn neus in de wind.

Op Valentijnstraat 11 deed de moeder van Felix open. Ik stelde me aan haar voor en vroeg vriendelijk of Felix thuis was, maar die bleek er opeens niet meer te zijn. In plaats daarvan klonk ergens in het huis een zware mannenstem.

'Een moment, mam, eh... ik bedoel mevrouw Torens, ik kijk even of uw zoon er is.'

Felix' moeder rolde met haar ogen. 'Oké, dat is aardig van je,' riep ze over haar schouder tegen de zware stem. 'En als je hem vindt, zeg dan dat hij niet zo'n lafbek moet zijn en zo snel mogelijk naar de voordeur moet komen.'

Daar stonden we. We wachtten een eindeloze minuut tot de zware stem hersteld was van de schrik.

'Het spijt me, mevrouw Torens, maar ik kan mezelf nu niet vinden.'

Ik proestte het uit. Dit was echt te grappig voor woorden.

Ook Felix' moeder moest lachen. 'Nou, Vanessa, geef mij je brief maar. Ik zal hem bewaren tot Felix weer weet waar hij is.'

Ik knikte, nam afscheid en liep – nog steeds lachend – twee straten verder naar de Fazantenhof. Daar woonde Fabian op nummer 4, en ook hier hoefde ik niet aan te bellen. Hij stond al op me te wachten met zijn fiets. Zodra hij me zag, sprong hij erop, schoot in volle vaart op me af en ging vlak voor me vol in de remmen.

'Hoi Vanessa! Wacht! Ik ben hier! Hier!' En toen viel hij voor mijn neus op de grond. Dat was vast niet de bedoeling geweest. In elk geval was zijn hoofd nog roder dan dat van Max. Hij lag nog op de grond en wreef met een pijnlijk gezicht over zijn billen.

'Hoi Fabi!' begroette ik hem. 'Goed dat je er bent. Weet jij waar Joeri en Josje wonen? Ik heb wat voor ze.'

'Die twee? Hoezo? Die wonen daar!' antwoordde Fabi en hij wees naar het huis schuin aan de overkant.

'Dank je,' zei ik alleen maar en vertrok. Onderweg telde ik mijn stappen. Ik was bij vijf toen Fabi opeens achter me stond.

'Hé, wacht even! Waarom krijg ik geen brief?'

'Ach, natuurlijk!' riep ik terwijl ik naar mijn hoofd greep. 'Hoe kon ik dat nou vergeten. Hier is-ie!' Ik hield hem de envelop voor. 'Of wil je liever een pleister voor op je billen?'

Fabi's hoofd was zo rood als een stoplicht. Toch griste hij de brief uit mijn hand en rende weg. Waarom hij zijn fiets midden op de weg liet liggen, moet je maar aan hem vragen. Ik zou er niets over durven zeggen.

Maar wat maakt het uit? Alles liep gesmeerd. Ik kon me nauwelijks meer voorstellen hoe wanhopig ik gisteren nog geweest was. En zo stapte ik de tuin in van Joeri en Josje, en daar kwam alles opeens weer terug.

In de tuin van Josje en Joeri zaten ook Marlon, Rocco en Leon op me te wachten. Die drie waren, in tegenstelling tot Raban, Felix en Fabi, niet helemaal ongevoelig voor meisjes, dat merkte ik wel. Ze stonden daar als vijf versteende trollen en staarden me aan alsof ik ze betoverd had. Toen wees Leon naar de vuilnisbakken naast de oprit.

'Je brieven kun je meteen daarin gooien,' zei hij en zijn gezicht werd weer hard en meedogenloos.

'Waar wacht je nog op?' vroeg Marlon. Zijn stem klonk zo scherp als een scheermesje.

Rocco spuugde alleen maar op de grond. Net als Leon gedaan had na mijn laatste gemiste strafschop toen hij zich over me heen boog en vroeg: 'Nou, wat denk je, Nessie? Heb je de proef doorstaan?'

Een paar eindeloos lange seconden wist ik niet wat ik moest doen. Ja, ik wilde weglopen. Of nee! Ik wilde de brieven in de vuilnisbak gooien, zoals Leon bevolen had. Maar ik kon geen van beide doen. Dat had ik mijn vader gisteravond beloofd. En daarom verzamelde ik nu alle moed die ik had.

Ik liep naar Leon, ging voor hem staan en zei: 'Gooi ze zelf

maar in de vuilnisbak.' Ik keek hem strak aan. 'Dat moet jij weten. Maar als je dat doet, weet ik genoeg. Dat weet ik dat jullie allemaal lafaards zijn.' Met deze woorden gooide ik hem de brieven voor zijn voeten, draaide me op mijn hielen om en liep met grote stappen weg.

's Avonds zat ik in de kamer van ons heksenhuis samen met mijn vader bij de open haard en staarde in het vuur. Ik voelde me een beetje onrustig en vroeg me gespannen af wat er nu zou gaan gebeuren. Ik wist het niet.

Ik wist maar één ding. Ik was niet weggelopen. Op een gegeven moment vroeg mijn vader hoe het met me ging.

Zonder aarzelen antwoordde ik: 'Goed, pap, heel goed. Ik ben deze keer niet weggelopen.'

Mijn vader knikte instemmend en schoot in de lach. 'Nou, dan gaat het met jou in elk geval beter dan met die Leon. Wedden dat hij op dit moment naar de uitnodiging zit te staren?'

'Ja!' grijnsde ik. 'En weet je pap, ik zou zo graag het gezicht willen zien dat hij daarbij trekt.'

Camelot beeft!

En inderdaad. Mijn vader had gelijk. De hele Wilde Bende had zich die avond op Camelot verzameld. Zelfs Willie was er en iedereen staarde naar de elf enveloppen die nog steeds ongeopend op het oude, houten vat lagen. Dat houten vat werd door hen 'het aambeeld' genoemd en ze haalden het alleen maar tevoorschijn als er gevaar dreigde.

Zwijgend en met boze gezichten zaten de leden van de Wilde Bende en Willie rond het aambeeld. Ze staarden naar de nog ongeopende brieven. Nou ja, ongeopend... Met een van de enveloppen, de envelop met Fabi's naam erop, was gerommeld. Hij was opengemaakt en weer dichtgeplakt. Dat kon je zo zien. En daarom staarde Fabi ook niet naar de brieven, maar rende hij zenuwachtig heen en weer. Af en toe floot hij 'Knocking on Heaven's Door' wat hij altijd deed als hij bang was. En verder gedroeg hij zich alsof de hemel elk ogenblik op hem neer kon storten.

Het was al donker toen Leon eindelijk het zwijgen verbrak. 'Oké. We hebben twee mogelijkheden. We verbranden ze óf we maken ze open.'

'Verbranden,' flapte Fabi er onmiddellijk uit. 'Ik ben voor verbranden!'

Leon keek hem aan en knikte tevreden. 'En wat vinden jullie?' vroeg hij aan de rest.

'Verbranden.'

'Ja, de fik erin!'

'Laten we ze meteen verbranden!'

'Ja, doen we, doen we!' klonk het nu van alle kanten.

'Ja, en voor die tijd scheuren we ze ook nog in stukjes!' riep Raban.

Toen werd het stil.

Leon wachtte nog een paar seconden. 'Oké,' zei hij toen en hij haalde opgelucht adem. 'Dat is dan hierbij besloten.'

Langzaam boog hij zich over het aambeeld en maakte een prop van de brieven.

Willie keek hem aan. 'Wauw! Ik ben diep onder de indruk van jullie,' prees hij zijn elftal spottend. 'Jullie zien er ook uit als echte winnaars. Doet dat verbranden niet een béétje pijn?'

Nu balde Leon zijn vuisten en Marlons ogen werden dreigende spleetjes. Willie zag dat, maar het maakte hem niets uit. Hij pakte Fabi's brief uit de stapel en draaide hem in het licht van de lantaarn om en om. 'Jullie winnen van de Onoverwinnelijke Winnaars. Jullie springen in het donker van een brug die meer dan drie meter hoog is. Jullie maken indruk op een wereldberoemde voetbalheld uit Brazilië. En jullie noemen jezelf de Wilde Voetbalbende. Maar bij de brief van een meisje lijken jullie te verstenen. En jullie doen het zo erg in je broek van angst dat jullie zelfs niet merken hoe pijnlijk dat is!'

'Genoeg! Hou op!' beten Marlon en Leon hem toe.

Willie keek hen aan. 'Ja, zo dadelijk,' zei hij. 'Nog één vraag: waarom doen jullie niet hetzelfde als Fabi?'

Fabian maakte zich heel klein en had het liefst onder de grond weg willen kruipen, maar Willie riep: 'Niet doen, Fabi! Dat is nergens voor nodig. Jij hebt het in elk geval gedurfd, al had je daar misschien een andere reden voor. Maar misschien kun jij je vrienden ervan overtuigen dat ze de brief in elk geval lezen, voor ze hem met pek insmeren, met veren beplakken, radbraken, vierendelen en ophangen.' Willie glimlachte bemoedigend, maar Fabi schudde heel langzaam zijn hoofd.

'Nee. Mooi niet. Ik peins er niet over!'

Willie knikte. 'Dan is het dus echt zo erg. Hm. Ik geloof dat ik die Vanessa totaal onderschat heb.'

'Dat klopt,' bevestigde Fabi.

Op dat moment ontplofte Leon. 'Ha, dat zullen we dan nog

wel eens zien!' riep hij. Hij rukte Willie de brief uit zijn hand en scheurde de envelop open. Een seconde later lag de uitnodiging op het aambeeld en kon iedereen hem lezen.

Hoi, Schatjes!

Jullie zijn echt wild. Dat zou je in elk geval denken als je een keer naar jullie kijkt. De tweede indruk, die ik vandaag van jullie kreeg, was eerlijk gezegd een stuk minder wild, om niet te zeggen een beetje zielig. Wat vinden jullie er zelf van, Raban, Felix, Max en Fabi?
In elk geval reken ik er niet meer op dat jullie ook nog een derde blik van me zullen doorstaan. Of zijn jullie misschien bereid je met een meisje te meten? Ik bedoel écht meten: zonder trucs en helemaal eerlijk.
Als jullie dat willen, kom dan alsjeblieft naar mijn verjaardagsfeestje. Daar zijn jullie van harte welkom.
Aanstaande zondag, de laatste dag van de vakantie, organiseer ik vanaf 15.00 uur een voetbaltoernooi in de tuin van ons 'heksenhuis', Beukenlaan 7.
Voor het geval ik gelijk zou hebben en jullie het nu al in je broek doen van angst, doe dan maar wat ik van jullie verwacht: pak de brieven, verscheur ze en gooi ze in het vuur!
We zien elkaar uiterlijk op school met gym.

Tot dan, hartelijke groeten,
Vanessa

De stilte die nu op Camelot heerste was bedrieglijk. In werkelijkheid was die stilte heel luid. Ondraaglijk luid zelfs, maar op een frequentie die je niet kon horen. De jongens van de Wilde Bende konden de stilte nog niet horen. Maar voelen konden ze die wel. Ja, duizend vleermuizen zonden hun woeste kreten de donkere nacht in. De bodem trilde al en Camelot beefde. En de lucht was zo geladen dat de vonken van woede van het ene lid van de Bende op het andere oversprongen. De jongens hoefden helemaal niets te zeggen. Iedereen wist genoeg.

En toen donderde een hels lawaai over hen heen, want Leon verkondigde: 'Daar krijgt ze spijt van. Dat beloof ik jullie!'

De zwarte rijders

De volgende morgen bracht de verhuiswagen uit Maastricht eindelijk mijn mooiste bezit: mijn zwarte Giant-mountainbike met de extra dikke achterband. Ik vergat alles om me heen en vloog er op mijn fiets vandoor. Oma Verschrikkelijk bleef teleurgesteld achter. Ze had gehoopt dat ze een goed gesprek van vrouw tot vrouw met mij kon hebben over het praktisch indelen van de rekken in de kelder. Eerlijk waar...!

Ik fietste zonder na te denken. Ik keek niet naar links of rechts. Ik hield gewoon mijn hoofd in de wind en trapte hard door. Met mij ging het goed, en daarom zag ik niet de voortekenen van het gevaar dat me bij elke kruising stond op te wachten. Zwart waren ze, en zwarte capuchons verborgen hun gezichten. Ik zag ze pas toen er al drie achter me reden.

Opeens voelde ik een zeldzame kou. Toen hoorde ik het suizen van hun fietsbanden op het asfalt. Ik keek om en zag de zwarte capuchons, en daaronder het zwarte embleem van de Wilde Bende op hun stuur. Ik trapte zo hard ik maar kon. Ik probeerde ze af te schudden, maar ze bleven als schaduwen achter me kleven. De enige kans die ik had, was regelrecht naar huis te rijden. De volgende dwarsstraat links en dan weer links, dacht ik. Daar moest het zijn. Ik kende de weg hier natuurlijk nog helemaal niet goed. Maar aan het einde van de straat wachtte de vierde achtervolger me op. En recht voor me uit de vijfde. Ik kon alleen maar rechts afslaan.

Waar die straat heen ging, wist ik niet. Toch ging ik erin. Aan het einde weer rechts, dacht ik, en dan weer naar huis.

Maar dat bleek een droom. Uit de drie volgende zijstraten schoten nog meer 'zwarte rijders' tevoorschijn. Ze dreven me via allerlei onbekende straten naar de rivier, de steile oever af naar een te gek mountainbike-terrein. En daar kwam de laatste van de elf 'zwarte rijders' erbij. Ze omringden me als een stel indianen. Of als een school hongerige haaien. Hoeveel zelfvertrouwen ik ook had, welke halsbrekende sprongen ik ook waagde, ik kon niet meer wegkomen. Steeds weer dook een van de zwarte capuchons op zijn mountainbike voor me op. Ten slotte hielp ook mijn enige voordeel niet meer: de extra brede band om mijn achterwiel. Ik verloor de grip op de rotsachtige bodem en gleed de helling af.

Meteen sprong ik weer op, maar mijn fiets was onder een omgevallen boomstam geschoten en zat klem. Ik rukte en trok aan het ding, maar ik kreeg hem niet los. Shit, ik was veel te paniekerig en toen hadden ze me weer omsingeld.

'Moet je zien. Ze heeft een vette Giant-mountainbike!' riep Raban.

'Ja, en heb je de band om haar achterwiel gezien?' zei Marlon. 'Wauw! Daarmee glij je zelfs op ijs niet meer uit.'

Maar Leon stak zijn hand op. 'Stil! Dat was niet slecht,' zei hij tegen me. 'Echt niet. Dat meen ik. Maar helaas was het ook weer niet goed genoeg.'

Ik staarde hem aan: 'Als je elf tegen één niet goed genoeg vindt, heb ik medelijden met je,' zei ik.

Die zat. Zelfs Leons gezicht vertrok even zenuwachtig door deze dreun. En dat kon hij ook met zijn coole gespuug op de grond niet meer verbergen.

'Oké,' glimlachte hij genadig. 'Dan verheugen we ons allemaal op je verjaarstoernooi.'

'Dus jullie komen?' vroeg ik. 'Hebben jullie daar echt het lef voor?'

'We hebben zelfs een cadeautje voor je gekocht, Nessie!' grijnsde Leon. Hij keerde zijn fiets op zijn achterwiel en fietste op zijn allerhardst. Met een triomfantelijke oorlogskreet sprong hij over de volgende schans en racete ervandoor. De anderen volgden hem wild en sprongen met hun fietsen schreeuwend en krijsend over een aantal heuvels.

Ik kon me niet meer inhouden. 'Stop!' Ik riep zo hard dat

de hele Wilde Bende onmiddellijk stopte en omkeek. Zelfs Leon, Marlon en Fabi, die al op de heuvel boven me waren, draaiden op hun fietsen alsof het pony's waren en keken als indianen-opperhoofden op me neer.

'Een ogenblikje!' riep ik. Toen fietste ik op mijn hardst en sprong achter elkaar over de volgende drie springschansen, trok mijn fiets nog in volle vaart op zijn achterwiel om en stopte. Eén fantastisch moment lang genoot ik van de perplexe gezichten van de Wilde Bende. Toen zei ik met een glimlach: 'Leuk dat jullie komen. Tot zondag.'

Met een laatste blik op Leon, Marlon en Fabi trok ik mijn fiets omhoog op het achterwiel en reed ervandoor. Ik voelde me nogal geweldig! Gelukkig zag ik Leon niet meer. Als een prins in het zwart gehuld troonde hij boven me op de helling en keek me boos na.

'Wacht maar,' fluisterde hij woedend, 'we staan nog lang niet quitte!'

Een klap in het gezicht

Zondagmorgen stroomde het van de regen. Toen ik de keuken binnenliep, stond Oma Verschrikkelijk net de verjaardagstaarten te versieren met roze marsepein.

'Wat drinken je nieuwe vriendinnen?' vroeg ze. 'Chocolademelk of thee?'

'Welke vriendinnen?' vroeg ik en keek verward mijn vader aan. Die haalde hulpeloos zijn schouders op.

'Ik heb het oma al verteld. Maar ze gelooft me niet.'

Oma Verschrikkelijk leek hem helemaal niet te horen. 'Ja, en wat doen jullie daarna? Ik bedoel, het huis is groot genoeg. Wat denk je van zaklopen en blindemannetje?'

'Zaklopen en blindemannetje?' herhaalde ik en ging aan tafel zitten. 'Er komen alleen maar jongens, oma. Misschien gaan we wel het zoenspelletje doen: Eén, twee, drie, vier, vijf, zes, zeven, wie mag ik een zoentje geven?'

Oma liet van schrik een stuk marsepein uit haar hand vallen. 'Gottegot, kindje! Ben je daar niet nog een beetje te jong voor?'

'Maar oma, ik heb nog geen nieuwe vriendinnen hier,' legde ik met een gemene grijns uit. 'Er komen alleen maar jongens.'

'Jongens?' herhaalde Oma Verschrikkelijk geschrokken. 'Jongens en zoenspelletjes? Lars! Vind je nu nog steeds dat je je dochter goed opvoedt?'

'Omaatje, we houden een voetbaltoernooi in de tuin,' lachte ik.

'Buiten? In de tuin? Met dit weer?' Oma ging bijna naast haar stoel zitten.

'Ja, waarom niet? Die voetbal maakt het niets uit of het regent, hoor. Alleen die taarten, die hebben zo'n vreselijke kleur. Zou je ze misschien in het zwart kunnen maken?' vroeg ik met mijn liefste stemmetje, terwijl ik op haar schoot ging zitten. 'Weet je, als je dat voor elkaar kreeg, zou je grote indruk maken op de Wilde Bende.'

'Op wíé?' Oma was blijkbaar nogal geschrokken. 'Wie zeg je dat er hier komt? Gottegot, kindje, wat doe je je oma toch aan?'

Maar ze trok zich terug in de keuken en bedekte de taarten met een laag appelstroop die bijna zwart was.

's Middags om drie uur precies stond de Wilde Bende voor de deur. De jongens kwamen op de fiets en waren zoals altijd in het zwart. De regen voelden ze niet en de modderspetters op hun broek, op hun sweatshirt en in hun gezicht ook niet. Dit was geen verjaarsfeestje waarvoor je braaf je nette kleren aantrok. Nee, hier werd vandaag een wedstrijd gehouden. Een strijd tussen dromen en opvattingen. Een strijd tussen een meisje dat ervan droomt ooit de eerste vrouw in het Nederlands elftal te zijn, en elf jongens die ervan overtuigd zijn dat een meisje daar helemaal niets te zoeken heeft.

'Ach, kindje toch! Onder welke steen is dit stelletje vandaan gekropen?' fluisterde mijn oma tegen me en ik kon haar nog net afremmen.

'Ssst, oma, niet zo streng. Ze kennen je niet en ze zijn best verlegen.'

'Ja, maar gottegot! Wat doen we nu?' Ze keek me vragend aan.

'Hoe bedoel je?' vroeg ik. 'Eerst eten we taart en dan strijden we.'

'Strijden?'

'Ja, strijden, oma. Zoals jij tegen Mohammed Ali,' zei ik tegen haar en trok haar de keuken in om de taart te halen.

'Mohammed wie?' Mijn oma begreep er niets van.

'Mohammed Ali. Cassius Clay. Je wilde vroeger toch zwaargewichtbokser worden?'

'Ja, maar toen was ik nog zo klein,' was oma's excuus. 'En ik wist nog niet wat een meisje wel en niet hoorde te doen.'

'Probeer het je dan te herinneren,' vroeg ik smekend. 'Alsjeblieft. Ik heb je hulp nodig. Je bent hier vandaag de enige andere vrouw.'

'W-wat moet ik me h-herinneren?' stotterde oma verward.

'Wat een meisje helemaal niet hoort te doehoen,' zei ik ongeduldig. Ik gaf haar een van de twee zwarte verjaardagstaarten aan en nam zelf de andere. Samen gingen we terug naar mijn duistere gasten.

De jongens van Wilde Bende waren stomverbaasd toen ze de taarten zagen, die de vorm hadden van zwarte voetballen. En ze schenen zo overtuigd dat ze zouden winnen, dat ze ze tot de laatste kruimel opaten. Raban de held werkte in zijn eentje al vijf stukken weg, en met elk stuk taart viel ook een stuk rothumeur van hem af. Hij stak de anderen aan en maakte grappen. Hij vertelde Oma Verschrikkelijk zelfs over de Onoverwinnelijke Winnaars en ten slotte kreeg ik bijna de indruk dat het toch een verjaarsfeestje was.

Toen legde mijn vader de regels uit. Twee tegen twee zouden we spelen, en dan in zes teams en twee groepen. In de twee groepen zouden de drie teams tweemaal tegen elkaar aantreden. Daarna was het halve finale. Daarin speelde de eerste van de ene groep tegen de tweede van de andere groep en omgekeerd. De winnaars uit die groepen zouden het in de finale tegen elkaar opnemen.

'Goed. Dat heb ik gesnapt,' zei Leon droog. 'Maar wie speelt met haar?' Hij bedoelde mij. 'Behalve die oma is er hier geen andere vrouw. En oma is niet alleen te oud, denk ik, maar ook te langzaam, lijkt me.'

'Een ogenblik graag! Wat bedoel je daarmee?' mopperde Oma Verschrikkelijk en balde dreigend haar vuisten.

Maar mijn vader was haar voor. 'Jullie zijn toch met zijn elven? Nou, dan is er eentje te veel. En die ene, dacht ik zo, speelt met Vanessa.'

'Ja, maar wie is die ene die te veel is?' vroeg Leon en wendde zich ongelovig tot zijn team. 'Is er misschien een vrijwilliger?'

Fabi stak langzaam zijn hand op, maar Leon duwde die onmiddellijk weer omlaag.

'Nee, jij speelt met mij,' siste hij woedend. Want hij wist precies dat Fabi, die al ietsje anders was dan de anderen, mij ook ietsje anders bekeek.

'Marlon speelt met het meisje,' besloot hij zonder aarzelen en zadelde mij daarmee op met iemand die mij nog minder mocht dan hij zelf.

'O ja, ik heb nog iets voor uw dochter,' zei hij, alsof ik geen Vanessa meer heette, maar een naam had die je niet hardop uit mag spreken. 'We hebben samen een verjaarscadeau voor haar gekocht en dat zou ik haar nu graag willen geven.'

Met deze woorden trok hij een roze pak uit zijn zwarte rugzak tevoorschijn.

'Dit hebben we voor je gekocht,' zei hij ernstig, 'zodat je weet wie je bent.'

Ik knikte, want ik kon niets zeggen. Ik had een voorgevoel en dat bezorgde me een brok in mijn keel die zo groot was als een meloen. Toch maakte ik het pak open.

Ik trok het roze lint los, haalde het roze cadeaupapier weg en zag een roze schoenendoos. 'Wil je echt dat ik die opendoe?' vroeg ik Leon.

Hij knikte. 'Tenzij je het van angst in je broek doet.'

Die zat. Shit! Mevrouw Preuts uit Maastricht zou nu zeggen: 'Wie kaatst moet de bal verwachten.' Toch was ik bang, en terecht. Ik trok de deksel van de schoenendoos. Wat ik toen zag, was een klap in mijn gezicht. Het was het gemeenste wat ze me ooit hadden kunnen aandoen. Zelfs oma hapte naar adem. In de schoenendoos lag een paar roze schoentjes met hakjes, roze strikjes en roze, glanzende frambozen erop. Ik kon geen woord meer uitbrengen. Met trillende

knieën vocht ik tegen de tranen. En ik weet niet of mijn
vader me een plezier deed toen hij vroeg of we allemaal mee
naar buiten gingen omdat het toernooi ging beginnen.

Een kwestie van eer

Het speelveld was vijftien meter lang en acht meter breed. Zo groot was namelijk onze tuin. De lijnen waren professioneel met krijt getrokken. Mijn vader had gezorgd voor twee handbalgoals die als doel dienden. Als keeperregel gold 'vliegende kiep'. De speeltijd was vijf minuten en het toernooi werd natuurlijk door het thuisteam geopend, en dat waren Marlon en ik.

Het stroomde nog altijd van de regen. De grond was glad en mijn knieën knikten nog steeds. Ik probeerde de roze pumps te vergeten, maar ze staken me als een graat in mijn keel. Mijn god, misschien hadden ze wel allemaal gelijk: Oma Verschrikkelijk en Leon en Rocco en Marlon. Misschien had een meisje inderdaad niets bij de Wilde Bende te zoeken. 'Shit, vandaag verlies ik,' schoot het door mijn hoofd en de angst vloog me naar de keel. Nee, ik maakte geen schijn van kans. Dat stond vast toen Fabi en Leon als mijn tegenstanders het veld op kwamen. Wauw! Wat waren ze zeker van hun overwinning. Ik keek hulpzoekend naar Marlon. Maar waarom eigenlijk? Die nam zelfs nog niet de moeite zijn verveling voor mij te verbergen. Nee, die zou echt niets voor me doen.

En zo ging het dan ook. Het duurde precies zeven seconden tot Fabi naar Leon passte, terwijl Marlon niets deed. Leon zette me kort op het verkeerde been. Ik zag eruit als een

beginneling. Ik ging onderuit en keek vanuit de modder toe hoe Leon de bal nonchalant over de lijn schoof.

Bij de tegenaanval passte ik de bal naar Marlon, maar hij vloog langs hem heen en bleef in de modder steken. Ik kon alleen maar toekijken hoe Leon en Fabi mij met een dubbel-pass geen enkele kans gaven.

Toen – het was twee-nul – namen die twee gas terug. Dat kon makkelijk, want ik had last van mijn knie en Marlon deed of hij er niks van kon. Arrogant namen Leon en Fabi de leiding en uiteindelijk mocht ik blij zijn dat het maar vijf-nul voor hen werd.

In de andere groep maakten Rocco met Felix en Raban met Max met veel moeite twee-één. En daarna speelden Leon en

Fabi tegen Josje en Joeri. Dat was een belangrijk spel. Als Joeri en Josje zouden verliezen, maakten Marlon en ik nog een kans op de tweede plaats. Maar Leon en Fabi waren onherkenbaar, zo slecht speelden ze. En uiteindelijk gingen de twee teams met twee-twee uit elkaar.

Nu moest ik Joeri en Josje verslaan, maar Marlon lag weer een keer dwars en ik had mazzel dat ik in de laatste seconde nog een gelijkmaker kon scoren. Het hielp niks: ik was precies waar de Wilde Bende me wilde hebben: met één goal en één punt op de laatste plaats.

Ik had de moed totaal verloren en zocht hulp bij mijn vader. Eén blik van hem was genoeg om me duidelijk te maken dat hij niets voor me kon doen. Ik moest mezelf helpen, maar hoe? Radeloos keek ik naar de andere teams. In hun groep was het heel anders. Daar speelden ze precies zoals ik me mijn verjaarstoernooi had voorgesteld. Er werd fel gestreden en er was geen glimlachje te zien. Ten slotte stonden de drie teams, Rocco en Felix, Jojo en Marc, en Max en Raban, met hetzelfde aantal punten en goals naast elkaar in de tussenstand... Man, dat was prachtig om naar te kijken! Heel even vergat ik mijn eigen ellende.

Maar toen stonden Leon en Fabi weer klaar, en Marlon bewoog zich nog steeds alsof hij twee linkervoeten had. De één-nul voor de tegenpartij was alleen maar een kwestie van tijd, en ik voelde de woede in me opwellen. Ha, eindelijk, dacht ik alleen maar, eindelijk is die afschuwelijke angst weg. En ik verhoogde het tempo. Ik vergat Marlon en speelde alleen. De gelijkmaker lukte me zelfs, maar toen gaf Marlon, de futloze, de lafaard, de anderen weer de leiding. Hij schoot in eigen doel en daardoor ontplofte ik eindelijk.

'Heb je dan helemáál geen trots?' schreeuwde ik tegen hem. 'Wil je echt zo laf en pijnlijk verliezen?'

Marlon werd vuurrood. Hij schaamde zich, dat zag ik meteen, maar hij kon dat niet toegeven, dat zag ik ook. Leon en Fabi maakten nog een doelpunt en we liepen het veld af met een verlies van drie-één. We stonden nog steeds op de laatste plaats.

Nu hing het helemaal af van de wedstrijdjes tussen Fabi en Leon, en Josje en Joeri, of ik nog een kans maakte op de halve finale. Maar Leon zorgde er wel voor dat dat niet zou gebeuren. Zelfs met een nederlaag was hij al eerste en Joeri en Josje, dat had hij zo gepland, moesten ook op de tweede plaats blijven. Daarom deed hij helemaal niets. Hij speelde zo slecht dat zelfs Fabi zich begon te schamen. En toen Josje, ja, die kleine Josje, tussen Leons benen door een doelpunt maakte, ontplofte Fabi eindelijk. Hij pakte de bal, vloog als een torpedo naar voren en schoot de gelijkmaker in het net.

'Hé, wat doe jij nou?' schreeuwde Leon tegen hem. 'Ben je gek geworden?'

'Nee, ik vind het alleen maar een smerig spelletje dat we hier spelen!' schreeuwde Fabi terug.

'Ja, hoor, dat zal wel!' blies Leon. 'Je bent gewoon verliefd op haar!'

Nu werd Fabi vuurrood. Maar in tegenstelling tot Marlon durfde hij wel iets toe te geven.

'En... en als dat waar zou zijn,' zei hij hees en stotterend, 'da-dan wil ik in elk geval goed winnen. En n-niet zoals nu!'

Op dat moment floot mijn vader af. De wedstrijd eindigde onbeslist. We konden nu tweede worden als we het wonnen van Josje en Joeri.

Ik liep naar Marlon. 'Heb je dat gehoord?' vroeg ik, en ik trilde over mijn hele lijf.

Marlon zei niets. Hij knikte zelfs niet. Maar ik liet niet los. Ik verzamelde al mijn moed en zei: 'Oké, dan smeek ik het je. Geef me een kans!'

Ik wachtte en beet daarbij zo hard op mijn onderlip dat ik het bloed kon proeven. Eindelijk bewoog Marlon zich. Hij liep het veld op en pakte de bal. Toen hij zag dat ik niet achter hem aankwam, riep hij: 'Waar wacht je nog op? Alleen red ik het niet!'

'Hoera!' fluisterde ik met een zucht en toen straalde ik over mijn hele gezicht. Ik straalde en lachte de hele wedstrijd door, zo leuk was het. Marlon liet eindelijk zien wat hij kon en ook ik kon nu bewijzen wat ik waard was. Joeri vocht als een leeuw en ook Josje was veel beter dan je van zo'n ukkie zou verwachten. Maar uiteindelijk waren ze niet goed genoeg en gingen wij met een drie-twee-overwinning van het veld.

'Wauw!' riep ik en Marlon gaf me een dikke high five. We zaten in de halve finale! Daaraan kon ook Leons boze gezicht niets veranderen. Woedend liep hij naar Rocco en Felix die in hun groep op de eerste plaats stonden.

'Kan ik erop rekenen dat je van ze wint?' vroeg hij.
'Natuurlijk kun je daarop rekenen!' beloofde Rocco en hij spuugde zelfverzekerd op de grond.

Wraak is zoet

Maar voor Rocco zijn belofte kon inlossen, stond de halve finale van de andere groep op het programma. Leon en Fabi tegen Jojo en Marc. Onder dit duel lag een kruitvat dat zo kon ontploffen.

Op dat moment háátte Leon zijn beste vriend Fabi, die hem voor iedereen voor schut had gezet. Bovendien had hij mij in de halve finale laten komen. De spanning tussen die twee was om te snijden. En omdat je met zo veel spanning in je lijf niet kunt voetballen, namen Marc en Jojo bliksemsnel de leiding. Na een minuut was het al twee-nul en bij elke fout die Leon maakte, schreeuwde hij tegen Fabi alsof het *zijn* schuld was. Ten slotte speelde Leon helemaal alleen en Fabi kookte van woede. Hij schold Leon uit. Leon schold terug. En toen ze met vier-nul achterstonden, stortten ze zich op elkaar en rolden vechtend door de modder.

'Waarom geef je niet af aan mij?' schreeuwde Fabi. Hij draaide Leon op zijn rug en ging op hem zitten.

'Dat zal ik je vertellen!' riep Leon. Hij duwde Fabi van zich af. Fabi viel op zijn buik in de modder en verdraaide zijn arm.

'Je bent verliefd, gek!' ging Leon door. 'Jij wilt toch alleen maar dat *zij* daar wint!'

'Ja, hoor! Natuurlijk!' brieste Fabi. Hij probeerde zijn gezicht uit de modder te tillen. 'En wie is hier dan nu van wie aan het verliezen?'

Leon was zo woedend, dat hij Fabi's arm het liefst gebroken had. 'Jij van mij,' zei hij met opeengeklemde kaken.

'Ja, en wat wil je daarmee bereiken?' vroeg Fabi smalend. 'De enige die daar iets aan heeft, is zij daar. Vanessa.'

'O ja? Hoezo dan?' siste Leon en verdraaide Fabi's arm zo hard dat hij kraakte.

'Omdat wij haar dan niet meer kunnen verslaan,' kreunde Fabi. 'Dacht je echt dat ik expres een toernooi ging verliezen? Rot op, dat doet toch niemand?'

'Meen je dat?' vroeg Leon opgelucht.

'Natuurlijk! Shit!' bromde Fabi.

En mijn vader voegde eraan toe: 'Maar dan moeten jullie wel opschieten. Jullie hebben nog maar 90 seconden en de tijd loopt door.'

En daarmee kwam de ommekeer. Fabi en Leon hadden het weer goedgemaakt en begrepen elkaar blind. Ze waren weer de 'Golden Twins', 'De Blonde Tweeling', 'Het Flitsende Duo', de 'Ik-speel-de-tegenstander-duizelig-machine'.

En in de op één na laatste seconde ving Leon Fabi's knal-harde pass op. Hij tilde de bal met de kleine teen, krom en scheef, onnavolgbaar in het net. Vier-vier.

Daarna werd het strafschoppen schieten en Marc de onbe-dwingbare stond in het doel tegen Leon en Fabi. Maar met alle respect voor Marcs natuurtalent: hij kon nog zo onbe-dwingbaar zijn, maar tegen Fabi en Leon en hun woedende overwinningsdrang had hij geen schijn van kans. Ze schoten hem de ballen zo om de oren dat hij zich op het laatst hele-maal niet meer bewoog.

Leon en Fabi bereikten terecht de finale. Dat moet ik toe-geven, al verloor ik de moed een beetje. Fabi en Leon waren zo niet te overwinnen. Wat had het dan voor zin om Rocco en Felix te verslaan? Het enige wat daarna zou komen, was Leon. Ja, ik zag het voor me. Leon zou naar me toe komen en voor me gaan staan. Hij zou me even aankijken en dan zou hij op de grond spugen. En daarna zou hij voor de tweede keer zeggen: 'Nou, dat was niet slecht, Nessie. Echt niet. Dat meen ik. Maar helaas was het ook weer niet goed genoeg.' En dan zouden hij en zijn Wilde Bende voor altijd uit mijn leven verdwijnen. Dat dacht ik. En ik zou het ook de rest van mijn leven gedacht hebben, als Marlon me niet wakker had geschud.

'Hé, Vanessa! Rocco staat hier en hij wil zijn belofte inlos-sen!'

Ik keek Marlon stomverbaasd aan.

'Ja, was je die al vergeten? Hij wil van ons winnen!' grijns-de Marlon.

'En dat ga ik ook doen,' counterde Rocco bloedserieus. 'Ten eerste omdat ze een meisje is – al speel je nog zo goed. En ten tweede omdat ik een belofte nooit breek.'

Ik stond daar en geloofde elk woord dat hij zei, maar Marlon moest lachen.

'Dan heb je maar één mogelijkheid, Rocco. Hoe erg het me ook spijt, maar dan ben jij straks het meisje. Omdat jij namelijk uiteindelijk verliest.'

Toen werd Rocco zo woedend als alleen een Zuid-Amerikaan kan worden, maar mij gaf Marlons humor weer moed.

Rocco, een meisje! dacht ik elke keer als hij in het spel tegenover me stond, en daardoor was ik niet meer zo bang voor hoe goed hij was. Toch stond de partij op scherp. Een minuut voor het einde bracht Felix de score na een fantastische dans van de Braziliaan rond de bal op één-nul. Het was een combinatie van dribbelen en een paar trucs. Shit! Rocco was gewoon te goed. Maar Marlon gaf het ook niet op en dat was niet minder waardevol. Hij sprong in een pass die Rocco al gezien had en schoof de bal onder zijn benen door, langs Felix, in het doel. Wauw! Wat was die jongen sluw! En hij bewees het nog een keer. Tien seconden voor het einde nam hij de bal uit de lucht vol op zijn voet en tilde hem over Rocco en Felix heen het net in. Dat was de overwinning.

Ik kon het gewoon niet geloven. Wat was dit voor een dag? Een half uur geleden haatte Marlon me nog, en nu won hij de halve finale voor me. En het werd zelfs nog beter. Oma Verschrikkelijk kwam uit de keuken de regen in stormen, sloeg haar armen om Marlon heen en drukte hem aan haar borst: 'Gottegot kind, wat heb je me gelukkig gemaakt!'

Marlon keek me aan. Omdat oma een roze jasje aanhad en een roze sjaal om haar hoofd leek het of zich een gigantisch stuk roze kauwgum aan zijn wangen had vastgezogen. Maar toen hij mijn glimlach zag, doorstond hij de omhelzing van oma beleefd en dapper.

Rocco sloop het veld af. Als een gewonde poema kroop hij naar Leon. 'Dat is een heks, zeg ik je. Een heks!' snoof hij.

'Moet je dat huis zien waar ze in woont. Echt een heksen-huis! Leon, ik waarschuw je! Pas op!' Rocco sloeg zelfs snel een kruisteken. En zo te zien had hij nu het liefst een knoflookbad genomen, zo verward en verbaasd was hij.

Maar Leon vond het allemaal onzin. 'Stel je niet aan, Rocco. Er zijn hier geen heksen en je hebt ook niet van een meisje verloren. Het kwam door Marlon. Die heeft jullie ingemaakt en hij was hartstikke goed.' Leon spuugde op de grond, zo minachtend als hij maar kon. 'Ik zeg toch altijd dat Marlon een pestkop is? Maar wees niet bang. Want ik beloof je: tegen Fabi en mij maakt zelfs die pestkop geen kans. Tenminste, niet als hij in zijn eentje speelt. En volgens mij doet hij dat ook. Of tel je dat meisje soms mee?'

Hij keek Rocco aan, maar die zei: 'Dat zal allemaal best. Maar ik waarschuw je, Leon. Pas op!'

Leon rolde met zijn ogen. 'Kom, Fabi! We laten Ti-Ta-Tovenaar aan Rocco over en zullen wel eens even laten zien hoe de wereld in elkaar zit.'

En daarmee liepen Leon en Fabi onder luid geschreeuw van de Wilde Bende het veld op. Marlon en ik hadden maar één fan, maar die fan, zal ik je vertellen, telde voor duizend. Ik begreep er niks van. Maar toen Marlon en ik voor de finale het veld opliepen, riep een stem die ik maar al te goed kende ons na.

'Zet 'm op! Maak ze in! Schiet ze naar de maan! Ja, en zorg dat ze nooit meer naar beneden komen!' riep Oma Verschrikkelijk, terwijl ze wild heen en weer sprong.

Mijn vader gaf het beginsignaal voor de finale. De bal vloog een poosje heen en weer tussen beide partijen en we gaven elkaar niets toe. Alle vier lagen we een paar keer op de grond en rolden van pijn heen en weer, maar het tempo bleef hoog. Het maakte ons alleen nog maar feller.

In de derde minuut schoot Fabi een bal richting de hoek van ons doel, maar Marlon tikte hem er nog net met zijn vingertoppen uit. Daarna lukte het mij van drie meter afstand de bal in een boog langs Fabi de rechterbenedenhoek in te schieten. Maar Leon dook als een dolfijn in het diepe en tikte de bal naast de paal. Zo volgde de ene aanval de andere op.

Het spelletje was al bijna afgelopen, toen het in de laatste seconden gebeurde. Fabi schoot de bal vanaf de hoekvlag over Marlon heen ons strafschopgebied in. Hij wist het maar al te goed: daar lag Leon op de loer. Dit was zijn territorium. Maar de bal was te hoog en viel achter hem neer. Ik haalde opgelucht adem. Het gevaar was voorbij... Maar Leon draaide zich razendsnel om, en schoot de bal met een omhaal op het doel. Ik dook in elkaar en snelde naar rechts. Ik vloog door de lucht en maakte me zo lang mogelijk. En onder het gejuich van Oma Verschrikkelijk sloeg ik de bal met mijn vuist terug het veld in. Daar haalde Marlon hem direct uit de lucht en verlengde hem. In een hoge boog zeilde de bal richting het doel van de tegenstander. Dat was nu leeg. Niemand kon het schot pareren en de bal vloog in duikvlucht op de lege goal af.

'Oei-oei!' schreeuwde Oma Verschrikkelijk en ze sloeg haar handen voor haar gezicht. De bal ketste tegen de lat en mijn vader floot af.

Het spel was afgelopen en nu moesten we – wat ik in geen geval wilde – strafschoppen nemen. Shit! Moest dat echt? Hadden Fabi en Leon niet net nog in de halve finale bewezen hoe onoverwinnelijk ze daarbij waren? Ja, en was ik bij de training niet juist bij de strafschoppen verschrikkelijk op mijn bek gegaan? Shit! Ik wilde dit niet en ik smeekte Marlon of hij alle strafschoppen wilde nemen. Maar hij weigerde. En hij wilde ook dat ik voor ons in het doel ging staan.

'Nee! Dat doe ik niet,' zei ik koppig en Marlon haalde alleen maar zijn schouders op. Dat had hij vast van die Willie, zijn trainer, geleerd.

'Dan zullen ze altijd zeggen dat ik gewonnen heb en niet jij,' zei hij en hij glimlachte op die bepaalde manier van hem. O, shit, wat haatte ik dit moment. Maar ik kon niet anders. Ik hield op met mijn gesputter en ging tussen de palen staan.

Leon legde als eerste de bal neer, liep terug, nam een aanloop van drie passen en schoot de bal zonder meer in de rechterbovenhoek van het doel. Ik reageerde niet eens. Shit! En de volgende strafschop moest ik nemen.

Natuurlijk stond Leon in het doel. Ik deed mijn ogen dicht,

vervloekte de proeftraining en nam een onzekere aanloop. Ik maakte een schijnbeweging naar links en schoot de bal met de buitenkant hard richting rechterbenedenhoek. En het lukte! Ja, deze keer lukte het. Maar Leon was er vóór de bal en wist hem zelfs vast te houden.

'Is dat de enige truc die je kent?' grijnsde hij toen hij uit het doel langs me liep. 'Die had je toch al op de training ver- knald?'

Nu wilde ik helemaal niet meer.

Maar Marlon vond dat niet goed. 'Als je deze houdt, beloof ik je dat we winnen,' zei hij op een toon waarmee hij me ook overtuigd zou hebben dat twee plus twee vijf is.

In elk geval ging ik weer in het doel staan en wachtte daar op de strafschop van Fabi. Die was al zeker van zijn overwin- ning. Dat kon je zo zien. Geen twijfel mogelijk. Geen greintje angst om te missen. Zo nam hij de aanloop en zo schoot hij.

Weer zag ik de bal alleen maar komen en weer reageerde ik niet. Ik dook alleen maar geschrokken in elkaar, toen de bal tegen de lat ketste en terugsprong in het veld. Maar daar- mee waren we weer in het spel, en de strafschop daarna schoot Marlon heel cool zonder aanloop. Dat wil zeggen, hij aarzelde een fractie van een seconde, net zo lang tot Leon onderweg was naar de rechterhoek. Toen schoof hij de bal heel nonchalant naar links, waarmee het één-één stond.

Leon kookte van woede en daarom liet hij Fabi voorgaan. Vanaf nu gold het 'sudden death'-systeem en elke strafschop kon de nederlaag betekenen.

Ook Fabi wist dat en hij had van zijn arrogante eerste schot geleerd. Deze keer nam hij geconcentreerd de aanloop en schoot hij ook geconcentreerd. Deze keer riskeerde hij niets. Hij vertrouwde alleen maar op de kracht van zijn eigen schot. Maar ik had een idee op welke hoek hij richtte en dook erin. Ik rekte me en strekte me en kon de bal nog net met mijn vingertoppen raken. Maar het schot was te hard. De bal rolde over de lijn en belandde ten slotte in het net. Leon en Fabi hadden weer de leiding en als Marlon het nu zou verknoeien, zou ik alles kwijt zijn.

Maar Marlon was cool. Deze keer nam hij wel een aanloop. Deze keer deed hij gewoon en schoot hij de bal kort en strak in de hoek. Twee-twee. Nu lag alles bij Leon en mij.

Ik wilde Marlon nog een keer overhalen om voor mij tussen de palen te gaan staan. Hij weigerde. 'Wat is er nou?' vroeg hij. 'Je had Fabi's bal toch bijna te pakken? Denk maar aan Leon. Denk maar aan hoe hij reageert als jij zo meteen zijn schot houdt.' Hij grijnsde naar me en zei toen de beslissende zin: 'Toe maar. Ik weet dat je het kunt.'

Tien seconden later legde Leon de bal op de stip in het strafschopgebied. Toen nam hij een aanloop. Ik probeerde de hoek te raden. Weer rechtsboven zoals daarnet, of linksonder? Dat doet iedereen die rechts is, als hij zenuwachtig en onzeker is. Maar was Leon zenuwachtig? Ik wist het niet. Nee, ik dacht het niet en daarom sprong ik nog voor zijn schot naar de rechterbovenhoek. Ik vloog, zette alles in op één kaart en... Wauw! Ik had gelijk! Voldaan sloeg ik de bal met mijn vuisten weg uit de hoek.

Leon verstarde. Hij geloofde het niet. Niemand scheen het te geloven. Zelfs Oma Verschrikkelijk was stil. Of nee, ze was er helemaal niet meer. Shit, dacht ik. Had ze zo weinig vertrouwen in me? Ho! Wat was er met mij aan de hand? Had ik vertrouwen in mezelf? Wauw! Ik had de strafschop gehouden en ik had nu alle troeven in handen. Ik kon het toernooi alléén winnen, zoals Marlon gezegd had. Ik keek hem aan en hij knikte naar me. Maar ik zag ook zijn zenuwen. Ik zag dat hij op zijn lip stond te bijten.

Onzeker en opgewonden legde ik de bal op de stip. Ik trilde over mijn hele lijf. Toen liep ik terug om een aanloop te nemen en daarbij schoot alles me weer te binnen wat ik op dat moment beter kon vergeten. Ik dacht terug aan de training. Ik beleefde alles nog een keer. Ik gleed opnieuw uit en viel weer in de modder. Leon verscheen nog een keer en spuugde op de grond. Hij grijnsde weer zo minachtend als hij maar kon en hij zei nog een keer die gemene en minachtende zin: 'Nou, wat denk je, Nessie? Heb je de proef doorstaan?'

Ik kon het doel niet eens meer zien. Een gigantische Leon stond er nu voor en grijnsde me toe. Hoe kon ik ooit de bal in het doel schieten? Maar ik had geen keus. Langzaam en met knikkende knieën nam ik de aanloop. Dit kon niets worden, dacht ik alleen maar.

Toen hield Oma Verschrikkelijk me tegen. Ze kwam uit de keuken met iets in haar hand.

'Een ogenblikje, kindje!' Ze pakte me beet en hield iets onder mijn neus, iets dat, net als zij, helemaal roze was. 'Voor deze strafschop moest je deze schoenen maar aantrekken!'

Ik keek van haar gezicht naar haar handen. Ik kneep mijn ogen half dicht en zag de roze schoenen met hoge hakken en de glanzende frambozen erop.

'Weet je nog wat hij zei toen hij ze aan je gaf?' vroeg mijn oma snuivend van woede. '"Zodat je weet wie je bent!" zei hij. En weet je wat ik nu zeg?' vroeg ze me nog woedender. 'Ik zeg dat hij geen flauw idee heeft wie jij in werkelijkheid bent. Zet 'm op! Waar wacht je nog op? Laat hem eens even zien wie je bent!'

Maar ik verroerde geen vin. Ik was perplex. Ik keek nog drie keer van Oma Verschrikkelijk naar de roze pumps in haar hand, en toen snapte ik pas wat ze bedoelde. Er verscheen een grijns op mijn gezicht, en dat was een grijns van zelfvertrouwen. De beste grijns die er is. Die ken jij toch ook? In elk geval rukte ik de voetbalschoenen van mijn voeten, trok de dikke sokken uit en schoot in de roze schoenen met hakjes. Toen liep ik naar de stip, legde de bal nog een keer goed neer en keek naar het doel. Leon had geen idee wat er gebeurde. Daar had Oma Verschrikkelijk in elk geval gelijk in. Hij stond alleen maar stom te grijnzen, en dat was zeker niet meer van zelfvertrouwen. Dit was meer een grijns van ik-weet-niets-maar-ik-ben-wel-heel-cool. En met deze grijns op zijn gezicht stond hij klaar voor mijn schot.

Ik wist precies wat ik deed. Ik nam een aanloop, maakte een schijnbeweging naar links en schoot de bal met de buitenkant van mijn roze pumps – die intussen helemaal niet roze meer waren – onhoudbaar hard rechts onder in het net. Toen maakte ik een luchtsprong en schreeuwde het uit van blijdschap. Ik had mijn verjaarstoernooi gewonnen! Ik had de Wilde Bende laten zien wat ik kon. Ik rende naar Oma Verschrikkelijk, pakte haar handen vast en draaide met haar

rond tot we duizelig waren. Toen sprong ik mijn vader om de hals en gaf hem dikke zoenen. En ten slotte stond ik voor Marlon, en die deed uit voorzorg vast een paar stappen naar achteren. 'Bedankt,' zei ik tegen hem en ik voelde dat ik straalde over mijn hele gezicht.

Maar Marlon zag er niet meer uit als de winnaar van een toernooi. Hij deed nog een stap naar achteren.

'Oké. Dan ga ik nu maar,' zei hij en pas nu zag ik dat hij mijn laatste gast was. Alle andere leden van de Wilde Bende waren spoorloos verdwenen, alsof ze door de aarde waren opgeslokt.

Wraak maakt eenzaam

Ik zag hoe Marlon zijn fiets van de grond raapte en uit de tuin verdween. Toen ging ik papa en oma helpen de resten van mijn verjaarsfeestje op te ruimen. Zwijgend ruimden we tuin en keuken op en daarna zocht iedereen een plek om alleen te zijn. We moesten allemaal nadenken over wat er was gebeurd. Oma Verschrikkelijk werd erg geplaagd door haar slechte geweten, omdat zij het feestje bedorven had. Mijn vader wist dat hij zijn belofte moest houden om naar Maastricht terug te keren en ik zat te tobben op mijn kamer.

Wraak is zoet, dacht ik, maar wraak maakt ook supereenzaam. Ja, ik had Leon en de Wilde Bende eens even wat laten zien. Ik had gewonnen en bewezen dat ik even goed was als zij. Maar wat betekende dat? Ik had de jongens op hetzelfde ogenblik ook verloren. Door de strafschop met die pumps te nemen, had ik de boog te strak gespannen en was die geknapt. De vernedering was te groot geweest voor de Wilde Bende. Mijn droom bij hen te kunnen spelen was voor altijd voorbij.

En morgen was de zomervakantie ook nog eens afgelopen. Morgen zou ik ze allemaal weer zien. Vanaf morgen zou ik een heel jaar lang elke dag bij ze in de klas zitten. Nee. Dat kon echt niet. En daarom móésten we wel teruggaan naar Maastricht. En wel vandaag nog, halsoverkop, bij nacht en ontij, net zoals we gekomen waren. Dat had mijn vader

beloofd. Maar hoe graag ik dat ook wilde, echt goed voelde ik me er niet bij.

Er werd geklopt en Oma Verschrikkelijk kwam mijn kamer binnen. 'Gottegot kindje, wat was dit nou voor een dag?' kreunde ze en kwam naast me op de matras zitten. 'Als ik dat geweten had, was ik thuisgebleven. Voor zoiets ben ik gewoon te oud!' Ze keek me vanuit haar ooghoeken aan en toen ze zag hoe wanhopig ik was, glimlachte ze. Er speelde een lach om haar mond die ze nog nooit had laten zien en dat merkte ze nu zelf ook. 'Ach, sorry. Maar Vanessa, dit lachje heb ik van jou. Jij hebt het me vandaag gegeven!'

Nu was ik helemaal in de war. Haar glimlach was fantastisch en hoe kon ik haar zoiets geven, terwijl ik zelf alleen maar wanhopig was?! 'Wacht even, oma. Ho!' Ik stak mijn handen op en dacht eraan hoe zij had gewild dat ik was sinds ik op de wereld kwam. 'Geen valse hoop, oma. Ik word geen echt meisje, alleen maar omdat het vandaag niet helemaal goed gelopen is.'

'Daar ging ik al van uit,' mopperde ze. 'Ja, en zoals ik je

ken, zul je er ook geen seconde aan denken van sport te veranderen, of wel?' Ze keek me met hoog opgetrokken wenkbrauwen aan. Ik werd er erg ongemakkelijk van.

'Gottegot! Wat is dat voetballen toch een sport! Als ik dat vroeger geweten had, kindje, dan had ik misschien zelf nog rode voetbalschoenen gekocht.'

Weer liet ze dat lachje zien, en toen trok ze mij in haar armen. 'Ja, en wat die andere schoenen betreft, zit daar maar niet mee. Je hebt het ze op een goede manier betaald gezet. En nu weten ze het donders goed: je bent niet alleen een meisje dat net zo goed kan voetballen als zij. Nee, je bent meer dan dat. Je bent gevaarlijk en wild!'

Ze drukte me stevig tegen haar roze borst en voor het eerst merkte ik wat voor een heerlijk gevoel dat toch is. Oma Verschrikkelijk glimlachte weer en ze stak me aan met haar lachje. Het was een ik-vind-mezelf-en-mijn-moed-weer-terug-lach en daarmee begroetten we mijn vader, die nu mijn kamer binnenkwam.

Hij kwam binnen zonder te kloppen. Met een gezicht als een donderwolk begon hij alles wat rondslingerde in een koffer te stoppen.

'Wat doe je nou?' vroeg ik hem.

'Ik pak,' antwoordde hij kortaf.

'Pakken, waarom?' vroeg mijn oma. Ze gaf me een geamuseerde knipoog.

'We rijden naar Maastricht. Vannacht nog.' Hij snauwde bijna.

'Naar Maastricht? Waarom?' Ik speelde het spel mee.

'Waarom? Wat is dit? Zitten jullie me soms voor de gek te houden?' bromde mijn vader, terwijl hij me aankeek. 'Ik heb het je beloofd. En voor het huis heb ik zo een makelaar gevonden.'

'O,' zei ik zachtjes. 'Wat jammer. Ik wil helemaal niet meer terug naar Maastricht. Ik ga morgen hier naar school. Ik ben namelijk zoals ik ben.'

Ik gaf mijn grootmoeder een knipoog en toen hielp ik haar overeind. We namen mijn vader tussen ons in en liepen naar de hal. Voor de tweede keer die dag ruimden we op. We haalden alles weer uit de koffers die mijn vader al gepakt had en legden de spullen terug in de verschillende kasten.

Ik ben zoals ik ben

De volgende morgen reed ik op mijn fiets naar school. Het was een warme dag, laat in de zomer. Toch trok ik de capuchon van mijn sweatshirt diep over mijn voorhoofd. Dat deed ik altijd als ik onzeker was en niet goed wist wat ik wilde. Daarom zag ik die griezel ook pas toen hij al vlak voor me stond. Ik had mijn fiets net met een kettingslot aan het fietsenrek vastgemaakt, toen hij opeens voor me stond. Hij was gigantisch en dik. Zijn ogen gloeiden als laserstralen uit de spekplooien van zijn gezicht. Hij had een Darth Vader-T-shirt aan. Hij haalde luidruchtig adem, of kwam het reutelende geluid van de fietsketting die zijn vriend achter hem verlekkerd door zijn vingers liet glijden?

Nee, alsjeblieft niet, was mijn eerste gedachte en de tweede kwam er meteen achteraan. Het leek erop dat de Wilde Bende hier nog niet de engste bende was.

'Kijk eens wat we hier hebben gevonden,' snoof de figuur in het Darth Vader-T-shirt. 'Een schaap in wolfskleren. Een meisje in een jongens-outfit. Een katje dat zich als tijger vermomd heeft.' Hij duwde de capuchon uit mijn gezicht. 'Aha, en dit katje is niet alleen nieuw,' grijnsde hij, 'ze is nog knap ook.'

'Wat van jou niet echt gezegd kan worden,' counterde ik zo onderkoeld als ik maar kon. 'Maar misschien was je dat vergeten nadat je al die ouderwetse kletskoek uit je hoofd geleerd had?'

De dikke jongen hield zijn hoofd schuin om beter te kunnen nadenken. Maar dat hielp niets. Hij begreep blijkbaar geen woord van wat ik tegen hem gezegd had.

'Maakt niks uit!' Hij spuugde op de straatstenen. 'Normaal gesproken verlangen we van nieuwe leerlingen hier een bijdrage. Geld, heet dat, als je weet wat ik bedoel. Maar bij jou speel ik graag Robin Hood en ik zal je doorlaten voor, laten we zeggen, een zoen.'

'Een zoen?' herhaalde ik. 'Meen je dat nou? En natuurlijk willen jullie er allebei een. Jij en je vriend met die rare hondenriem?'

'Dat is een fietsketting,' fluisterde Darth Vader dreigend. 'En bovendien zijn we niet met zijn tweeën.' Hij knipte met zijn vingers en meteen kwamen er nog meer makkers van hem als bromvliegen dichterbij. Ze waren minstens met zijn zevenen en zouden stuk voor stuk prima in een horrorfilm hebben gepast. Mijn situatie was uitzichtloos, want zoals te verwachten viel, zette Darth Vader zich nu in beweging. Als een grote, stenen zombie kwam hij op me af. Zijn makkers volgden hem zoals kakkerlakken de schaduw opzoeken. Ik had nog een laatste verdediging over: loze dreigementen roepen en hopen dat het verstand van de tegenstander te klein was om de bluf te doorzien. Voor het IQ van Darth Vader was ik niet bang. Maar hoe kon ik een goede list bedenken als ik in acuut levensgevaar verkeerde? Of denk jij dat je een zoen van Darth Vader zelfs maar een nanoseconde kunt overleven?

'Shit, ik waarschuw je,' siste ik. 'Raak me niet aan!' En op hetzelfde moment dacht ik: wat was dat nou voor een stom dreigement? Toch balde ik mijn vuisten alsof ik me op het ergste voorbereidde en herhaalde mijn dreigement: 'Ik waarschuw je. Raak me niet aan!'

En toen gebeurde het wonder.

De dikke Darth Vader kreeg een schok die doortrilde in zijn rijtje vrienden. Even wankelden ze als beverige oude mannen. Toen vloekten ze en mompelden iets als: 'We zien elkaar nog! Daar kun je gif op innemen!' Daarna draaiden ze zich om en liepen met grote stappen weg.

Ik staarde ongelovig naar mijn vuisten. 'Dit kan toch niet,' zei ik zachtjes.

'Jawel,' zei een stem achter me. 'Dat kan helaas wel. Dat noemt zich Dikke Michiel en zijn Onoverwinnelijke Winnaars!'

Ik draaide me om. Daar stond Leon met alle leden van de

Wilde Bende. Ze hadden hun vuisten gebald en stonden als een muur achter me. Nu begreep ik voor wie Dikke Michiel écht gevlucht was.

'Hartstikke bedankt,' zei ik opgelucht, maar Leon gaf geen antwoord. Hij knikte alleen maar verlegen en daarom gaf Marlon hem een schop.

'Eh, laat maar zitten. Je hoeft ons niet te bedanken,' zei Leon toen vlug. 'Je weet nu in elk geval dat er hier nog ergere jongens zijn dan wij.'

Hij wilde zich omdraaien om weg te gaan, maar Fabi hield hem tegen. 'Hé, vergeet je niet iets?'

'Ja, eh... Ik weet het niet,' draaide Leon eromheen, en Marlon schopte hem voor de tweede keer tegen zijn been.

'Au! Ben je gek geworden? Ik doe het heus wel,' snauwde hij. Hij stak een hand in zijn rugzak en trok er een wit pakje uit. 'Alsjeblieft.' Hij hield het voor mijn neus. 'Dan staan we quitte.'

Verbaasd nam ik het pakje aan, en Leon liep boos weg. Na drie stappen draaide hij zich nog een keer om.

'O ja, en dat je het voor altijd weet: al ben je maar een meisje, je bent... je bent... je bent echt wild en je hoort vanaf nu bij de Wilde Bende.'

Toen liep hij weg. De anderen bleven en gingen in een kring om me heen staan. Langzaam maakte ik het pakje open en zag iets zwarts. Het leek op een T-shirt. Ik vouwde het open en staarde ongelovig naar de opdruk op de rug van dit splinternieuwe shirt van de Wilde Voetbalbende. Daar stond in wit nummer 5, daaronder stond 'Wilde Voetbalbende' en ertussenin stond met kleine letters: 'Vanessa de onverschrokkene'.

De Wilde Voetbalbende

Man! Dit was geweldig! Het was me eindelijk gelukt. Eindelijk was ik, Vanessa de onverschrokkene, lid van de Wilde Bende. Ik voelde me als een boerenjongen die tot ridder was geslagen, en op dat moment wist ik het. Het stond zo goed als vast: ik zou ook de eerste vrouw zijn in het Nederlands elftal. Ja, dat wist ik toen, en dat weet ik nog steeds. En daarom heb ik nu ook even tijd voor je. Maar wat wil je eigenlijk? O ja, ik moet je iets over de Wilde Bende vertellen. Nou ja, nu ken ik de jongens, maar met wie zal ik beginnen?

Oké, eentje heet Fabi. Hij is de snelste rechtsbuiten ter wereld en superwild. Dat kan ik je wel vertellen. En hij kijkt zelfs graag naar meisjes. Maar als je het mij vraagt begrijpt Fabi evenveel van meisjes als een nijlpaard van parachutespringen.

Dan zijn Leon en Marlon heel anders. Die twee zijn cool. En hoe! Ze zijn de eenzame wolven op de eindeloze toendra, de ridders op wie elfen verliefd worden. Maar helaas hebben Leon en Marlon nog nooit iets van de elfen gehoord. En als dat wel zo was, dan vonden ze die elfen waarschijnlijk net zo interessant als bloemen. Als Leon en Marlon een wei met bloemen zien, denken ze maar aan één ding: of je er ondanks de bloemen een balletje kunt trappen!

Felix de wervelwind is doodserieus en akelig grappig. Ik heb nog nooit iemand gezien die zo veel gekke dingen bedenkt om het serieuze leven wat leuker te maken. Ik waardeer hem enorm.

Net als Jojo die met de zon danst. Jojo is nu al een goede vriend van me, ook al weet hij dat misschien nog niet. Ik weet het wel. En het komt niet doordat hij door de week in een kinderopvanghuis woont of omdat hij een moeder heeft die soms te veel drinkt. Nee, het komt door hem alleen. Ik heb het in zijn ogen gezien. Die zijn zo diep en zo goed. Ik kan voor honderd procent op hem rekenen.

Dat geldt ook voor Raban de held. Zijn hart is te groot voor hem, net als zijn ogen als hij zijn jampotbril op heeft. Daarom schept hij zo op en daarom laat hij zich ook zo pesten door de drie dochters van zijn moeders vriendinnen. Minstens één keer per week moet hij zich door deze kleuterschoolkapsters laten misvormen. Ik ben van plan hem daarvan te bevrijden. We moeten ze terugpakken.

Je kunt je voorstellen wat er gebeurt als Raban en ik de drie meisjes met die poedelharen uitleggen wat de voordelen zijn van een David Beckham-kapsel! Dan zou Raban er misschien ook niet meer zo heilig van overtuigd zijn dat meisjes vergif zijn. In elk geval niet allemaal.

En misschien moet ik ook eens een keer met Marcs vader praten. Waarom wil hij de beste keeper van de wereld, zijn onbedwingbare zoon, per se veranderen in een golf-prof?

Pfff, er zijn opeens zo veel dingen waarvan ik droom dat ik ze ooit zal meemaken. Ik zou maar al te graag met Joeri

'Huckleberry' Fort Knox op geheime zwerftochten gaan.

Max 'Punter' van Maurik is de man met het hardste schot ter wereld. Hij zegt weinig of niets. Zelfs aan de telefoon houdt hij zijn mond. Ik vraag me af hoe het zou zijn om een hele dag met hem te discussiëren over het Nederlands elftal...

Ik zou graag met Rocco, het
Braziliaanse toptalent, de samba
dansen en ik zou graag met alle
jongens van de Wilde Bende
samen met een sinas in het gras
van de Duivelspot zitten en
luisteren naar Willies verhalen.

Ja, Willie is de beste
trainer van de wereld.
Dat heb ik zelf
gemerkt. En als je
het mij vraagt, traint
de beste trainer van de wereld ook
het beste voetbalteam dat er bestaat.

In elk geval zou ik bij geen enkel ander team willen spe-

len. En zolang de Wilde Bende bestaat – en daar steek ik alle-bei mijn handen voor in het vuur – zolang de Wilde Voetbalbende bestaat moet het Nederlands elftal maar op me wachten!

Alles is cool zolang je maar wild bent!

Lees ook de andere boeken over
de Wilde Voetbalbende:

Na de vakantie wacht de Wilde Voetbalbende een grote verrassing: hun veldje is omgetoverd in een echt stadion, compleet met schijnwerpers! Joeri wil niets liever dan dit grote nieuws aan zijn vader vertellen. Alleen woont zijn vader niet meer thuis, en Joeri weet niet waar hij nu is. Terwijl hij in de stad naar zijn vader op zoek is, valt Joeri in handen van Dikke Michiel en zijn gang, de aartsvijanden van de Wilde Bende...

ISBN 978 90 216 1690 2

Deniz voetbalt in een ander elftal, maar hij zou dolgraag bij de Wilde Voetbalbende spelen en nodigt zichzelf uit voor een proeftraining. Dat hij talent heeft, is overduidelijk, maar toch wijzen Fabian en Leon hem af. De Turkse Deniz zou niet in hun elftal passen. De andere jongens zijn hier woedend over. Ze willen Deniz per se bij hun club, zelfs als dat betekent dat Fabian en Leon opstappen. Wat nu?

ISBN 978 90 216 1700 8

Raban voelt zich in de Wilde Voetbalbende het vijfde wiel aan de wagen. Hij is bang dat de anderen hem niet meer bij hun team willen hebben. Trainer Willie raadt hem aan om in de kerstnacht het grote voetbalorakel te raadplegen. Zo gezegd, zo gedaan: midden in de nacht sluipt Raban naar het stadion...

ISBN 978 90 216 1950 7

Max is de man met het hardste schot van de wereld. Als hij de bal op de punt van zijn schoen neemt, kan geen keeper hem houden. Maar wanneer hij dat plotseling niet meer kan, raken de leden van de Wilde Voetbalbende in paniek. En wat misschien nog wel erger is: Max lijkt ook zijn tong verloren te zijn. Hij zegt geen woord meer. Shocktherapie is de enige mogelijkheid, en zijn vrienden organiseren de griezeligste spooknacht aller tijden...

ISBN 978 90 216 1960 6

Wauw! Tijdens het Stadskampioenschap zaalvoetbal wordt Fabi ontdekt door een talentscout en gevraagd voor het jeugdteam van Ajax. Fabi heeft hier altijd van gedroomd, dus neemt hij het aanbod aan. De leden van de Wilde Voetbalbende begrijpen Fabi niet en vinden hem een verrader. Hij wordt uit het team gezet. Uitgerekend in de finale moet de Wilde Voetbalbende tegen Ajax spelen...

ISBN 978 90 216 2171 5

Uitgerekend Josje, de kleinste van de Wilde Voetbalbende, krijgt het aan de stok met de Vuurvreters. Die gevreesde skatergroep eist de alleenheerschappij over de stad op. Ze pikken – vlak voor een belangrijke wedstrijd – de gitzwarte shirts van de Wilde Bende! Ten slotte belegeren de Vuurvreters zelfs de Duivelspot. Het is duidelijk: met de Vuurvreters moet eens en voor altijd worden afgerekend! Dan heeft Willie een plan. En alleen Josje, het geheime wapen, kan de Wilde Bende redden...

ISBN 978 90 216 2181 4

De Wilde Voetbalbende dingt mee naar het Stadskampioenschap Zaalvoetbal en kan zich ook nog plaatsen voor het Jeugd wk! Dan krijgt Marlon een ernstig ongeluk tijdens het karten. Het is de schuld van Rocco, zijn beste vriend. Marlon mag zes weken niet meer voetballen. Hij trekt zich van iedereen terug en praat niet meer tegen Rocco. Maar die heeft hem juist nodig, want zijn vader, de Braziliaanse profvoetballer João Ribaldo, wordt misschien verkocht aan een buitenlandse club. Dat zou betekenen dat Rocco moet verhuizen...

ISBN 978 90 216 2251 4

Een week voor de kwalificatiewedstrijd voor het Jeugd WK gaat Jojo bij een ander gezin wonen. In Jojo's nieuwe gezin lijkt het elke dag wel Sinterklaas en zijn verjaardag tegelijk. Daardoor vergeet hij de Wilde bende! Als hij eindelijk merkt hoe belangrijk zijn elftal voor hem is, is het te laat om terug te keren. Van zijn nieuwe ouders mag Jojo geen contact hebben met de Wilde bende, en de prachtige villa wordt een gouden kooi voor hem. Maar zijn vrienden bedenken een plan om hem te bevrijden en jojo moet beslissen waar hij echt thuishoort...

ISBN 978 90 216 2261 3

Op een dag traint een vreemd meisje in haar eentje in de Duivelspot. De jongens raken geboeid door haar spel. Tot hun verrassing duikt deze Annika als toeschouwer op bij de wedstrijd om het kampioenschap van de E-junioren. Rocco vraagt Annika zelfs of ze bij de Wilde Voetbalbende wil komen spelen. Maar het eigenzinnige meisje slaat dit fenomenale aanbod af. De leden van de Wilde Bende staan perplex en besluiten wraak te nemen voor deze nederlaag!

ISBN 978 90 216 2271 2

Sidderende kikkerdril! Nachtmerriepost vlak voor de zomervakantie: een ander elftal beweert veel gevaarlijker te zijn dan de Wilde Voetbalbende en daagt hen uit voor een wedstrijd op de eerste vakantiedag. Dat laten de leden van de Wilde Bende zich geen twee keer zeggen. Vooral Marc wil deze uitdaging graag aannemen. Vinden de ouders het goed dat de leden van de Wilde Bende alléén op de fiets 120 kilometer dwars door Nederland rijden...?

ISBN 978 90 216 2281 1

Surf naar www.wildevoetbalbende.nl!